Teorías de la literatura del siglo XX

D. W. Fokkema
Elrud Ibsch

Teorías de la literatura del siglo XX

Estructuralismo
Marxismo
Estética de la recepción
Semiótica

Traducción y notas de **Gustavo Domínguez**

EDICIONES CÁTEDRA, S. A. Madrid

Título original de la obra: *Theories of Literature in the Twentieth Century. Structuralism, Marxism, Aesthetics of Reception, Semiotics.*

First published in the United Kingdom by C. Hurst & Co. (Publishers) Ltd., 1-2 Henrietta Street, London, WC2E 8PS

Don Ramón de la Cruz, 67. Madrid-1
Depósito legal: M-37414-1981.
ISBN: 84-376-0304 8.
Printed in Spain.
Impreso en Industrias FELMAR. Magnolias, 49. Madrid-29.
Papel: Torras Hostench, S. A.

Índice

A Jan Brandt Corstius

Agradecimientos

El capítulo 2 apareció originalmente con el título «Continuity and Change in Russian Formalism, Czech Structuralism and Soviet Semiotics» en *PTL*, 1 (1976) págs. 153-196. (North-Holland Publishing Company, Amsterdam). El capítulo 5 apareció en versión alemana con el título: «Rezeptionforschung: Konstanten und Varianten eines Literaturwissenschaftlichen Konzepts in Theorie und Praxis» en *Amsterdamer Beiträge zur neueren Germanistik*, 3 (1974) págs. 1-37 (Rodopi N. V., Amsterdam).

Queremos expresar nuestro agradecimiento a J. K. W. van Leeuwen de la editorial North-Holland y a G. Labroisse, editor de *Amsterdamer Beiträge* por su amable permiso para reimprimir estos artículos.

Agradecemos al profesor Ralph Cohen el permiso para reproducir algunos párrafos de su «The Forms and Values of Contemporary Chinese Literature» publicado originalmente en *New Literary History*, 4 (1972-1973) págs. 591-603 (University of Virginia, Charlottesville, Virginia).

Prólogo

Las publicaciones en el campo de la teoría literaria han crecido en los últimos diez años y quizá ahora es el momento de hacer un examen retrospectivo. Uno podría preguntarse si la proliferación reciente de conceptos, métodos y teorías ha sido de provecho para el estudio de la literatura. Los autores de este libro consideran que la investigación de la teoría literaria es la condición del estudio científico de los textos de literatura.

Mantenemos que los estudiosos de la literatura —estudiantes, posgraduados o profesores— deberían juzgar los fundamentos de sus disciplinas por ellos mismos. En el presente libro hemos intentado presentar los materiales más relevantes para dicho juicio. Naturalmente sabemos que nuestra selección de teorías y su presentación contiene ciertos presupuestos que no serán compartidos por todos los lectores. Uno de tales presupuestos es que hay varios caminos para llegar al conocimiento y que nunca se consigue la certeza de un conocimiento perfecto. Otro es que se hace necesario llegar al más alto nivel de conocimiento, puesto que, de no hacerlo así, quedaría abierta la puerta al subjetivismo y al irracionalismo. En nuestra opinión, el intento de establecer un sistema de hipótesis verificables o afirmaciones sobre literatura implica la intención de distinguir entre los hechos y los valores de la literatura. Igualmente habría que diferenciar en lo posible las funciones respectivas del teórico y del crítico literario. Profundizaremos en esta idea en el capítulo introductorio.

Nuestra intención ha sido presentar un esquema de las teorias actuales de la literatura y disponerlas de tal modo que queden explícitos los presupuestos en que se basan y los juicios de valor que implican. Ello hará posible que el lector elija la teoría, los fundamentos y los criterios con los que esté de acuerdo. Pero quede claro que no pretendemos promover esta especie de autoafirmación. Esperamos que el lector encuentre la, algunas veces arbitraria y siempre hipotética, naturaleza de los fundamentos de la teoría con la que quiere trabajar. La cuestión de si existe una verdad última queda fuera del objetivo de este libro. Hemos preferido, en palabras de Proust, proporcionar «méticuleusement des renseignements précis».

Solamente en el capítulo de conclusiones parece que abandonamos este punto de vista. Allí indicamos cuáles son las teorías que cuentan con perspectivas susceptibles de mayor desarrollo y qué direcciones puede tomar la investigación para llegar a resultados satisfactorios.

Un párrafo final sobre nuestra división del trabajo. Aunque queremos compartir por igual la responsabilidad por el libro entero, quizá el lector desee saber que los capítulos 3, 5 y 6 han sido pergeñados por el primero de los que aquí firman y los capítulos 1, 2 y 4 por el segundo.

ELRUD IBSCH
(Free University, Amsterdan)

D. W. FOKKEMA
(University of Utrecht)

CAPÍTULO PRIMERO

Introducción

> Para llegar, en fin, a convertirse en ciencia, la historia literaria tiene que conseguir la precisión.
>
> JU. TINIANOV, 1927.

> De hecho, pensar que el resultado de una investigación puede sólo ser una incierta aproximación constituye, en sí mismo, una manera de lograr exactitud en los resultados, una forma de llegar a conocimientos exactos.
>
> E. D. Hirsch. Jr., 1972.

Este libro se basa en el presupuesto de que, para la interpretación de los textos literarios y consideración de la literatura como un modo específico de comunicación, son necesarias las teorías de la literatura. El estudio científico de la literatura no se puede concebir sin basarse en una teoría literaria particular.

Antes de pasar revista a las principales teorías de la literatura del siglo XX, es de todo punto necesario identificar y refutar ciertas corrientes que son incompatibles con un estudio sistemático de la teoría literaria. Por ello este capítulo introductorio ha de tener de algún modo un carácter negativo. A pesar de ello la crítica de algunas aproximaciones que, en nuestra opinión, están erradas, nos concede la oportunidad de marcar el énfasis en la perspectiva histórica. Los desarrollos recientes en teoría literaria son el resultado de la investigación de varias generaciones de profesores. Las actuales reacciones a las ideas pasadas pueden a su vez clarificarse con el estudio de dichas ideas.

En primer lugar, debería discutirse la suposición de que la actividad de la crítica literaria universitaria depende fuertemente de las corrientes que prevalecen en la literatura creativa. La teoría del Clasicismo, como se ha demostrado, debería entenderse como una generalización del drama y de la épica de la época. El método biográfico en crítica literaria se considera como uno de los efectos del Romanticismo que se basó ampliamente en el material autobiográfico. A su vez, a la novela sicológica se le considera responsable del método sicológico en la crítica literaria. De manera semejante, se ha defendido que el formalismo ruso es deudor de los ideales y manifiestos del Futurismo (Pomorska, 1968).

De todas formas se puede argumentar de manera diferente: Las nuevas corrientes en teoría literaria pueden relacionarse con los nuevos desarrollos de la ciencia y la sociedad. Hay también una indiscutible influencia del sicoanálisis freudiano en la crítica literaria de orientación sicoanalítica. La crítica literaria marxista está en conexión con particulares perspectivas políticas y sociológicas. La búsqueda de un sistema literario o estructural se ha inspirado ciertamente en la sicología conductista. El formalismo ruso no sólo es deudor del Futurismo, sino también de las nuevas investigaciones en lingüística. Algunas escuelas de teoría literaria están cerradas a las nuevas tendencias en la literatura creativa; otras, al contrario, se relacionan directamente con los desarrollos actuales de la actividad académica y de la sociedad. Incluso otras están en el terreno intermedio. De poco serviría hacer generalizaciones sobre una explicación genética de las diferencias existentes entre las diversas escuelas de teoría literaria. Aunque una explicación genética pueda clasificar aspectos en algún caso particular, ello no nos exime de la obligación de estudiar las diferentes teorías literarias por sus propios méritos y de establecer su más o menos restringida validez.

Otra tendencia que cabe señalar es la idea de Wittgenstein de que el arte debe huir de la definición (Weitz, 1956; 1972). En su aplicación a la literatura, esta postura la ha definido de manera elocuente George Watson en su libro *The Study of Literature* (1969). Watson no sólo rehúye el definir sus propios conceptos, sino que también desafía la costumbre de la definición de los conceptos de épocas tal como los desarrolló René Wellek. La razón por la que difieren Watson y Wellek en esta cuestión básica parece ser por concepciones diferentes de uno y otro sobre lo que debe ser una definición; Watson apela confusamente a la definición *real* cuando se refiere al término «definición» como «una fórmula verbal que incluye todos los casos y excluye todos los no-casos» y más adelante sostiene que «las realidades de la literatura» no son «susceptibles de definición» (Watson, 1969, págs. 36-37). Wellek, por su parte, emplea definiciones *descriptivas* para explicar el significado de palabras tales como Clasicismo, Romanticismo, Realismo, Simbolismo y otros conceptos de época [1]. Dichos términos son «nombres para sistemas de normas que dominan la literatura en un determinado tiempo del proceso histórico». El término para una época literaria es «una idea reguladora, un tipo ideal que no puede llenarse por completo con una obra única y que en cada obra individual se combinará con rasgos diferentes, residuos del pasado, anticipaciones del futuro y peculiaridades personales» (Wellek, 1963, págs. 129 y 252). El concepto de época, aunque está en correlación con ciertos hechos observables, es una construcción indispensable para cualquier discusión de historia literaria que intente superar la etapa de amable conversación sobre textos individuales. La tesis de Watson de que «no es necesario para conocer el Romanticismo poder decir qué es» y de que es suficiente señalar a los supuestamente autores románticos, nos dejaría mudos y convertiría en impenetrables los resultados de nuestras investigaciones. Escamotear la definición de los conceptos literarios significa el fin de una aproximación sistemática al estudio de la literatura. Joseph Margolis (1965), Lee B. Brown (1968), M. H. Abrams (1972) y otros, han hecho parecida crítica de las publicaciones de Morris Weitz. Margolis encuentra una contradicción en el argumento de Weitz. Por una parte, el arte se toma como algo que es lógicamente imposible de definir y por otra se considera como algo empírico. Lee B. Brown denuncia los esfuerzos esencialistas en la teoría de Weitz y defiende de manera convincente la «generalización descriptiva» como «una forma de definición perfectamente plausible» (Brown, 1968, página 412). Abrams, por último, arguye razonablemente que al tiempo que Weitz reclama la no necesidad de una teoría, está usando de hecho una.

Hasta ahora la teoría de Wittgenstein del «parecido familiar» de fenómenos relacionados que no pueden ser cubiertos por una sola definición, no ha hecho avanzar el estudio de la

---

[1] Aceptamos la tesis de Rescher de que «una definición es la explicación del significado de una palabra» (Rescher, 1964 pág. 30.) La palabra «descriptivo» la empleamos de acuerdo con Ernest Nagel (1961, págs. 83 y 349).

literatura. Abrams remarca con razón que cuando se trata de una familia de objetos muy diferentes «lo más importante sucede cuando somos capaces de especificar y limitar nuestro uso del término» (Abrams, 1972, pág. 17).

Sin una más profunda clarificación no sería comprensible por qué se puede reconocer la familia de los textos literarios. ¿Habría que decidir que un texto pertenece a esa familia por el solo hecho de que se le aplica el término «literatura»? No puede este ser el caso ya que la palabra es de reciente acuñación y no tiene equivalente en muchas lenguas. El concepto de «parecido familiar» difícilmente nos podría ayudar a distinguir entre diferentes clases de objetos y no permitiría nuevas investigaciones y perspectivas. El ideal de una «definición verdadera y real de las propiedades necesarias y suficientes del arte» que Morris Weitz busca y no encuentra, ha de reemplazarse por el intento más modesto de trazar los límites del corpus de materiales de que se trate. Este humilde objetivo y el hábito de hacer explícito el significado de los conceptos que se usan, tiene muchas más probabilidades de hacer progresar el estudio de la literatura que la vuelta al —falto de explicación— «señalar» o al «mirar y ver».

El éxito de la teoría del «parecido familiar» se debe claramente al hecho de que el concepto de literatura tiene diferentes significados en periodos y culturas diversos. Con todo, la diferencia entre estos significados se puede explicar echando mano a las distintas condiciones históricas y a sus correspondientes convenciones culturales y literarias.

Ciertamente, la literatura no es un concepto estático sino algo que hay que determinar en sus aspectos sincrónicos y diacrónicos. Por eso Ju. Tinianov (1924a) describe la literatura como una construcción lingüística dinámica. Cualquier definición de esta debería tener en cuenta el hecho de que ciertos textos en un determinado tiempo y lugar se han *aceptado* como literarios, mientras que en otros tiempos y lugares no lo han sido [2]. Los mecanismos literarios se gastan. Ya observó Horacio que «las palabras mueren con el tiempo». Al igual que Horacio los tratados chinos de poesía del siglo III señalan que el poeta recurre a los términos recién acuñados o a los ya olvidados [3]. Aunque los mecanismos y convenciones literarias pueden diferir con el tiempo y el espacio, parece una generalización adecuada afirmar que todos ellos aspiran a la percepción intensi-

---

2 Cfr. Jan Mukarosvky, 1970, págs. 13-14.

3 Lu Chi (A. D. págs. 261-303) *Rhymeprose on Literature (Wen-fu)* trad. de Achilles Fang. En pág. 8: «Recoge palabras nunca usadas en cien generaciones; elige ritmos nunca cantados en mil años.»

ficada. En distintas situaciones elementos diferentes se han usado para cumplir esta aspiración y factores diferentes han constituido la misma función literaria. Las teorías literarias que vamos a repasar aquí consideran los constituyentes de la función estética de la literatura como el problema clave y —en diferentes grados— la razón de la variabilidad de dichos constituyentes y de la invariabilidad del efecto estético.

Ha habido una tercera corriente que ha impedido el desarrollo de las teorías literarias; proviene de una reacción —por completo razonable— contra el historicismo alemán. Algunos representantes de esta tendencia han reafirmado la imposibilidad o, al menos la invalidez, de una separación de la exégesis del significado (interpretación) del juicio de valor (evaluación). Aquí el historicismo o el relativismo histórico se entiende como un punto de vista individualizador que interpreta y valora los fenómenos históricos de una época determinada sobre la base de las normas y en relación con otros fenómenos históricos de ese periodo [4]. Uno de los argumentos principales contra el método historicista era la creencia de que nunca se podrían reconstruir con certeza las normas históricas; y que si tal reconstrucción fuera posible, el juicio de valor basado sobre ellas no tendría sentido para el lector moderno. El historicismo, pues, determinó el valor de una obra de arte con relación a su contexto histórico y mantuvo la tendencia de reducir su significado a su época de origen.

Con frecuencia se menciona la crítica que realizó Wolfgang Kayser a esta actitud. A propósito de un artículo de Karl Viëtor de 1945, Kayser lamenta el historicismo extremo de la *geistesgeschichtliche Schule* * y le achaca la insuficiente atención a las cualidades artísticas y al juicio crítico al mismo tiempo que postula una separación entre literatura e historia. La interpretación de una obra literaria, argumenta, tiene como centro la obra en tanto arte y necesita orientarse en particular hacia el aspecto poético, que es esencialmente distinto de la orientación histórica [5]. El juicio crítico, según Kayser, hay que emitirlo en y a través de la interpretación. Su tesis correcta de que cada sistema de valoración se basa explícita o implícitamente en una teoría literaria y de que cada intérprete es producto de su tiempo, no cae en el relativismo [6].

---

[4] Esta definición se basa en el concepto de historicismo de Friedrich Meinecke (1936).

* Se llamaba así a la escuela que estudiaba la obra literaria como producto del espíritu de una época. [*N. del T.*]

[5] Kayser, 1958, pág. 52.

[6] *Ibíd.*, págs. 45 y 52.

De manera más inconsecuente, Kayser postula un método de interpretación que claramente no aspira a ninguna valoración sino que intenta descubrir una unidad de tensiones *(Einstimmigkeit)* en la obra literaria. La consecuencia es que dicha unidad es un rasgo distintivo del arte y por ello un criterio primario dentro de un sistema de valoración adecuado. Aunque Kayser, al menos por una vez[7], es explícito sobre esto, su repetido punto de vista de que la interpretación proporciona frecuentemente la valoración y de que la obra literaria tiene que revelar los criterios con los que se ha de llegar a la valoración, ha contribuido más bien a ensombrecer la distinción entre valoración e interpretación. Como afirma Kayser: «La valoración está inherente en la interpretación»[8]. En Europa han sostenido tesis similares Emil Staiger (1971, págs. 9-12), H. P. H. Teesing (1964) y otros.

En la actividad crítica americana puede notarse una tendencia parecida a identificar interpretación y valoración y ello a pesar de que el relativismo histórico nunca echó fuertes raíces en el Nuevo Mundo y, por tanto, no concitó una fuerte reacción. De hecho, esta puede ser la razón por la que el debate sobre el historicismo ha sido un asunto que se ha prolongado en los Estados Unidos (Cfr. Roy Harvey Pearce, 1969; Wesley Morris, 1972). Ello explica también por qué Austin Warren se expresa a este respecto de una manera moderada cuando reconoce que la separación entre interpretación y valoración «puede ciertamente hacerse» aunque se practica poco o es de difícil práctica (Wellek y Warren, 1956, pág. 240). Warren añade que la comprensión de la poesía pasa por el juicio de ella, de manera que al analizar, se juzga. Cita como ejemplo los ensayos de Eliot, pero la expresión «comprensión de la poesía» *(understanding poetry)* se refiere al difundido libro de Cleanth Brooks y Robert Penn Warren (1938).

René Wellek, mucho más conocedor de los efectos negativos que la separación de análisis y valoración puede tener —como sucedió en el historicismo alemán— sostiene una postura de alguna forma más dura. El análisis no puede considerarse aislado. «No hay manera de evitar el juicio por parte de nosotros, por parte de mí mismo.» «La valoración se desarrolla a

---

[7] *Ibíd.*, pág. 45.

[8] *Ibíd.*, pág. 51. La obra de Kayser *Interpretación y análisis de la obra literaria,* ha conocido un inusitado éxito en España y ha servido de guía para un primer acercamiento al fenómeno literario. Lo mismo podría decirse de la obra de Wellek-Warren, lugar de paso obligado en los estudios filológicos durante dos décadas. [*N. del T.*]

partir de la comprensión; la valoración correcta nace de la correcta comprensión» (Wellek, 1963, págs. 17-18).

La doctrina de la inseparabilidad de la interpretación y la valoración pierde mucha de su fuerza cuando se contemplan obras literarias de épocas pasadas o de otras civilizaciones. Mientras Kayser considera necesario el examen de las condiciones históricas como preparación para la interpretación literaria, Wellek parece subestimar los problemas que un texto antiguo puede ofrecer al lector cuando afirma que con los textos literarios «podemos experimentar directamente cómo son las cosas» (Wellek y Warren, 1956, pág. 224). De esta forma sigue al pie de la letra la tesis peligrosa de Eliot de que «el conjunto de la literatura europea desde Homero (...) tiene una existencia simultánea y forma un orden simultáneo» (*Ibíd.*, pág. 244). Ello significa reconocer que «hay una poesía, una literatura comparable en todas las épocas». Es esta una postura que quizá pudiera tener seguidores; de hecho, es la inevitable tesis de cualquier estudiante de literatura comparada. Pero es una hipótesis que, sin una mayor elaboración, no resuelve nada; antes al contrario, plantea el problema de cómo se podría construir este concepto de una literatura única. Y si aceptamos esta postura, como lo hacemos, ello no significa aceptar también sus aditamentos, a saber: el olvido de la reconstrucción literaria para entrar en el espíritu y en las actitudes de épocas pasadas, el rechazo de los métodos que no garanticen resultados fijos, la absoluta adhesión a los imperativos estéticos por temor a una anarquía de valores (cfr. Wellek, 1963, págs. 1-21).

La repetida advertencia de Wellek de que el relativismo histórico conducirá a una anarquía de valores ignora el hecho de que el relativismo en cuanto tal representa un valor fundamental. Por ello hay que poner en duda su afirmación de que las normas éticas y estéticas bien establecidas deberían estar y están en la base de su método.

Esto no es un alegato en favor de la restauración del historicismo. El historicismo priva al estudioso de la literatura de la posibilidad de emitir un juicio, cuando, si es algo más que un lector común, parece cualificado para hacerlo. Un acercamiento puramente histórico aparta a dicho estudioso de una participación activa en la sociedad contemporánea.

El efecto negativo del relativismo histórico se produce cuando es posible concebir la historia literaria como una sucesión de épocas aisladas que no tienen relación entre sí y que a veces no significan nada para el tiempo actual.

Por otra parte es difícil concebir cómo podría juzgar una visión normativa de la literatura los textos literarios antiguos y contemporáneos en culturas extranjeras en las que existen tradiciones e ideologías diferentes. Nuestra disciplina demanda de nosotros que investiguemos la literatura de la Grecia antigua y de Roma, de Mesopotamia, África, India, China y Japón, si es que queremos evitar la acusación de parcialidad europea y mantener la pretensión de universalidad. Esto significa que tenemos que estudiar qué tipo de textos fueron aceptados como literarios por parte de los lectores de culturas completamente ajenas a la nuestra. Debemos examinar, pues, las vías de valoración de los textos y la reconstrucción de su sistema de valores, evitando que nuestros propios sistemas interfieran con ellos. La confrontación de ambos nos mostrará diferencias y semejanzas; al mismo tiempo nos revelará la relatividad de nuestro sistema de valores, nos proporcionará una solución alternativa a los propios problemas y nos despojará de la costumbre del etnocentrismo. Un método así bien pudiera llamarse relativismo cultural (cfr. Fokkema, 1972, págs. 59-72). De esta manera se podrían analizar los sistemas de valores coexistentes o sucesivos de una cultura. En la Unión Soviética, por ejemplo, coexistieron durante algún tiempo las tesis del formalismo ruso con las de la crítica marxista, a pesar de que en la etapa más reciente, esta última domina la escena casi por completo.

Recientemente, la doctrina de la inseparabilidad de la valoración y de la interpretación ha sido puesta en cuestión por Monroe C. Beardsley (1970) E. D. Hirsch (1972; 1976) y otros. Pero ha habido una razón importante para el largo éxito de dicha doctrina, que han defendido también los críticos normativos, incluidos los marxistas: éstos han actuado por reacción contra la inadecuación del credo historicista.

Por desgracia, se han mostrado incapaces de cuestionar y discutir el *status* de sus propios valores; más bien han actuado guiados por imperativos éticos y estéticos. Nosotros rechazamos esta actitud dogmática. Nuestro concepto de estudio científico de la literatura implica la necesidad de distinguir entre valoración e interpretación. Toda teoría literaria debería desarrollar métodos para garantizar que las observaciones y conclusiones del crítico no están mezcladas con sus preferencias y valoraciones personales. La primera etapa hacia este objetivo depende, por tanto, de la voluntad de evitar la interferencia de las dichas condiciones subjetivas.

Después de haber señalado los peligros de las explicaciones meramente genéticas, de renunciar a la definición de los conceptos y de combinar la valoración y la interpretación, se podría pensar cuáles son los criterios positivos que deben satisfacer las teorías de la literatura. ¿Qué debe esperarse de una teoría literaria? Uno podría naturalmente, suscribir la tesis de René Wellek de que la teoría literaria es «el estudio de los principios de la literatura, de sus categorías y criterios y del gusto» en contraposición a la crítica literaria que actúa sobre obras de arte concretas (Wellek, 1963, pág. 1). Pero si uno se atiene al concepto estricto de teoría y acepta, con C. G. Hempel, que «las teorías se introducen generalmente cuando los estudios previos de una clase de fenómenos han revelado un sistema de uniformidades que se pueden expresar en forma de leyes empíricas» (Hempel, 1966, pág. 70) se podría pensar que existen teorías literarias por todas partes, excepto en las afirmaciones extremadamente triviales o simplemente programáticas.

La cuestión fundamental es saber qué hipótesis se han formulado en el campo de la literatura con un deseo de universalidad o, al menos, de validez general. Un rápido repaso a los logros a este respecto resulta tan descorazonador que uno se admira de que hayan podido conducir a una teoría decorosa[9]. El teórico de la literatura se puede jactar sólo de haber asignado nombres a fenómenos o a grupos de fenómenos (metros, ritmos, figuras, estructuras narrativas, géneros, conceptos de época, convenciones, códigos), pero la interrelación de tales fenómenos revela demasiado a menudo arbitrariedad y azar. Las convenciones desempeñan un papel importante en literatura y no obedecen simplemente a la lógica. Si Max Rieser tiene razón cuando afirma que «la ley de la forma o del orden o de la estructura no es de carácter lógico, sino que es parecida a los procesos naturales y vitales» (Rieser, 1968, pág. 262) nosotros no nos deberíamos contentar exclusivamente con desarrollar hipótesis generales e inferencias lógicas basadas en ellas.

Por otra parte, el deseo de formular hipótesis de validez universal no se debería descartar tan fácilmente. Pensando en la afirmación de que «las metáforas atrevidas del ayer son clisés hoy día», Arthur Koestler ha defendido recientemente que la ley del «empleo trivializador» se aplica también a la literatura, argumentando que el desgaste de las palabras es una consecuencia inevitable de las cualidades del sistema nervioso. El fenó-

---

[9] Cfr. la conclusión de T. A. van Dijk: «por el momento sólo queremos remarcar que en poética no se ha satisfecho el requisito de generalidad. No tenemos leyes o normas que formulen propiedades de carácter general o universal y, si tenemos algunas, como en teoría de la narrativa, son difícilmente verificables (1972, páginas 177-178).

meno que los sicólogos han llamado «habituación» tiene la misma base neurológica (Koestler, 1970). Aunque el argumento pueda parecer convincente, la ley de Koestler no especifica *cuándo* precisamente el empleo se empieza a trivializar y por ello no tiene valor predictivo. Su ley no tiene falsabilidad (como dirían los lógicos).

Se podría argumentar que cada frase de retorno trivializador está precedida por una fase de empleo generalizador. Una metáfora nueva tiene primeramente que ser aceptada por un público creciente antes de que su uso la empequeñezca y trivialice. Entonces se podría inventar la ley del empleo generalizador e intentar aplicarla a la literatura. De nuevo no quedaría claro *cuándo* se aplica esta ley. De todas formas, si no podemos echar mano en literatura a leyes universales empíricas [10], ello no es razón para renunciar a encontrarlas.

Al igual que el concepto de teoría de Hempel, el deseo de validez universal proviene de las ciencias naturales. Incluso cuando se suscribe decididamente la defensa que Popper hace de la «unidad de método» (Popper, 1969 a, págs. 130-143), tal como nosotros hacemos, ello no implica que un solo método nos llevará igual de lejos en todas las disciplinas. La «unidad de método» no niega la existencia de diferentes maneras de investigación en las diversas disciplinas, sino que se refiere a la aplicación de un solo método de falsabilidad y de confirmación provisional de hipótesis en todas las disciplinas. En los estudios literarios dichas hipótesis tienen a veces la modesta y restringida intención de establecer hechos singulares de autoría, cronología, influencias, recepción, mecanismos literarios e interpretación. Aunque tratan de hechos individuales, tienen que recurrir a principios generales que pertenecen a una teoría, si pretenden explicar algo de manera satisfactoria.

Para empezar, una teoría literaria tiene que crear una reserva de conceptos universales o, al menos, generales con relación a los cuales se describan y expliquen los hechos individuales [11]. Si no podemos descubrir leyes generales de alguna importancia, al menos seremos capaces de ver que la literatura está determinada por *relaciones* que son de carácter universal. Existen las relaciones entre originalidad y tradición, forma y contenido, ficción y realidad, emisor y destinatario, combinación y selección de materiales.

---

[10] Excepto generalidades triviales como «el número de géneros es limitado».

[11] Seiffert, 1972, pág. 210.

De estas parejas de conceptos, cuyo número podría aumentarse, al menos un elemento está condicionado históricamente. Toda teoría literaria tiene que tomarlo en consideración. La teoría que reduzca la literatura a algo abstracto, en una forma ahistórica y sobre esa base establezca leyes universales, corre peligro de quedarse sólo en su fase programática. Por otro lado, la posición hermenéutica que contempla sólo la interpretación de obras individuales y rechaza toda generalización, no podrá hacer avanzar nuestra comprensión del proceso literario.

El único camino abierto para el desarrollo futuro de la disciplina de teoría literaria es la construcción de conceptos generales y modelos que expliquen los desvíos individuales y den cuenta de la base histórica de todas las literaturas. La mayoría de las teorías que vamos a repasar en los próximos cuatro capítulos han contribuido a la construcción de un *metalenguaje* en cuyo seno se puede estudiar la literatura sistemáticamente. Sin conceptualización y generalización, sin la terminología de un metalenguaje, no parece posible la discusión científica sobre los elementos componentes de la literatura y la historia literaria.

Capitulo II

Formalismo ruso, estructuralismo checo y semiótica soviética

En un ensayo publicado en San Petersburgo en 1914 Sklovski escribió: «Hoy día el viejo arte ha muerto y el arte nuevo no ha nacido todavía. Las cosas están muertas de alguna manera, pues hemos perdido el sentimiento del mundo. Sólo la creación de nuevas formas artísticas puede restaurar en el hombre la conciencia del mundo, resucitar las cosas y matar el pesimismo» (1914, pág. 13). Este ensayo se ha considerado la primera introducción al formalismo y ciertamente puede tomarse como un eslabón entre la teoría futurista de Alexei Kruchenik y Viktor Khlebnikov por una parte (Markov, 1968) y por otra la rica tradición de estudios más elaborados que comúnmente se agrupan bajo el nombre de formalismo ruso. Alrededor de 1930 la historia del formalismo —o del método formal, como los mismos protagonistas lo llamaron— terminó de manera brusca y prematura debido a circunstancias políticas. Las nueve tesis sobre «Problemas del estudio de la literatura y la lengua» formuladas por Juri Tinianov y Roman Jakobson (1928) resumen las posiciones fundamentales de la última fase del formalismo y contienen al mismo tiempo los gérmenes de las teorías del estructuralismo checo.

A partir de 1920 Praga se convirtió en un centro importante para el estudio de la literatura y la lengua en parte porque algunos miembros de la escuela formalista o los estrechamente relacionados con ella se instalaron allí. De nuevo intervino la política: el nacimiento del nazismo obligó a algunos profesores a abandonar Checoslovaquia y silenció a otros.

Todavía la tradición del estructuralismo se mantuvo viva de alguna manera en la Unión Soviética y en los países del Este europeo, sobre todo después de la muerte de Stalin en 1953. Después de veinticinco o treinta años las raíces ocultas desde los años 20 resurgieron de nuevo: las teorías formalistas se reinvestigaron, se criticaron, se expandieron y replantearon a veces en el marco de la teoría de la información y de la semiótica.

A pesar de que fue una generación la que entró en escena y a pesar de todas las interferencias políticas, las tres etapas del formalismo ruso, estructuralismo checo y semiótica soviética muestran una clara continuidad. Actualmente, gran parte de las hipótesis y valoraciones del formalismo ruso parecen más vigentes que antes y, desde luego, nunca tuvieron como hoy una difusión tan marcada fuera de la Unión Soviética.

Hay ciertamente notables diferencias entre las diversas teorías expuestas por los formalistas rusos, sobre todo entre las ramas de Moscú y Leningrado. En 1915 quedó establecido el Círculo Lingüístico de Moscú con Roman Jakobson, Petr Bogatirev y G. O. Vinokur como miembros principales. En este periodo Roman Jakobson empezó a considerar la teoría literaria o poética como parte integrante de la lingüística. Su afirmación de que «la poesía es la lengua en su función estética» data de 1921. Cuarenta años después repitió su tesis con pocas alteraciones en su célebre ensayo «Lingüística y poética» (1960). El grupo de Leningrado que se conoció desde 1916 con el nombe de «Sociedad para el estudio del lenguaje poético» *(Opojaz)* [1], asumió un punto de vista menos estrictamente lingüístico. Participaron activamente en él Lev Jakubinski, Sergei Bernstein, Viktor Sklovski y Boris Eichenbaum.

Estos dos últimos estuvieron después bajo la dirección de Viktor Zirmunski que en 1920 era jefe del departamento de Historia literaria en el Instituto nacional de historia del arte en Leningrado; con él conectaron también Juri Tinianov, Boris Tomachevski y Viktor Vinogradov. Desde el principio todos se interesaron en problemas de historia literaria, incluida la valoración y las cuestiones lingüísticas.

Casi todas las nuevas escuelas de teóricos de la literatura en Europa tienen su origen en la tradición «formalista», ya sea por remarcar diferentes tendencias dentro de esa tradición, ya sea por intentar establecer su propia interpretación del formalismo

---

[1] *Opojaz* es la abreviatura de *Obscestvo izucenija poeticeskogo jazyka* (Sociedad para el estudio de la lengua poética).

como la única correcta. Por esa sola razón es oportuno investigar una vez más los dogmas básicos del formalismo.

Para mayor detalle hay que remitir a las obras básicas de Erlich (1969), Striedter (1969) y Stempel (1972).

La demanda de precisión científica

Unas de las principales metas del formalismo es el estudio científico de la literatura y ello se basa en la creencia de que tal estudio es completamente posible y adecuado. Aunque dicha creencia no se discutió en exceso, sirvió como una de las premisas del formalismo. Pero en la medida en que los formalistas se propusieron el examen científico de la literatura, tuvieron la convicción de que sus estudios mejorarían la capacidad del lector para leer los textos literarios de una manera apropiada, es decir, con especial atención a las propiedades «literarias» o «artísticas» del texto. Dicha percepción a través de la forma artística, según ellos, restablece nuestra consciencia del mundo y trae las cosas a la vida. Indirectamente, las premisas del formalismo parecen tener un fundamento sicológico puesto que la experiencia inmediata es uno de sus principales ideales. Sólo en un estudio posterior se marcó el énfasis en la función social de la experiencia inmediata (Jakobson, 1943).

Ciertamente, la pretensión de que el estudio científico de la literatura resulta posible y adecuado es común a muchos teóricos literarios, pero no con la intensidad tan marcada de los formalistas. Desde sus primeras publicaciones, Sklovski (1916 a) se interesó por las «leyes de la lengua poética». Jakobson, por su parte, reclamó en 1921 la necesidad de que la «ciencia de la literatura» *(nauka o literature)* se considerase verdaderamente una ciencia. Tinianov afirmó igualmente que «para llegar a ser una verdadera ciencia, la historia literaria tiene que conseguir la precisión» (1927, pág. 435). A pesar de ello, la presentación más elaborada de los problemas metodológicos se encuentra en Eichenbaum (1926), el cual plantea un concepto moderno de investigación científica que se asemeja al método hipotético deductivo invocado más tarde por Popper.

Eichenbaum escribe:

> Establecemos principios concretos y les damos la extensión que el material permite. Si el material requiere una mayor elaboración o alteración, seguimos adelante elaborándolo o alterándolo. En este sentido nuestras propias teorías nos decepcionan relativamente, como debería pasar en toda ciencia, ya que hay diferencia entre la teo-

ría y las convicciones. No hay ciencias preestablecidas. La vitalidad de una ciencia no se mide por su capacidad de establecer verdades sino por la de vencer errores (1926, páginas 3-4).

Esto implica que todo aserto científico sobre literatura es, en principio, revocable; no hay certeza, pues, de que exista la verdad definitiva y absoluta. Si una afirmación resulta sin fundamento ni prueba, hay que eliminarla junto con las aserciones que dependan de ella. Esto muestra, por tanto, la interdependencia de las observaciones científicas así como, en principio, su *status* hipotético.

Este concepto del estudio científico de la literatura llevó a los formalistas a buscar las propiedades universales (o cuando menos generales) de la literatura. De ahí que Jakobson (1921) proclamase como objeto de la ciencia literaria la «literaturidad» *(literaturnost')* y no los textos literarios en conjunto o individuales. Según él, los mecanismos o principios estructurales que hacen que un texto sea una obra de arte son el objeto apropiado del estudio de la literatura. Tanto Eichenbaum (1926) como otros formalistas estuvieron básicamente de acuerdo con esta afirmación, aunque de manera gradual el estudio de la literatura se extendió a otros aspectos. Al concentrar su atención en los mecanismos o propiedades de la literatura, Jakobson y Eichenbaum creyeron que se podrían abstraer del texto literario algunos elementos o factores de forma susceptibles de estudiarse independientemente del texto y de su contexto [2].

Por otra parte los formalistas aceptaron la tesis de Kruchenik de que una forma nueva produce un nuevo contenido y de que el contenido está condicionado por la forma (Jakobson, 1921). La regla, pues, parece ser que diferentes formas tienen que tener diferentes contenidos. Los sinónimos y homónimos son las excepciones que permiten al poeta llamar la atención sobre el carácter de signos que tienen las palabras o, como dice Jakobson, «emancipar las palabras de sus significados». En el caso de los sinónimos, el mismo significado se distribuye en dos palabras mientras que los homónimos combinan en una sola palabra al menos dos significados. El juego poético con homónimos y sinónimos se posibilita solamente en contra de la regla general antedicha, regla, que, por tanto, impide el análisis del contenido sin el análisis parejo de la forma. En efecto, hubo una tendencia

---

[2] Compárese la opinión de Sklovski de que «la entidad artística... depende del tipo de percepción que se tenga» (1916a, pág. 7) con la postura de Jakobson: «una poética científica sólo es posible cuando se olvida cualquier valoración» (1921, pág. 23).

a rechazar cualquier abstracción sacada del texto, lo cual nos recuerda la postura del New Criticism contra «la herejía de la paráfrasis».

Sklovski desaprobó de manera explícita el reducir una obra literaria al pensamiento que expresa y encontró una base a su aserción en L. N. Tolstoi, quien al comentar en una carta su *Anna Karenina* escribió lo siguiente:

> Si yo quisiera decir con palabras todo lo que traté de expresar en la novela, tendría que reescribir la misma novela que ya he escrito. (...) En todo o casi todo lo que he escrito, he estado guiado por la necesidad de recoger los pensamientos que entrelazé unos con otros para expresarme a mí mismo. Todo pensamiento expresado en palabras pierde su sentido y llega a ser banal cuando queda aislado de la cadena a que pertenece (1916b, pág. 109).

En este mismo sentido Tomachevski advirtió que «nadie puede parafrasear a Pushkin» (Erlich, 1969, pág. 53).

Hay una aparente contradicción entre la afirmación de Jakobson de que los mecanismos literarios se pueden abstraer de los textos literarios y la creencia de que la abstracción a partir del texto es, de hecho, injustificada. Dicha contradicción ha creado mucha confusión y ha alcanzado incluso a algunos estudios contemporáneos de la literatura. A pesar de todo, el dilema entre la abstracción y el estudio de un material concreto no existe solamente en el estudio de la literatura. También las ciencias naturales tratan de fenómenos individuales y han descubierto factores generales al trabajar con dichos fenómenos individuales. Sin embargo, cuando descubren estos factores generales, las ciencias reclaman una *explicación* y no del tipo de reproducción inadecuada, que es lo que viene a ser la paráfrasis. La explicación exige cierto grado de generalización. La conceptualización y la generalización se justifican por la necesidad que tenemos de estudiar las cosas y explicar su significado de una manera imparcial y científica. El reconocer los factores generales es la base misma de todo conocimiento y es también una condición nueva del reconocimiento de los textos literarios como tales. Por ello la búsqueda de mecanismos que hacen que un determinado texto sea literario, tal como propuso Jakobson, viene a ser una operación explícita de lo que en la mayoría de los lectores es una actividad inconsciente.

En nuestra opinión no es necesario concluir que la búsqueda de mecanismos o principios estructurantes de los textos literarios es incompatible con el rechazo de la paráfrasis. Los formalistas rusos no intentaron «destruir» el texto literario o reproducirlo en una forma inferior. Sólo quisieron hablar de forma racional de los principios según los cuales se construye, y lanzaron un puente entre la abstracción y el texto individual mediante el concepto de *función*. Quisieron estudiar cómo funcionan en el texto literario los *mecanismos* o principios constructivos y cómo lo convierten en un todo organizado. Esto los llevó en primer lugar al concepto de *sistema* literario y por último al concepto de *estructura*.

LOS MECANISMOS LITERARIOS

El pensamiento de los formalistas muestra desde 1914 a 1930 un claro desarrollo. La influencia de Edmund Husserl (1900), Broder Christiansen (1909) y Ferdinand de Saussure (1915) penetró gradualmente en sus escritos. Pero hay al mismo tiempo un desarrollo inmanente. Si tratamos primero de los mecanismos literarios, del concepto de factor y función después y de dominante y sistema por último, parecería que atribuimos a los hallazgos de la escuela formalista una apariencia sistemática que no está justificada por su desarrollo histórico. Un aspecto importante de dicha escuela es su estrecha relación con los escritores de creación; de hecho, algunos críticos estuvieron fuertemente ligados a escritores futuristas. El mismo Tinianov volvió a escribir ficción cuando sus teorías llegaron a ser políticamente peligrosas. Pero esta relación con los escritores de literatura tuvo también un aspecto negativo: una actitud despectiva hacia las definiciones y los intentos de aportar conocimientos dentro de un sistema.

La fuerza conductora del formalismo ruso parece haber sido la urgencia por derruir conceptos petrificados, por descubrir nuevas formas y por introducir en la vida una calidad que la hiciera valer la pena. Sólo si tomamos en cuenta que nuestra presentación es altamente selectiva y tiende, por mor de la claridad, a otorgar un énfasis injusto a la conceptualización en el pensamiento formalista, nos estará permitido tratar más o menos sistemáticamente algunos conceptos de los formalistas.

El traba o de Sklovski «Art as Device» [El arte como mecanismo] (1916a), fue uno de los primeros en ofrecer un compendio de varios principios básicos. Su autor rechaza como incorrecta la idea de que la poesía se caracteriza principalmente por las imágenes; de esta forma va contra la tesis de los influyentes críticos del XIX Potebnia y Belinski [3], así como contra

[3] Aunque no lo menciona Sklovski, Belinski (1811-1848) así como Potebnia (1835-1891) expresan la idea de que «el arte es el pen-

la tradición crítica del simbolismo. Según él, no son las imágenes las que dan el carácter de tal a la poesía y determinan su historia, sino la introducción de «nuevos mecanismos que estructuran y conforman el material verbal» (1916a, pág. 5). La imagen poética es sólo uno de los medios de intensificar la impresión y, como tal, su papel es similar al de otros mecanismos de la lengua poética como el paralelismo simple y negativo, el símil, la repetición, la simetría y la hipérbole. Todos ellos sirven para potenciar la experiencia inmediata de una cosa o de una palabra, pues las palabras pueden también convertirse en cosas.

El punto de vista erróneo de que el arte es una manera de pensar por medio de imágenes se originó, según Sklovski, de la identificación de la lengua de la poesía con la lengua de la prosa. Aquí su terminología es vaga e incierta y sabemos por las referencias a las contribuciones de Jakubinski en este mismo trabajo que él tenía en mente la oposición entre lenguaje poético (literario) y lenguaje ordinario, mucho más que entre poesía y prosa artística. Más tarde, en los estudios de Jakobson, la oposición entre lenguaje poético y práctico dio paso a la distinción menos rígida de *funciones* del lenguaje poético y práctico. El lenguaje ordinario, escribe Sklovski, tiende a la brevedad. A través del hábito, los actos (incluidos los actos de habla) se vuelven automáticos. Este proceso de automatización puede explicar por qué las frases inacabadas e incluso las palabras inconclusas se dan frecuentemente en el lenguaje ordinario. En estas condiciones la imagen vendría a ser como un atajo.

El lenguaje poético en cambio se resiste a la economía. La imagen poética al igual que otros recursos, tiende a destruir la tendencia al hábito y sirve para alargar e intensificar el proceso de percepción. Bajo la influencia de Bergson (Curtis, 1976), Sklovski escribió en un famoso párrafo:

> (...) Lo que llamamos arte existe precisamente para restaurar la experiencia inmediata de la vida, para hacer sentir las cosas, para hacer a la piedra pétrea. La meta del arte es transmitir la experiencia inmediata de una cosa como si se viese y no como si se reconociese; el mecanismo del arte es el de «extrañar» las cosas, es el mecanismo de la forma obstruyente* que alarga la dificultad y la extensión de la percepción, pues en arte el proceso de percepción está orientado a sí mismo y tiene que pro-

---

samiento en imágenes», definición rechazada de plano por Sklovski.

* Se entiende siempre aquí como forma obstruyente aquella en que el camino hacia lo denotado no es directo, sino difícil y tortuoso. [*N. del T.*]

longarse; el arte es un medio para llegar a saber cómo se hacen las cosas, ya que en arte las cosas hechas no son relevantes (1916a, pág. 15).

Sklovski explica que, aparte las figuras retóricas, hay otros varios caminos para llegar a la meta de la forma obstruyente y del extrañamiento de las cosas. Para ello extrae varios ejemplos de las obras de L. N. Tolstoi. Este autor creó la experiencia del extrañamiento mediante la descripción de cosas sin mencionar sus nombres propios, como si se vieran por vez primera. Así pinta un campo de batalla a través de los ojos de un civil *(Guerra y Paz)* y describe el sistema humano de la propiedad a través de los ojos de un caballo («Cholstomer»). El efecto de dichos recursos es que «un objeto se transfiere desde (la esfera de) su percepción usual a una nueva percepción que da como resultado ese cambio semántico particular» (Sklovski, 1916a, pág. 31).

Este es, en pocas palabras, el formalismo temprano del que tantos comentarios se han hecho. En primer lugar surge la cuestión de la relación existente entre el mecanismo de extrañamiento y el mecanismo de la forma obstruyente (Wolf Schmid, 1973). No se necesita aceptar la influencia directa de Saussure o de la semiótica de Husserl sobre Sklovski para sentar que ambos mecanismos se deberían colocar en el nivel del significante *(signifiant)*. La diferencia, sin embargo, parece residir en que el mecanismo de la forma obstruyente desempeña un papel principalmente en microestructuras y el de extrañamiento, por resultar de un punto de vista, sobre todo en macroestructuras. En ambos casos el escritor o poeta reclama una percepción nueva de las cosas o una restauración de la «experiencia de la vida» y su intención se consigue mediante una específica construcción lingüística. Desde este aspecto formal, Sklovski llega a la conclusión de que la poesía puede definirse como un «lenguaje obstruyente, reprimido», como una «construcción lingüística».

Esta definición muestra cómo Sklovski, lo mismo que otros formalistas, centró su atención en los aspectos técnicos de la poesía. La aserción de que el arte es un medio para saber hacer las cosas y que «las cosas hechas no son relevantes en arte» ha confirmado la impresión de que se trata de un interés unidimensional por la técnica. En realidad, sus comentarios sobre Tolstoi rara vez o nunca tratan de sus valores filosóficos y sus notas sobre el ensayo filosófico de Turgueniev acerca de Hamlet y Don Quijote son netamente escapistas (Sklovski, 1926, pág. 101). Igualmente, cuando Roman Jakobson (1921) declara que la «literaturidad» o «lo que hace que una obra sea una obra literaria» es el objeto propio de la ciencia literaria, parece que hay un campo apropiado de crítica a los formalistas, tal como lo hizo Erdich (1969, pág. 90), a causa de interesarse de manera unilateral por la «suma total de los mecanismos estilísticos» (Sklovski, 1925, pág. 165).

Pero esta crítica no es del todo imparcial. Sklovski afirma claramente que «las cosas hechas no son relevantes *en arte*» lo que significa que pueden ser importantes en lo *no artistico*, es decir, en la perspectiva filosófica, religiosa o social. De hecho insistió repetidamente en que el arte, incluida la literatura, comporta un función sicológica, pues restaura la experiencia inmediata de la vida. Cuando Sklovski sentó que «el contenido (y, por ende, el alma) de una obra literaria es la suma total de sus mecanismos estilísticos» estaba aparentemente influido por Nietzsche quien se definió sobre el problema de la forma y del contenido con estas palabras: «El valor de ser artista consiste en tomar como contenido, como «la cosa misma», lo que los no artistas llaman forma» (Kunne-Ibsch, 1974, pág. 1). Si no por otro conducto, a Sklovski le era familiar el pensamiento de Nietzsche a través de Christiansen (1909).

Los formalistas ciertamente, y esto es innegable, dedicaron lo mejor de su atención a los aspectos formales de la literatura. En el campo de la narratología investigaron la manera en que se conectan los varios episodios de una historia; estudiaron la técnica de la *estructura temática* y las relaciones entre los personajes. Su interés principal residía en descubrir la técnica de cómo se construye una historia. La conversación entre los personajes no se interpreta aislada sino que se ve como un medio para hacer avanzar la acción con la introducción de nuevos materiales. Así por ejemplo a la cuestión de por qué en *Don Quijote* se atribuye un lugar central a la venta, Sklovski contesta que esta es el epicentro de muchos episodios, el punto en donde se cruzan los hilos de la novela, es decir, la venta es un factor de *composición* de importancia considerable.

Sklovski, Eichenbaum, Tinianov y otros introdujeron y emplearon varios términos técnicos para delimitar los principales factores constructivos en la obra literaria. El menos controvertido es el de *fábula*, que puede definirse como «la descripción de los sucesos» (Sklovski, 1921, pág. 297) o, con más precisión, como la representación de la acción en su orden cronológico y en sus relaciones causales.

La *fábula* se usa en oposición a *sjuzet*, es decir, la trama o estructura narrativa. Según los formalistas, la trama es la manera en que se presenta el material semántico en un texto dado.

Tinianov se acerca a esta definición cuando describe la trama como la composición de los elementos semánticos en un texto (1924a, pág. 409). Sklovski explicó que la «*fábula* es únicamente el material para la formación de la trama» (1921, pág. 297). Estas definiciones concuerdan con la propuesta por Tomachsevski (1925, pág. 137). Por todo esto, en el formalismo ruso trama es un concepto que tiene un aspecto formal y semántico. Mientras que la *fábula* es el producto de un nivel de abstracción más alto, el concepto de trama queda más cerca del texto y requiere menos abstracción. La *fábula* se extrae del material semántico que es un factor constituyente de la trama.

Eichenbaum explica el concepto de trama mediante el motivo. La trama, entonces, consiste en «la interconexión de motivos por medio de su motivación» (1918 a, pág. 123). Pero entre los formalistas no hay acuerdo sobre el significado de motivo. Inicialmente Sklovski aceptó la definición poco precisa de Veselovski (1938-1906) para quien el motivo es «la unidad mínima narrativa». Pero gradualmente los formalistas empezaron a considerar al motivo como un «factor» o «principio constructivo» más que una «unidad» o «elemento» (Bernstein, 1927, pág. 345). Cambió, pues, la noción tradicional de motivo como concepto temático y se tomó como un factor de composición. Dicho de otra manera, el cambio se produjo del motivo como «la unidad mínima de la *fábula*» a «el principio constructivo mínimo de la trama».

Los formalistas descubrieron pronto que los factores constituyentes de una narración no se limitan a los motivos y a sus motivaciones. Los personajes al igual que los escenarios (por ejemplo, la venta en *Don Quijote)* pueden desempeñar este papel. La trama no es necesariamente el factor principal de la organización narrativa, como explicó Eichenbaum en su ensayo *How Gogol's «Overcoat» Was Made* (1918a). Es evidente que en la narración de Gogol el tono personal del narrador llega a ser un factor constructivo de primera categoría. El análisis de Eichenbaum mostró que los elementos de la narración oral y la improvisación narrativa pueden introducirse en la literatura escrita. El nombre intraducible para este mecanismo de narración casi oral es *skaz* (Eichenbaum, 1918b).

Vinogradov (1925) entiende por *skaz* «una construcción artística elevada al cuadrado» dado que consiste en una superestructura estética que se basa en construcciones lingüísticas, principalmente monólogos, que están caracterizadas por la selección estilística y por mecanismos de composición. No todos los textos dominados por el tono personal del narrador utilizan necesariamente el *skaz*. En su ensayo *Literature without plot*

[Literatura sin trama], Sklovski habla del predominio de un tono íntimo en los escritos de V. V. Rozanov que él llama «tono de confesión» (1925, pág. 172). Sklovski recalca que no hay que considerar que Rozanov haya hecho en sus escritos una verdadera confesión, sino que emplea el «tono de confesión» meramente como recurso literario.

Se descubrieron diferentes factores constructivos en la prosa literaria. Pero hubo de pasar mucho tiempo hasta que se investigó su mutua relación. Un desarrollo similar tuvo lugar en la teoría de la poesía. Así, mientras que en prosa normalmente la trama es el «factor constructivo central», en poesía este papel lo desarrolla el ritmo (Tinianov, 1924a). La trama, los personajes, el escenario y los elementos temáticos se consideran lo mismo que la materia organizada por medio del ritmo en la poesía.

En un primer trabajo, los formalistas centraron su estudio de la poesía en los recursos particulares que tenían lugar en el verso. Al igual que Sklovski, Jakobson (1921) marcó el énfasis en el recurso de la forma obstruyente. Observó que nosotros percibimos la poesía contemporánea como algo contrario a los orígenes de la tradición poética dominante y lo sentimos como «lenguaje ordinario». La historia literaria demuestra que el recurso de la forma obstruyente aspira a una desorganización de la forma literaria establecida. El resultado puede ser una forma que aparentemente es «simple» para nosotros, como es el caso de algunos versos de Pushkin. Otros recursos tales como el paralelismo y el juego con sinónimos y homónimos muestran la diferencia con el lenguaje ordinario. Jakobson concluye que la poesía es «un lenguaje ordenado hacia la expresión» en el que, la «función comunicativa», que predomina en el lenguaje práctico y emotivo, se reduce al mínimo (Jakobson, 1921, 1960).

Este punto de vista sobre la poesía consiguió un acuerdo básico de otros formalistas como Tinianov y Brik. El interés específico por las formas de la expresión en poesía condujo a Tinianov y Brik a estudiar el efecto semántico y sintáctico de las características formales de la poesía tales como el ritmo y la rima. Sus descubrimientos llegaron a ser de vital importancia, tal como se desprende de los estudios recientes de Lotman (1964, 1970) y Segal (1968).

Por su parte, Tinianov (1924b) observó que la palabra en poesía parece pertenecer a dos planos *(rjad)*, el del ritmo y el del significado. Tanto el ritmo como la semántica desempeñan en poesía un papel en la selección de las palabras. En uno de sus primeros empleos de la palabra *struktura,* Tinianov explica que la diferencia en la estructura entre los vocabularios respectivos de la poesía y la prosa hay que atribuirla a «la unidad y a la tersura *(tesnota)* en la serie poética, al papel dinámico de la palabra en el poema y a la sucesión *(sukcessivnost')* del habla poética» (1924b, pág. 133). Mucho más que en la prosa, la posición de la palabra en un verso puede tener un efecto semántico: «Entre palabras se produce una relación a causa de su posición (en sucesión») (1924b, pág. 76). De ello puede resultar no sólo una coloración específica de la palabra, sino incluso un cambio de significado.

Al igual que Tinianov, Brik, en unas conferencias incorporadas más tarde a su estudio *Rhythm and Syntax* (1927) remarcó la interrelación entre los factores rítmicos y semánticos. En la historia de la poesía dichos principios se han realzado uno a costa del otro; la poesía, sin embargo, necesita ambos. Brik (1927) también hizo notar que en poesía las palabras se organizan según dos leyes diferentes, *i. e.*, las reglas del ritmo y las de la sintaxis de la prosa.

De forma gradual los formalistas rusos vinieron a aceptar que los variados factores del arte verbal están relacionados. La función dominante de un factor subordina la importancia de otros y los deforma, pero raramente aniquila por completo sus funciones. Si los formalistas concibieron la literatura como un sistema caracterizado por la independencia de sus elementos, se puede calificar su posición de *estructuralista,* aunque en pocas ocasiones usaron tal denominación antes de 1927.

El acercamiento estructuralista a la literatura acabó con la unilateralidad del formalismo temprano. La tesis de Sklovski de que la obra literaria no es más que una construcción o la suma total de sus mecanismos, resultó insatisfactoria. Una obra literaria no es una acumulación de mecanismos sino un todo organizado, compuesto de factores de diferente importancia. La materia semántica tendrá casi siempre al menos una función menor. Esta fue la firme postura de Tinianov (1924b) y Brik (1927). La idea de una poesía trans-racional o sin significado, defendida por Jakobson (1921) no se tomó en serio cuando se llegó a la convicción de que la poesía no es sólo el resultado del ritmo, sino el enlace de diferentes factores dominados por el factor del ritmo. Con el interés en asuntos técnicos aislados y con la transición de los problemas de estructura fónica y poesía a los de la semántica, la prosa y la historia literaria, la influencia unilateral de la lingüística, presente en los primeros escritos de los formalistas, decreció gradualmente.

Bernstein (1927) llegó a la conclusión de que una obra de arte se caracteriza por su totalidad, en el sentido de que no se puede dividir en partes. La obra de arte no es el resultado de la adición de elementos sino de factores, los cuales, a la vez que organizan la materia y la convierten en un todo, son constituyentes de la estructura de la obra. Aunque la obra de arte no se puede dividir en elementos, es posible analizar la estructura artística en términos de factores. Bernstein afirmó además que la obra de arte expresa un significado y, en sus propias palabras, se puede considerar como «un signo externo de un sistema emotivo-dinámico de emociones no perceptibles» (1925, pág. 343). El objeto estético al que se refiere el signo externo (la obra de arte o el artefacto, como lo llamaría Mukarovsky después) se reconstruye por parte del destinatario en la misma recepción de dicho signo.

La obra de arte, según Bernstein, sólo puede funcionar como signo a causa de su estructura, la cual se puede analizar en factores reconocibles. Bernstein explica que se inspiró en la *Philosophie der Kunst* [Filosofía del arte, 1909], de Christiansen, la cual cita sirviéndose de una traducción rusa que era familiar también a Sklovski. Asimismo reconoce la influencia del filósofo Gustav Spet (1922) que definió el concepto de estructura y al que volveremos en breve [4]. Spet a su vez parece haberse inspirado en la semiótica fenomenológica de Husserl el cual, aunque evita la palabra estructura en sus *Investigaciones lógicas* (1900-1901) de hecho describe la forma más simple de estructura en una terminología muy cercana a la de los formalistas rusos. Si dos elementos, dice Husserl, se colocan juntos y constituyen una relación, esos dos elementos son la materia frente a la forma de esa misma relación [5].

Aunque Roman Jakobson (1921, pág. 92) se refiere a las tesis de Husserl sobre el significado y el referente, no podemos afirmar que los formalistas rusos fueran influidos directamente por los escritos de Husserl. Conocieron, en cambio, la obra de Spet cuya semiótica fenomenológica y estética les influyó en los primeros años 20. Según Spet, «estructura es una construcción concreta cuyas partes pueden cambiar en cuanto a dimensión e incluso cualidad y en la que ninguna parte del todo

[4] Probablemente lo mismo que G. von Spet, mencionado por Husserl en una carta (6 de agosto de 1921) a Roman Ingarden (Husserl, 1968, pág. 21).

[5] Husserl, 1901, II, ii, pág. 182.

in potentia puede borrarse sin la destrucción de ese todo» (Spet, 1923, II, pág. 11). Los productos del pensamiento y de la cultura tienen por esencia carácter estructural. Todas las partes de una estructura pueden convertirse de potencia en efecto, es decir, toda forma implícita puede en principio llegar a ser explícita. La función de las diferentes partes de la estructura depende del contexto y de la disposición *(ustanovka, Einstellung)* con respecto a una estructura dada. El contexto social y cultural de una expresión está determinado por leyes dinámicas. Un objeto real o imaginario puede llegar a ser un objeto estético a través de una disposición específica o una actitud *sui generis* del observador, que no reacciona ante él ni con la acción ni con un análisis lógico.

Esto lleva a Spet a postular una tercera clase de verdad: «la verdad poética», la cual se diferencia tanto de la «verdad transcendental o material» como de la «verdad lógica». La literatura se compone de temas fantásticos, de ficción. En el juego de las formas poéticas se puede llegar a conseguir la emancipación completa de la realidad. Pero estas formas mantienen una lógica poética interna, una lógica *sui generis*, así como un significado *(smysl)* puesto que el alejamiento de la situación habitual no implica un alejamiento del significado (Spet, 1923, II, pág. 66). De hecho, Spet ofrece una clarísima exposición de una de las principales características del texto literario, a saber, el principio de la «ficcionalidad» que mantiene una demanda de verdad aunque no admita una comparación directa con la realidad.

Spet no se adhirió al «método formal» y en sus *Fragmentos estéticos* (1922-1923) nunca citó a ningún formalista ruso, pero su concepto de función estética y de obra literaria en tanto estructura era muy cercano al de ellos. Publicaciones posteriores de Tinianov, Eichenbaum y Jakobson pueden dar testimonio de esto. Los ensayos de Tinianov *El hecho literario* (1924a) y *Sobre la evolución literaria* (1927) quedan como lo mejor del legado formalista y han conservado su autoridad hasta hoy día. Como veremos, tanto Mukarovsky como Lotman partieron de ellos en sus obras.

Tinianov define la literatura como una «construcción lingüística dinámica» (1924a, págs. 407-409). Como en Spet, la palabra «dinámica» significa aquí que el texto literario no es un hecho aislado, estático, sino parte de una tradición y de un proceso comunicativo. Toda construcción lingüística perderá gradualmente su efecto y llegará a convertirse en automatizada. Si el receptor percibe una construcción lingüística como tal *construcción* o, como dice Jakobson, si la atención del receptor se centra en la expresión, entonces los factores constructivos serán diferentes de los encontrados en textos anteriores o en literaturas foráneas. En literatura la materia tiene que ser «deformada» mucho más que formada. Por supuesto sólo se notará la deformación en contraste con la tradición de la historia literaria y social. Por ello, Tinianov sostiene que es inadecuado hablar de cualidades estéticas en general, pues son el resultado de un acto concreto de percepción dentro de un contexto histórico particular. Cuando un lector moderno, con su propia experiencia perceptiva, interpreta un texto de una época anterior, puede fácilmente tomar mecanismos originales y poderosos por construcciones tópicas mientras que el lector contemporáneo de dicho texto pudo juzgar esos mecanismos en sus relaciones con principios constructivos previos, es decir, en su función dinámica (Tinianov, 1924a, pág. 411). Aquí y en otros lugares Tinianov aboga por un acercamiento al historicismo lo mismo que, de hecho, todos los formalistas, en particular Sklovski y Jakobson. Parece también que la deformación de la materia se considera una condición necesaria (aunque no suficiente) de la construcción lingüística para que se perciba como tal construcción y, por ende, se considere literatura.

Puesto que, según Tinianov, es imposible dar una definición estática de la literatura, lo es también en lo que se refiere al *género.* El género es una especie de sistema flotante que en su debido curso abandona ciertos mecanismos y atrae otros. Y, como sabemos por la historia literaria, aparece en ciertos momentos y puede desaparecer bajo diferentes condiciones. Tinianov, al tiempo que se expresa en términos estructuralistas aun sin emplear la palabra *estructura,* observa que un género nuevo sólo se puede definir confrontándolo con un género tradicional. Él aventura la generalización de que cada género se mueve en el período de su decadencia desde el centro a la periferia de la literatura a medida que un nuevo fenómeno emerge desde los aledaños de la literatura para tomar su sitio en el centro. De esta forma la novela de aventuras se movió a la periferia y se tornó literatura de bulevar; su posición en el centro se llenó con la novela sicológica, la cual, según Tinianov, está ahora a punto de convertirse en literatura de bulevar (Tinianov, pág. 924a). Tres años más tarde fue más explícito: «El examen de géneros aislados es imposible sin dar cuenta de los signos del sistema de géneros con los que están en correlación» (Tinianov, 1927, pág. 446). El problema del género como concepto cambiante y abierto (Weitz, 1972) fue resuelto, como se ve, por Tinianov. Cuando Wellek (1970) o Lotman (1970) se pronuncian sobre la delimitación de los géneros, se inspiran en su aproximación estructuralista a la historia literaria. Ello demuestra la plena vigencia de sus puntos de vista.

En su trabajo *Sobre la evolución literaria,* Tinianov elaboró su tesis sobre la relación entre la obra literaria y el sistema literario. En la línea de Christiansen y de la tradición formalista establecida por Sklovski, repite la idea de que el considerar como un hecho literario un determinado fenómeno dentro del texto lingüístico depende de su cualidad diferencial *(diferencial'noe Kacestvo)* en relación con la serie literaria o extraliteraria: en otras palabras, depende de su función. Por ello, el estudio inmanente de una obra literaria es una abstracción problemática y, estrictamente hablando, imposible. La obra literaria tiene que referirse a un sistema literario. Por tanto, es igualmente imposible el estudio aislado del sistema literario y su evolución. La cadena o serie literaria está en correlación con series adyacentes culturales, sociales y de comportamiento por intermedio del lenguaje.

Las series literarias y extraliterarias están relacionadas en el nivel del lenguaje puesto que en la vida diaria la literatura tiene una función comunicativa. Esta tesis siempre la mantuvo Tinianov, puesto que rechazó el punto de vista marxista de la primacía de las condiciones económicas y consideró la serie literaria como una serie *sui generis.* Receló igualmente del «estudio de la sicología del autor y de la construcción de un puente causal que vaya del ambiente, vida diaria y clase social del autor a sus obras» (1927, pág. 457).

Cuando Tinianov se pronunció sobre la relación entre literatura y el ambiente del autor, llevó su propia tesis estructuralista a sus conclusiones lógicas. Por ese tiempo respondía al desafío marxista que en esos años dejaba oír su voz de manera vehemente. El más famoso ataque marxista a las teorías formalistas es *Literatura y revolución* (1924) *, de Trotski. En él, como es lógico, Trotski se apoya firmemente en el materialismo dialéctico y afirma que «desde el punto de vista de un proceso histórico objetivo, el arte es siempre un servidor social e históricamente útil» (1924, pág. 168). Pero por otra parte en su crítica se nota un cierto grado de admiración por Sklovski y un conocimiento profundo de los escritos de los formalistas. Su afirmación inicial de que el formalismo es la única teoría que se ha opuesto al marxismo en la Unión Soviética así como el reconocimiento de que cierta parte de la investigación formalis-

* Aunque, como demuestra Hans Mayer *(Historia maldita de la literatura,* Madrid, Taurus, 1977, pág. 395), era un libro escrito totalmente contra la intención del autor. [*N. del T.*]

ta es provechosa, hay que considerarla como un tributo de admiración a esa escuela.

Trotski cita algunas de las más extremadas afirmaciones de Sklovski y de Jakobson como la de que «el arte ha sido siempre la obra de formas puras autosuficientes», y les critica el haberse ceñido a «un análisis de la etimología y sintaxis de los poemas, y al recuento de vocales y consonantes repetidas, de sílabas y de epítetos» (1924, págs. 162-163). Cree de manera incorrecta que Sklovski aseguró la absoluta independencia del arte de su entorno social y por ello marca el énfasis en las interrelaciones del arte, la sicología y las condiciones sociales. Al mismo tiempo achaca a los formalistas el haber descuidado «la dinámica del desarrollo» y el haberse ceñido a hechos aislados.

Significativamente, Trotski no menciona a Tinianov o Eichenbaum, que dedicaron más atención y menos tono polémico que Sklovski a la «dinámica del desarrollo». Tinianov por una parte trata las afirmaciones de Trotski en su ensayo *Sobre la evolución literaria;* Eichenbaum, por otra, en 1929 hizo un intento final y casi desesperado por responder a la crítica marxista que, guiada por Trotski, acabó en una campaña que significó el fin de la escuela formalista. Eichenbaum reconoce en su ensayo *El entorno literario* (1929) que en el pasado los formalistas centraron su atención en cuestiones de técnica literaria y que debieron investigar más sobre las relaciones entre los hechos de la evolución literaria y la vida literaria. Parece estar de acuerdo con Tinianov en este respecto, pero avanza una etapa más cuando reclama una nueva orientación de los estudios sociológico-literarios que habían descuidado el problema de la naturaleza de los hechos históricos en literatura. Eichenbaum admite la sociología de la literatura como una empresa útil sólo si los sociólogos literarios abandonan la «pregunta metafísica sobre el origen primero de la evolución literaria y de las formas literarias» porque «el estudio genético, por muy lejos que vaya, no nos llevaría al origen primero, ya que las metas que en ello se persiguen son científicas y no religiosas» (1929, páginas 60-61). Incluso llega a citar a Engels para resaltar la crítica de éste de los toscos estudios sociológicos de la literatura en su tiempo.

Eichenbaum interpreta la diferencia entre los formalistas y sociólogos «vulgares» como diferencia entre asertos hipotéticos y axiomáticos, o entre ciencia y religión. Su concepto de ciencia es más modesto: la ciencia no explica, sino más bien establece las propiedades específicas y las relaciones de los fenómenos[6]. Es más, no cree que la hipótesis del origen primero sea de ningún provecho para el estudio presente de los textos literarios; mantiene que «la literatura no se genera por hechos que pertenezcan a otras series y por ello *no se puede reducir* a tales hechos» (1929, pág. 61). El estudio de la literatura no se ha emancipado del servicio a la historia de la cultura, la filosofía y la sicología para ponerse al servicio de la economía.

Un año antes, Tinianov y Jakobson se habían expresado de manera semejante en sus famosas nueve tesis. Pusieron graves objeciones metodológicas al examen de las relaciones entre sistemas literarios y extraliterarios que no tiene en cuenta las leyes inmanentes de cada sistema. En esas mismas tesis usan la palabra *estructura* más o menos como sinónimo de *sistema,* término que Tinianov empleó con preferencia. Cuando las tesis se publicaron en una revista soviética, Jakobson estaba viviendo en Praga; por ello se pueden considerar el final de la actividad formalista y el comienzo del estructuralismo checo.

El argumento de Eichenbaum y las tesis de Tinianov y Jakobson eran coincidentes, pues los sociólogos no habían tenido todavía éxito en explicar adecuadamente la cualidad literaria de un texto sobre la base de datos extraliterarios. Las tesis de los formalistas, sin embargo, no se juzgaron por su mérito intelectual. En 1930 les llegó a ser casi imposible publicar sus teorías. Sklovski, que había sido el jefe admirado de la *Opojaz,* cedió a las crecientes presiones y en 1930 publicó una autocrítica en la que reconocía que «en último término es el proceso económico el que determina y reorganiza la serie literaria y el sistema literario» (Erlich, 1969, pág. 139).

El analisis de motivos

Al aceptar el concepto de «estructura», los formalistas rusos introdujeron la nueva dicotomía de estructura (organizada) frente a material (no organizado), que vino a reemplazar la antigua dicotomía de forma y contenido. La estructura de un texto literario tiene un aspecto formal y otro semántico y lo mismo sucede con el material no organizado. Por ejemplo, las rimas en un diccionario (real o imaginario) de rimas pertenecen al material no organizado de la poesía y tienen una potenciali-

[6] La cuestión de si la ciencia da explicaciones reales, es decir, si aporta razones para considerar lo que se va a explicar como intrínsecamente necesario, no es ciertamente trivial. (Cfr. Nagel, 1961, págs. 26-28.)

dad preferentemente formal. Las palabras en un diccionario normal pertenecen también al material no organizado, pero tienen sobre todo potencialidad semántica. Las filosofías individuales, mitologías, incidentes reales o fábulas imaginadas pertenecen al material no organizado frente al texto literario en las que ellos están ya como un todo organizado. El concepto de fábula de Sklovski como «material para la formación de la trama» o estructura narrativa (1921, pág. 297) está en completo acuerdo con la tesis del periodo tardío del formalismo ruso.

Para evitar toda confusión, hay que mencionar aquí un concepto de fábula y de sus motivos constituyentes completamente diferentes. Nos referimos al desarrollado por Vladimir Propp. Aunque no se puede considerar a este como uno de los formalistas rusos (cfr. Todorov, 1965a) su actividad se desarrolló en ese mismo periodo y fue por completo conocido en Europa occidental y América a través de las diversas traducciones de su libro *La morfología del cuento,* publicado primeramente en 1928 (Propp, 1928; 1958, 1968, 1970a, 1970b, 1972) y a través de una elaborada reseña de la traducción inglesa debida a Lévi-Strauss (1960). Gracias a los esfuerzos de Meletinski, apareció una reimpresión en la Unión Soviética en 1969 *.

Tanto Sklovski como Propp estaban familiarizados con la obra del comparatista y folklorista del siglo XIX el ruso Veselovski, pero interpretaron sus teorías de manera diferente. Sklovski entendió el concepto de motivo de Veselovski («la unidad narrativa elemental») como firmemente conectado con la trama o estructura narrativa. Propp, en cambio, remarcó la posibilidad de separar el problema de los motivos del de la trama *(sjuzet).* Este estaba de acuerdo con Veselovski, mientras que aquel difería de la tradición formalista en que no contemplaba el texto como un todo estructural. Por trama *(sjuzet)* los formalistas rusos entendían la estructura narrativa individual de una historia. Veselovski, en cambio, entendía que *sjuzet* era «un tema en el que varias situaciones, es decir, motivos se entretejen», (Propp, 1928, pág. 18). Considera a los temas como variables dentro de las cuales se pueden insertar nuevos mo-

* En España apareció en 1971, acompañada del trabajo de Meletinski «Estilo estructural y tipología del cuento». El «método» Propp ha tenido algunas aplicaciones concretas. Ya aparecen resonancias de él en el trabajo de F. Lázaro Carreter «Construcción y sentido en el *Lazarillo de Tormes*», *Abaco,* I (1969), págs. 45-134. María Garagorri lo aplicó a *El patrañuelo* de Timoneda y Mariano de Andrés lo ha hecho con exhaustividad con una colección de cuentos populares recopilados por Aurelio Espinosa en su tesis doctoral *Función y motivo en el cuento maravilloso* hasta ahora inédita. [*N. del T.*]

tivos. Por tanto, el motivo es una unidad de importancia primordial y el tema es sólo el producto de una serie de motivos. El tema se puede dividir en motivos, el motivo en cambio es una unidad narrativa indivisible (Propp, 1928, pág. 18).

Propp notó correctamente que desde un punto de vista lógico la idea de una unidad indivisible es una abstracción más que sospechosa. Pero arguye que los motivos de Veselovski podrían dividirse en elementos más fundamentales. Después de ceñirse al estudio de un corpus limitado de cuentos folklóricos rusos, Propp concluye que motivos diferentes pueden describir acciones similares aunque los personajes y sus atributos puedan diferir. Por ejemplo, los motivos «Un rey da un águila a un héroe; el águila se lleva a éste a otro reino» y «Un viejo da un caballo a Sutchenko; el caballo se lleva a Sutchenko a otro reino» describe una acción semejante: «El héroe adquiere un agente mágico.» Los motivos que tiene en común una acción similar son variables de una y la misma función invariante. Propp llama a estas acciones similares «funciones de los personajes actuantes» (1928, pág. 23).

Aunque existe un gran número de motivos, Propp distinguió solamente treinta y una funciones de las personajes en el material por él investigado.

Esto le condujo a la tesis de que el número de funciones de los personajes en el cuento folklórico es limitado. Afirma igualmente que el orden de las funciones es siempre el mismo, pero inmediatamente añade que esta regla se aplica sólo en el cuento maravilloso del folklore y no en el cuento maravilloso literario. En el cuento maravilloso se pueden borrar del orden fijo ciertas funciones y también algunas se pueden repetir (Propp, 1928, pág. 89). Según Propp esto no afecta al orden fijo de las funciones. Bajo nuestro punto de vista sí afecta, pues estas dos excepciones nos permiten teóricamente aplicar la ley del orden fijo de las funciones a cuentos con el orden invertido, es decir, cuentos que comiencen con la función 31 y acaben con la función 1 (supresión de funciones 1 al 30; después, la función 31, la 30 borrada repetida ahora, etc.). El orden invertido de funciones ocurre en escala muy limitada en los ejemplos ofrecidos por Propp. En resumen, las excepciones de la supresión y repetición de las funciones hacen no falsable la ley del orden fijo (Guépin, 1972).

A pesar de todo, un seguidor de Propp, Bremond (1966) abandonó explícitamente la tesis del orden fijo. Bremond llevó el nivel de abstracción más lejos todavía que Propp. De las muchas funciones posibles, incluidas las no pertenecientes al cuento maravilloso, este autor abstrajo tres que generan las secuencias más elementales, a saber: una función que abre una posibilidad de acción, una función que realiza esta posibilidad y una función que culmina este proceso con un determinado resultado. Todas las funciones concebibles son variables de las funciones invariantes de esta secuencia elemental.

Aunque la aproximación de Bremond se puede defender postulando que el significado de un texto sólo se puede explicar por referencia a modelos fuera del texto, consiguió un grado de abstracción que ha sido de mucha utilidad para la interpretación de la literatura. Todavía esta postura es característica de una interesante corriente.

La gramática del Decamerón de Todorov (1969) así como algunos trabajos de poética generativa o la gramática del texto literario, pertenecen de alguna manera a esta corriente que arranca de la tradición del formalismo ruso (Sklovski, Jakobson, Tinianov, Eichenbaum y otros).

La tradición de examinar las posibles funciones de los personajes a la manera de Propp y Bremond hay que retrasarla hasta Veselovski. Tal como ha explicado Lotman, Veselovski definió su concepto de motivo en términos semánticos. Según Veselovski, pues, el motivo es la unidad narrativa elemental que se refiere a un suceso típico en la esfera de la *vida diaria* o *realidad social* (Lotman, 1972a, pág. 330). Las semejanzas de *acción* que reconoció Propp en las varias funciones de los personajes pueden definirse también en términos puramente semánticos. Mientras que para Veselovski el motivo y no el tema *(sjuzet)* o el texto era de importancia primordial, la investigación de Propp sobre las invariantes de los motivos supuso una nueva etapa que se alejaba del texto. Es más, muchos autores seguidores de Propp parecen haber olvidado que sus materiales como los de Veselovski fueron textos folklóricos y no literatura. Bremond y Todorov son las excepciones a este respecto pues son conscientes de las limitaciones del análisis de Propp y de sus propios métodos. Todorov explicó que el objeto de estudio narratológico no coincidió con el texto literario puesto que la narración también ocurre fuera de la literatura (1969, pág. 10). Bremond era buen conocedor de la antropología y tuvo la precaución de tener en cuenta que los datos antropológicos pueden servir sólo como sistema de referencia (1966, pág.76). Los datos antropológicos sólo pueden ayudar indirectamente a explicar la especificidad literaria de un texto particular, pues los hechos de la literatura no pertenecen al nivel de la lógica científica o al sentido común que nos enseña que el ladrón tiene que entrar en la casa antes que pueda robar y que la prohibición es anterior a la transgresión. Ciertamente el texto literario viola a veces las leyes del sentido común y se caracteriza, en palabras de Spet, por una tercera especie de verdad. En *El proceso* de Kafka (1925) leemos que ha habido una transgresión, pero nunca sabemos qué ley se ha violado. Lotman observa cómo la transgresión del mundo establecido y de la perspectiva del sentido común es una de las características de la literatura: Eneas y Dante visitan la región de la muerte y vuelven vivos (Lotman, 1972a, pág. 338).

Dolezel comenta este problema en su estudio *De los motivemas a los motivos* (1972). Siguiendo a Alan Dundes se adopta el término de *motivemas* para las funciones de Propp. Dolezel achaca mucho de la confusión al hecho de que Propp no distinguió claramente entre fábula y tema *(sjuzet)* y se necesitaba claramente esta distinción puesto que en los cuentos maravillosos que él investigó la fábula y el tema están más o menos superpuestos: todos necesitaban el orden cronológico de los sucesos y, por ejemplo, nunca comenzaban con el final feliz. Dolezel arguye convincentemente que en los varios niveles de abstracción la búsqueda de invariantes es útil sólo *en relación con* variables del nivel más bajo (es decir, más cercano al texto). Dicha búsqueda se convierte en inútil si se pierden de vista las variables a las que hay que referir los elementos invariantes. Su crítica está en completo acuerdo con Lévi-Strauss (1960) quien, aunque considera erróneamente a Propp como representante del formalismo ruso, observa que el método de Propp le permite llegar a un cierto nivel de abstración, pero no le posibilita el camino de vuelta de lo abstracto a lo concreto * (1960, pág. 23).

Dolezel concluye que:

> La teoría estructural de la narrativa no se puede reducir al estudio de las invariantes (...) No hay nivel en la estructura narrativa que no pueda describirse como «sistema cerrado» a salvo de la variación y de la innovación: por otro lado no hay nivel estructural que esté libre del estereotipo y de la repetición. No hay pues una «gramática» fija y universal de la narrativa; al mismo tiempo no existe una libertad ilimitada a disposición de la idiosincrasia del autor. Todo acto narrativo es simultáneamente obediente a la norma, creador de la norma y destructor de la norma (1972, pág. 88).

---

* Esto es precisamente lo que intenta William O. Hendricks en su *Semiología del discurso literario* (Madrid, Cátedra, 1976). En lugar de partir de la trama y la secuencia de funciones, este autor forma una base lingüística en que el texto literario está *normalizado* y sobre ella aplica las adecuadas técnicas explicativas sin apartarse tanto de la forma. [*N. del T.*]

Al tomar esta postura Dolezel (que vivió en Praga hasta 1965 y fue después profesor en Toronto) manifiesta su adhesión a las teorías del estructuralismo checo que continuó la tradición del formalismo ruso y olvidó por completo a Propp.

Estructuralismo checo

Como decimos, el estructuralismo checo continuó la tradición del formalismo ruso, pero no fue esa la única fuente de inspiración. Aun sin tener en cuenta el estructuralismo lingüístico de Mathesius, Jakobson, Trubetzkoy y otros miembros del Círculo lingüístico de Praga (1926-1948) los orígenes del estructuralismo checo son muchos y variados (Cassirer, 1945; Wellek, 1970, páginas 275-304; Günther, 1971b). Aparte la obra de los investigadores checos de estética y filosofía, la obra de Christiansen y su «estructura del objeto estético y sus experiencias diferenciales» que habían influido en Sklovski (1916b) y Bernstein (1927) también inspiró a los checos. Ciertamente Christiansen no se puede separar de la tradición alemana de investigación de la relación entre el todo y sus partes que produjo el atisbo de Schelling de que «en una verdadera obra de arte no hay belleza individual, sino que todo el conjunto es bello [7]. Finalmente en el campo de la semiótica Husserl, Bühler y Saussure fueron los maestros reconocidos (Mukarovsky, 1940, págs. 26-27). Aunque los orígenes del estructuralismo checo pueden reclamar fuentes a las que tuvieron acceso los formalistas rusos, es preciso señalar que los checos tuvieron un acercamiento más próximo a la tradición alemana. De todas formas, siempre reconocieron su deuda para con el formalismo; así, la conferencia de Mukarovsky «Sobre la poética contemporánea» (1929) es un reportaje fiel del formalismo ruso.

Jan Mukarovsky (1891-1975) es uno de los más famosos estructuralistas en el campo del estudio de la literatura. Él elaboró la tesis de Tinianov de que el estudio inmanente del texto es, en principio, imposible. Al mismo tiempo se pronunció sobre problemas de estética con más énfasis que los formalistas y llegó a definir el objeto estético de una manera que era compatible con las teorías de estos y Christiansen (1909).

En una contribución al Octavo congreso internacional de filosofía en Praga, Mukarovsky definió su concepto de arte como un «hecho semiológico». Según él, el arte es al mismo tiempo

[7] Citado por Mukarovsky (1935, pág. 73) de la obra de F. W. J. von Schelling, *Schriften zur Philosophie der Kunst*, Leipzig, 1911.

signo, estructura y valor. Si se considera como signo, hay que distinguir dos aspectos: el de símbolo externo o significante que es el soporte del significado y el de contenido representado o significado (Saussure, 1915). La obra de arte no se puede reducir a su aspecto «material» o de significación [8], pues la obra material de arte o artefacto es un significado que adquiere significación solamente a través del acto de la percepción. El objeto de la estética no es el artefacto *(signifiant)* sino el objeto estético *(signifié)*, la «expresión y el correlato del artefacto en la conciencia del receptor» (Mukarovsky, 1935, pág. 90).

Puesto que el transfondo social y cultural, en el que se percibe el artefacto, cambia, la interpretación y valoración de la obra de arte cambiará paralelamente. En el curso de la historia del arte se han constituido diferentes objetos estéticos sobre la base del mismo artefacto. La pluralidad de interpretaciones que, bajo diferentes condiciones pueden atribuirse al artefacto, significa una ventaja para la obra de arte. Tal pluralidad la facilitan «la multiplicidad, variedad y complejidad del artefacto material» (Mukarovsky, 1935, pág. 93). No todas las interpretaciones individuales constituyen el objeto estético. Dicho objeto estético es sólo lo que las interpretaciones individuales, necesariamente subjetivas, de cierto grupo de receptores tienen en común siempre y cuando se basen en el artefacto (Mukarovsky, 1934).

Mukarovsky considera la obra de arte como un «signo autónomo» que se caracteriza por su función mediadora entre los miembros de un mismo grupo. Por ello, la obra no se refiere necesariamente a la realidad que nos rodea; tiene que tener un significado subyacente para emisor y receptor, pero no necesita denotar objetos o situaciones reales. Puede tener un sentido indirecto o metafórico en relación con la vida que vivimos. La obra de arte «no se puede usar como documento histórico o sociológico, a no ser que haya sido bien determinado su valor documental, es decir, el caracter de relación con el contexto social». (Mukarovsky, 1934, pág. 142). Aparte la función autónoma de la obra literaria que está en completo acuerdo con el tecer tipo de verdad de Spet, es decir, la *ficcionalidad*, Mukarovsky defiende que la obra tiene también una función comunicativa puesto que está compuesta de palabras que expresan pensamientos y sentimientos y describen situaciones. Concluye que la obra individual del arte al igual que la historia de las

---

[8] En concordancia con Husserl y Saussure, Mukarovsky tuvo que admitir que, estrictamente hablando, el *significante* no es sólo una entidad física, sino la impresión síquica de una entidad física.

artes se caracteriza por la autonomía dialéctica entre función autónoma y comunicativa del arte. Este tema fue desarrollado después con gran éxito por Lotman (1972a). En su corta contribución sobre el arte como hecho semiológico, Mukarovsky aparece como un semiótico maduro para el que el material de estudio de las ciencias humanas se compone sólo de signos.

En contraposición con Roman Ingarden, Mukarovsky estudia la obra literaria como parte de un largo proceso comunicativo y cultural. Su concepto de literatura está impregnado de un dinamismo mayor que el de Tinianov a quien frecuentemente cita. Tal como Tinianov (1924a) y Sklovski (1916a) afirma en su temprano estudio *Función estética, norma y valor como hechos sociales* (1935) que el potencial estético no es, o al menos no lo es por completo, inherente al objeto. Aunque «hay ciertas condiciones previas en la ordenación objetiva de un objeto (la cual produce la función estética) que facilitan el origen del placer estético», Mukarovsky mantiene que «cualquier objeto o acción independientemente de cómo esté organizado» puede adquirir una función estética y llegar entonces a ser un objeto de placer estético (1935, pág. 28). La valoración estética está sujeta al desarrollo de la sociedad, es decir, a los datos sociológicos y antropológicos que forman el fermento con relación al cual se realiza la evaluación. La función estética tiene un caracter dinámico y puede variar por las condiciones particulares en que el objeto se percibe o por la clase particular de receptor. La función estética, pues, es una fuerza o energía por la forma que tiene de centrarse sobre el signo mismo (cfr. Jakobson, 1921, 1934, 1960; Lotman, 1972a, pág. 277).

Mukarovsky cree que la «concentración de la función estética sobre el signo mismo» es una consecuencia de la autonomía que caracteriza a los fenómenos estéticos (1938, pág. 48) pero se podría sostener que esto último es una consecuencia de lo primero o, al estilo de Mukarovsky, se podría presuponer una relación dialéctica entre la concentración sobre el signo mismo y el carácter autónomo de éste.

La función estética es la fuerza que crea el valor estético, puesto que en los casos en que dicha función no predomina, la cuestión del valor estético no tiene cabida.

En esta discusión de la relación entre valor y norma, Mukarovsky se adhiere firmemente a la tradición formalista, en particular en el concepto de desvío o deformación. La sumisión a una norma estética no es garantía de valor estético. La norma se deriva de los valores estéticos y es un principio regulador *desde fuera* del arte. Por ello, fuera del arte, el valor estético depende del cumplimiento de la norma. Dentro del arte la norma estética prevalente se viola en una cierta amplitud y, como resultado de los valores estéticos aparentes se crea, parcial o completamente, una nueva norma. El valor estético no es, pues, un concepto estático sino un proceso que evoluciona contra el fondo de la tradición artística actual y en relación con el contexto cultural y social siempre cambiantes.

El dinamismo de los conceptos de función estética, valor y norma es sólo posible sobre la base de un concepto del objeto estético como artefacto interpretado. La tesis de Mukarovsky presupone que el objeto estético no es una invariante, sino que está determinado por cada generación o grupo de receptores. Cuando este autor plantea la cuestión de si el valor estético tiene o no una base objetiva, no puede por menos que concluir que si el valor objetivo existe, tiene que estar sugerido en el artefacto material el cual, en contradistinción con el objeto estético, no está sujeto a cambio. Con todo, el valor estético inherente en el artefacto sólo puede tener un carácter potencial (cfr. Vodicka, 1972, pág. 10). Los valores estéticos sólo se pueden atribuir de hecho al objeto estético que es una concretización (Ingarden, 1931) o realización (Conrad Konstantinovic, 1973, páginas 38-51) del artefacto por parte del receptor. No obstante, existen artefactos mejor dispuestos que otros para ser caracterizados como objetos estéticos.

Mukarovsky postula que «el valor de un artefacto artístico será mayor cuanto mayor sea el haz de valores extra-artísticos que atraiga y cuanto mayor posibilidad tenga de intensificar el dinamismo de su conexión mutua» (1935, pág. 91). Este concepto de valor estético no es quizá del todo satisfactorio y, como tal, Wellek (1970, pág. 291) lo criticó severamente. Posteriores intentos de Mukarovsky por asignar un lugar al valor estético objetivo no parecen haber resuelto la cuestión. Aparte «la multiplicidad, variedad y complejidad del artefacto material» que considera como ventajas estéticas potenciales, el autor cree que el valor estético independiente de un artefacto será «más o menos permanente en la medida en que la obra no se preste a una interpretación literal desde la perspectiva de un sistema de valores generalmente aceptado en una época y en un ambiente» (1935, pág. 93).

Aquí Mukarovsky se acerca a los conceptos de ambigüedad (Empson, 1930) y de *Unbestimmtheitsstelle* (indeterminación) (Ingarden, 1931). Quizá Mukarovsky debería haber sido lo suficientemente capaz de abandonar por entero la búsqueda del valor estético objetivo, una vez que había vislumbrado que el valor estético del artefacto sólo podía tener un carácter potencial: un valor potencial es sólo una condición posible de valor, no una condición suficiente. Lo mismo que el llamado «valor evolutivo» *(Evolutionswert)* que está determinado por el efecto de la obra literaria sobre la evolución dinámica literaria, éste es una construcción abstracta del historiador de la literatura y no el producto de un proceso comunicativo (Günther, 1971b, pág. 239). La teoría moderna del valor contempla a éste como un concepto relacional, concepto que se constituye por la relación entre el objeto y el receptor. Aunque ciertos objetos son más suceptibles de valoración que otros, el artefacto, en tanto noción no cambiable, aislada de cualquier recepción, nunca puede entrar en relación con un receptor y por ello su valor estético, si es que tiene alguno, no puede conocerse.

En su artículo de recuento «El estructuralismo en estética y en el estudio de la literatura» (1940), Mukarovsky volvió a definir el concepto de estructura. A la conocida idea de que la estructura es más que la suma total de sus partes, él añade que «un conjunto estructural *significa* cada una de sus partes e inversamente cada una de esas partes significa este y no otro conjunto» (1940, pág. 11).

Otra característica de una estructura es «su carácter energético y dinámico» causado por el hecho de que cada elemento tiene una función específica a través de la cual se conecta con el todo y de que estas funciones y su interrelación están sujetas a un proceso de cambio. Como resultado, la estructura, en tanto que un todo, está en movimiento permanente.

Habría que señalar que Mukarovsky habla aquí del concepto de estructura en el estudio de la literatura, es decir, proceso comunicativo en el que se establecen los factores de tiempo y por ello las condiciones de cambio desempeñan un considerable papel. Su concepto de estructura se aproxima mucho a la del organismo biológico.

La estructura del objeto estético está sujeta a un proceso de cambio, pero ¿qué factores determinan este proceso? Para responder a esta pregunta Mukarovsky suscribe la postura de Tinianov y Jakobson (1928), quienes mantienen que el estudio inmanente de la historia literaria no puede explicar un paso particular en la evolución o la selección de una dirección particular entre varias teóricamente posibles. El problema de la dirección o de la dirección dominante sólo se puede resolver mediante un análisis de la relación entre la serie o cadena literaria y las demás series históricas (Tinianov y Jakobson, 1928). Mukarovsky añade que todo cambio en una estructura literaria encuentra su motivación fuera de su estructura particular. Pero tanto la manera en que se recibe un impulso ajeno como el efecto de este impulso quedan determinados por condiciones que son inherentes a la estructura literaria (1940, pág. 19).

La principal tarea de los formalistas rusos, más que la teoría literaria, fue el análisis de textos literarios particulares. En general, Mukarovsky y otros estructuralistas continuaron esta tradición. Son famosos, sus estudios sobre Mácha y Capek pero por estar escritos en checo y sobre autores checos, no se apreciaron, por razones obvias, fuera de Checoslovaquia. Gradualmente, la necesidad de asumir las variadas corrientes estructurales se hizo más urgente y en 1934 se introdujo el término «estructuralismo» (Wellek, 1970, pág. 276) al que Mukarovsky, evitando los nombres de «teoría» y «método» describió como un «punto de vista» epistemológico. En opinión de este autor, «teoría» significa un complejo fijado de conocimiento y «método» las reglas de una manera científica de procedimiento. En su aspecto epistemológico, el estructuralismo únicamente implica la aceptación de la teoría de que los conceptos de un sistema científico dado están relacionados. Esto no supone la aceptación de la primacía del material investigado (el objeto). En esto el estructuralismo difiere del positivismo, afirma Mukarovsky, quien efectivamente critica la defensa de Eichenbaum del método hipotético (Eichenbaum, 1926, págs. 3-4).

Pero por otra parte, Mukarovsky no afirma la primacía del procedimiento científico o método. Aquí aplica también el principio de la interrelación. El nuevo material puede afectar a los métodos de investigación y los nuevos métodos pueden descubrir nuevo material. Puesto que no cuestiona su particular punto de vista estructuralista ni hace intento serio de probarlo, es un valor mucho más que una hipótesis. Y a pesar de ello sus reflexiones epistemológicas nunca llegaron a esa conclusión.

Después de la segunda guerra mundial, posiblemente presionado por circunstancias políticas, Mukarovsky dio una base materialista a su concepto de estructuralismo. Entonces ya se reconoce la primacía del material investigado. La «estructura», que en 1940 era todavía una entidad conceptual cuyo soporte eran ciertas propiedades del material, se convierte ahora en un fenómeno objetivo que pertenece al mundo real (1947, páginas 7-8). Esta evolución en el pensamiento de Mukarovsky, discutida por Wellek, no supuso una nueva contribución al estudio de la literatura.

Aunque hemos restringido la exposición del estructuralismo checo a su representante más conocido, hay muchos otros que pertenecieron a esa escuela. Entre ellos, Bohuslav Havránek, Felix Vodicka y otros están incluidos en una antología editada por Garvin en 1964. Las aportaciones de la generación más joven sólo recientemente se han conocido en Europa occidental (Dolezel, 1972, 1973; Grygar, 1969, 1972, y Sus, 1972). De todas formas, los investigadores rusos han conocido siempre con más antelación que sus colegas de Occidente los trabajos de la última fase del estructuralismo checo. Es preciso, por último, llamar la atención sobre el filósofo polaco Roman Ingarden, quien, en completa consonancia con las enseñanzas de Husserl, elaboró una teoría de la obra literaria (Ingarden, 1931, 1968, 1969). Tanto Ingarden como Mukarovsky tuvieron un profundo conocimiento de la tradición filosófica alemana. Ambos criticaron el positivismo, aunque Ingarden fue más explícito en su rechazo del neopositivismo de los lógicos polacos (que él descubre ya en 1919) y del círculo de Viena (1931, pág. 98, y 1968, págs. 179-180).

Hay más afinidades, pero son menos evidentes (cfr. Herta Schmid, 1970). Aunque en Ingarden aparece la palabra «estructura», se usa de una manera indirecta. Su adhesión a la fenomenología se advierte en cualquier página de sus escritos; Mukarovsky, en cambio, raramente expresa su preferencia por el método fenomenológico pues distingue entre el artefacto «material» y el objeto estético y dedica su mayor atención al estudio de este último. Igualmente, Ingarden distingue entre obra de arte «material» y objeto estético *(ästhetischer Gegenstand)* siendo este último la expresión de la obra de arte en su concreción correcta por parte de un lector competente; pero Ingarden dedicó mayor atención al estudio de la primera. Mientras que Mukarovsky, en la línea de Sklovski y Tinianov, cree en un concepto dinámico de la historia literaria, Ingarden estudia la obra literaria aislada y como una entidad estática. Mukarovsky considera una ventaja el que el artefacto pueda originar diversas concreciones: Ingarden (1969), pág. 215) sólo con dudas suscribe esto y al mismo tiempo aboga por la posibilidad teórica de una sola concreción adecuada.

Ingarden citó rara vez a los formalistas rusos y quizá conocía poco de la obra de estos cuando escribió su *Das literarische Kunstwert* [La obra de arte literaria] (1931), que es el resultado de las investigaciones hechas en 1927 y 1928[9]. Pero se pueden encontrar en sus escritos conceptos y términos que parecen recordar la terminología de los formalistas. Cuando llama «atención intensificada» *(geschärfte Aufmerksamkeit)* a la condición previa de la apreciación estética (Ingarden, 1968, pág. 208) parece escucharse el eco de Sklovski (1916a) o Jakobson (1921).

---

[9] Ingarden (1968, pág. 280, n.) proporciona una de las varias referencias al formalismo ruso.

Sin duda las fuentes de Ingarden, de Mukarovsky y de los formalistas rusos fueron a veces las mismas: la estética y filosofía alemanas. No es este el mejor momento para juzgar la respectiva originalidad.

Hay un punto que separa a Ingarden del formalismo ruso y del estructuralismo checo y es su creencia en la posibilidad de detectar las condiciones de la concreción estética de la obra de arte material. Mukarovsky realizó un intento semejante cuando se propuso descubrir el potencial estético en ciertas propiedades del artefacto. Pero en el caso de este último el intento fue vano e incluso un anacronismo, comparado con su interés excesivo por la naturaleza dinámica de la obra literaria y del sistema literario. Su énfasis en dichos aspectos dinámicos no representa el desarrollo final del estructuralismo. Parece que tanto uno como otro estaban predispuestos, pero de diferentes maneras, en sus intentos de resolver el problema de la relación entre el artefacto y el objeto estético o en su concreción adecuada. Pero ocurre que este equilibrio entre la visión dinámica y autónoma no se produce hasta las publicaciones más recientes de la semiótica soviética y en particular en los escritos de Lotman.

Semiótica soviética

Alrededor de 1960, a favor de una tendencia general a la distensión en el dominio de la cultura, el estudio estructuralista de la literatura en la Unión Soviética recibió un fuerte impulso por parte de lingüistas que trabajaban en el campo de la cibernética y de la teoría de la información, en particular de los dedicados a problemas de la máquina de traducción. En esos mismos años las obras de los formalistas Sklovski, Eichenbaum, Tinianov y Tomachsevski que durante casi treinta años habían estado sometidos a una severa crítica por parte del partido comunista, llegaron a ser asequibles a través de reediciones (cfr. Todorov, 1965a, págs. 31-33). Los anteriores ataques a los formalistas, se decía ahora, estaban inspirados por la llamada «sociología vulgar».

Ciñéndonos a una de las muchas fuentes que introdujeron la nueva corriente en la discusión del arte, mencionaremos el editorial de gran influencia «Sobre el problema de lo típico en literatura y en arte» de la revista soviética *Kommunist* de diciembre de 1955. Dicho editorial clamaba contra una visión limitada de lo «típico» que lo hacía corresponder con ciertas fuerzas sociales, despreciando por ello el carácter específico del conocimiento artístico y del reflejo del mundo.

El conocimiento artístico de la vida tiene algunos elementos en común con el acercamiento del historiador, economista o filósofo, pero es completamente diferente en su método. El arte es diferente de la ciencia; opera en otro nivel y con otros medios. En pocas líneas, el estudio del arte investiga problemas que no son tratados por otras ciencias y sobre las cuales éstas no pueden fácilmente juzgar. Aunque a este respecto se invocaba la vieja fórmula de Belinski «el arte es pensar en imágenes», el editorial suscribe el punto de vista de Eichenbaum de que la literatura no puede reducirse a los hechos de otra *serie* cultural o social (Eichenbaum, 1929, página 61).

Desde su mismo comienzo, la semiótica desempeñó un papel central en el moderno estructuralismo soviético. Una de sus primeras publicaciones, el resumen del *Simposio sobre el estudio estructural de los sistemas de signos*, (Simpozium, 1962) publicado por el Instituto de estudios eslavos de la Academia de Ciencias de Moscú, se abre con una definición de semiótica a la que describe como una nueva ciencia que estudia «cualquier sistema de signos usado en la sociedad humana». Aunque por esa época el campo de la semiótica era muy amplio pues incluía, por ejemplo, la comunicación animal (cfr. Sebeok, 1972) lo importante aquí es señalar que el estudio estructuralista de la literatura en la Unión Soviética se basaba firmemente en una disciplina que a través de su estrecha conexión con la cibernética y la teoría de la información, también cooperaba con las ciencias.

En Moscú la sección tipológico-estructural del Instituto de estudios eslavos y balcánicos de la Academia de Ciencias es el centro principal de la semiótica estructuralista aplicada a la lingüística, el estudio de la literatura y la cultura en general. Ivanov, Toporov y, hasta su muerte en 1974, Revzin han estado asociados al Instituto. Éstos colaboraron con B. A. Uspenski, de la Universidad Nacional de Moscú, cuyo libro sobre la poética de la composición (1970) ha aparecido en una traducción inglesa (1973) e igualmente con Ju. Levin, A. M. Piatigroski, el medievalista M. B. Meilach y muchos otros. D. M. Segal también perteneció a este grupo, pero recientemente emigró a Israel. Sus publicaciones se caracterizan por un conocimiento profundo del contexto histórico y una sorprendente erudición mucho más que por la exactitud del método. Otros como Zolkovski y Sceglov, dedicados ambos a investigaciones con la máquina de traducción y al estudio semántico de segmentos amplios de texto, siguen un camino diferente e intentan sembrar las bases de una poética generativa. Entienden por descripción estructural del texto literario una explicación de su génesis sobre la base de un tema determinado y un material a través de varias reglas fijas.

Zolkovski y Sceglov necesariamente llegan a una simplificación, sobre todo en su concepto de tema y, no obstante su deseo de exactitud científica, intentan dejar de lado el papel del contexto histórico en el proceso de la comunicación (Günther, 1969; Eichenbaum, 1971; Meletinski y Segal, 1971; Segal, 1974).

Mucho más interesante es el trabajo de Juri M. Lotman que vive en Tartu, Estonia, pero que trabaja de cerca con los profesores asociados al Instituto de estudios eslavos de Moscú. Muchos de sus escritos se han ido publicando en una serie de la Universidad de Tartu llamada *Trabajo sobre sistemas de signos* (Trudy, 1964). Aunque las publicaciones de Ivanov son tan válidas como las de Lotman, estan menos sistemáticamente organizadas y tratan un amplio abanico de temas que van desde la mitología de los Kets, un pequeño pueblo de Siberia (Ivanov y Toporov, 1962), y el concepto de tiempo en la literatura y cine del siglo XX (Ivanov, 1973a), a la defensa de la oposición binaria (Iivanov, 1973b).

Especialista en literatura rusa del XVIII y comienzos del XIX, Lotman publicó dos obras importantes (1964, 1970), la primera de las cuales se ha reimpreso en Estados Unidos y se tradujo al alemán (1972b) y la segunda se ha traducido al francés, italiano y dos veces al alemán [10]. Se puede considerar la obra de Lotman como una continuación del formalismo ruso, aunque en varios aspectos es completamente original. Un reseñador francés quizás sobrevaloró el asunto llamando al esfuerzo de Lotman para la semantización de características formales una revolución copernicana en el estudio de la literatura (Jarry, 1974). Por ello se impone comparar las investigaciones de Lotman con la de los formalistas.

Como éstos, Lotman emplea el término «mecanismo» *(device, priëm)* y lo define como «un elemento estructural y su función» o como «un elemento que tiene una función en una estructura» (1972a, págs. 157 y 200). Esto, como se ve, difiere del concepto de mecanismo de Sklovski. En una afirmación polémica, Skovs-

[10] Ya nos hemos referido antes a la primera edición alemana (Lotman, 1972a) y así se hará en adelante: A pesar de ello todos los citados se han contrastado con la edición original rusa. Ahora también existe la edición española. Cfr. bibliografía. Igualmente se recogen varios artículos en *Semiótica de la cultura*. (Madrid, Cátedra, 1979). [*N. del T.*]

ki había lanzado el aserto de que la obra literaria es la suma total de sus mecanismos. Esta frase se ha manejado a menudo en contra de los formalistas, pero como hemos visto antes, el rechazo de la organización estructural de la obra literaria se había corregido ya en los años 20 gracias a la influencia de Spet, Tinianov, Bernstein y otros.

La formulación de Sklovski desdeña también el aspecto semántico de la literatura. Si nos limitamos a la tradición del formalismo ruso y su asimilación crítica por parte del estructuralismo soviético, aparece claro que Lotman trabaja sobre los esfuerzos anteriores de Brik y Tinianov y centra su atención en el aspecto semántico de la literatura. Y lo hace sobre la base de la asunción semiótica de que cada significante tiene que tener un sentido. Pero esto no significa que no se pueda distinguir entre forma y sentido. En este respecto sigue la influencia de M. M. Bachtin quien señaló que en el dominio de la cultura es imposible trazar una distinción clara entre expresión y contenido (Ivanov, 1973c; Lotman, 1972a, pág. 40).

Lotman no intenta trabajar con un concepto de sentido abstracto o simplificado ni está dispuesto a rechazar el significado como constituyente de la literatura; por el contrario suscribe por completo el concepto de significado propuesto por Uspenski. Siguiendo a Claude Shannon, Uspenski define el significado como una clase de representaciones y connotaciones conectadas con cierto símbolo o como «lo invariante en las operaciones reversibles de la traducción» (Lotman, 1972a, página 59; Uspenski, 1962, pág. 125). Esto implica que, en contraposición a la opinión de Katz (1972) el significado pertenece a la estructura superficial.

Lotman emplea un concepto de significado que es difícil de desligar del de su expresión o significante. Rechaza la vieja tesis de Jakobson de que a través de la actualización de los elementos fonéticos, el lenguaje poético busca la destrucción del significado convencional de la palabra para llegar al ideal de un lenguaje «transracional». Jakobson supuso que cuando dos sinónimos están yuxtapuestos en poesía, la segunda palabra no es portadora de un nuevo sentido (1921). Lotman mantiene que la técnica poética no se reduce sólo a la forma y concluye que la repetición de palabras semánticamente equivalentes tiene un efecto semántico en poesía. De manera semejante Revzin (1974) ha observado que la sinonimia no se produce en la lengua poética.

Lotman argumenta que el efecto poético o literario tiene lugar a causa de una estrecha relación entre los aspectos formales y semánticos del texto literario. Por esto cree que ciertas características formales que en el lenguaje ordinario no tienen significado, adquieren sentido en el texto literario. «Los signos en arte, dice Lotman, no se basan en una convención arbitraria; más bien tienen un carácter icónico, representador.» Los signos icónicos se construyen de acuerdo con el principio de la conexión inmanente entre expresión y significado, es decir, «el signo es el modelo de su contenido». El resultado es la semantización de elementos que en el lenguaje ordinario son asemánticos (Lotman, 1972a, pág. 40).

En literatura se pueden distinguir varias formas de iconicidad en los diferentes niveles del texto. En la rima, por ejemplo, la semejanza fonológica es sólo parcial y de hecho corrobora tanto la semejanza como la oposición entre las palabras afectadas. De esta manera el fenómeno formal de la rima produce un efecto semántico. La función significante de la rima no es, pues, arbitraria puesto que está determinada por la primera palabra que inicia la rima (cfr. Lotman, 1972a, págs. 184-185). Al igual que otros semióticos, Lotman asume el concepto de icono de Peirce (Peirce, 1958). Cuando finalmente Lotman llega a la conclusión de que «la belleza es información» ello no supone una negación de plano del énfasis de los formalistas sobre la forma, sino el reconocimiento de que la forma artística tiene que ser interpretada y que, por ende, tiene un sentido.

Eimermacher (1971, página 18) ha observado correctamente que los semióticos soviéticos, incluido Lotman, no buscan pronunciarse sobre la relevancia social o la verdad de la información artística. Parecen aceptar la idea de Spet de que el arte se caracteriza por «una tercera especie de verdad» que no tiene relación directa con la verdad lógica o empírica. La cuestión de si el significado de un signo tiene que *denotar* algo que pertenece a la realidad social no llega a plantearse. En este respecto no contradicen a Charles Morris (1964, pág. 67) y Umberto Eco (1972, págs. 69-73; 1976, págs. 58-68). Por esto mismo el término «información» en la frase «la belleza es información» hay que interpretarlo en el sentido puramente técnico de grado de organización de un sistema (Günther, 1969).

Los semióticos soviéticos no han sido muy explícitos en materia de epistemología; en general, parecen suscribir la tesis de Eco de que el problema de si una afirmación es verdadera o falsa sólo es relevante para el lógico, pero no para el semiótico (Eco, 1972, pág. 73).

Los signos lingüísticos tienen un significado y ofrecen un modelo del mundo, pero el valor de verdad de dicho modelo no se examina. Hay una notable semejanza entre la tesis de Lotman de que el lenguaje es un «sistema modelizante» *(mode-*

lirujuscaja sistema) y la tesis Sapir-Whorf de que «vemos, oímos y experimentamos de esta manera porque los hábitos lingüísticos de nuestra comunidad nos han predispuesto a la elección de ciertas interpretaciones» (Sapir, 1949, pág. 162, citado por Whorf, 1956, pág. 134). Los escritos de Whorf eran familiares a los semióticos soviéticos (Segal, 1962; Revzina, 1972). Whorf defendía la primacía del sistema lingüístico en nuestro conformador «modelo del universo» (1950) basándose en la *convicción* de que es el sistema lingüístico y no «el mundo objetivo» el principio regulador primario; a pesar de todo, Lotman ha evitado expresar una tal creencia. Nosotros asumiremos que para él la afirmación de que el lenguaje es un sistema modelizante es solamente una *hipótesis* semiótica.

El texto literario es el producto de al menos dos sistemas superpuestos. Por ello Lotman concluye que la literatura, como el arte en general es un «sistema modelizante secundario» (1972a, pág. 22). El sistema literario, pues, es *supralingual*. El receptor de un mensaje lingüístico tiene que conocer el código lingüístico para interpretar este mensaje. De acuerdo con ello, el lector de un texto literario tiene que conocer el código literario además de la lengua en que el texto está escrito. Si el receptor no conoce el código literario que el emisor ha empleado, no será capaz de interpretar el texto o no lo aceptará como literario. Esto lleva a Lotman a enunciar la importante tesis de que «la definición de un texto artístico no se puede contemplar sin una clasificación adicional con respecto a la relación entre emisor y receptor» (1972a, pág. 89). La interpretación del sistema lingüístico y literario en el mismo texto proporciona a este texto el máximo de información. Los diferentes elementos pertenecen por lo menos a dos códigos y pueden ser portadores de más de un significado. Aquí Lotman sigue las anteriores observaciones de Tinianov (1924b), Brik (1927) y Mukarovsky (1934). Todavía más, la cantidad de información se puede acrecentar cuando el texto está sujeto a la interacción de dos o más subcódigos, *v. g.*, los del Realismo y Romanticismo, el sistema épico y lírico, la ficcionalidad y la no-ficcionalidad. Si un texto ha sido codificado varias veces nos parecerá de un carácter extremadamente individual y «único» (Lotman, 1972a, pág. 121).

Lo que de hecho sucede en tal caso es que, tan pronto como el lector se ha hecho familiar con un solo código, encontrará elementos que no puede codificar sobre la base de un solo código. La expectativa del lector es contrariada o, en la terminología de los formalistas, es desautomatizada. Según Lotman, la interpretación de un texto con mucha entropía (alto grado de impredecibilidad) ofrecerá mucha información (alto grado de organización).

A la vista de este concepto de literatura, la interpretación de un texto literario no es una operación simple y, sobre todo, se relaciona con el conocimiento del código que emisor y receptor deberían tener idealmente en común. Lotman considera la interpretación una especie de traslado de la información en el código literario a la información en el código científico. Queda claro que, si aceptamos la definición de Uspenski de significado como la invariante de un proceso reversible de traducción, será difícil que sea posible dejar el significado ampliamente intacto desde el momento en que empezamos a interpretar. Difícilmente se podría imaginar una interpretación tan cuidada y meticulosa que fuese capaz de escribir el poema interpretado sobre la base de la interpretación de ese poema. Por eso, en principio, la interpretación no es sino una aproximación (Lotman, 1972a, págs. 107 y 121). Por otra parte, puesto que nuestro conocimiento de los códigos usados en el texto literario puede ser insuficiente y puesto que podemos legítimamente desear decodificar un texto literario o bien contra un fondo histórico restringido o contra un contexto «mitológico» más amplio, es posible que puedan coexistir varias interpretaciones sin posibilidad de decidir cuál de las interpretaciones es la correcta (en este punto Lotman concuerda mucho más con Mukarovsky que con Ingarden). Con todo, tenemos que interpretar, es decir, traducir información de un código a otro, porque tenemos la obligación de relacionar entre sí las varias esferas de la cultura. Tenemos que crear posibilidades para traducir la significación de la literatura en términos más generales y no sólo ser capaces de defender el valor de una expresión literaria o, más modestamente, justificar decisiones burocráticas sobre premios literarios.

Las observaciones de Lotman sobre la iconicidad de la literatura y de la semantización de las características formales constituyen una etapa importante en el estudio de la literatura. Aunque él ha tratado esos problemas de manera más elaborada y sistemática que ningún otro autor, su pensamiento no es completamente original: el concepto de signo icónico lo ha tomado prestado de Peirce (Peirce, 1958; Greenle, 1973) y la idea de semantización de las características formales es un logro importante de Tinianov (1924 b) y Brik (1927). El efecto semántico de la rima ya se había planteado antes e incluso los conceptos de ironía y paradoja en los escritos del New Criticism parecen dar cuenta de algunos aspectos de la semantización de las características formales que no adquieren significado fuera de la literatura (Brooks, 1947).

La noción de texto literario de Lotman es ambivalente puesto que acepta la tesis de que éste puede considerarse un signo que opera en un amplio contexto cutural. De hecho, Lotman parece suscribir la opinión de Mukarovsky (1934) de que el texto literario tiene a la vez un carácter autónomo y comunicativo. Su conocimiento de la relación estructural entre la estructura interna del texto literario y el contexto sociocultural puede ser más importante para el futuro desarrollo del estudio de la literatura que sus comentarios detallados sobre el principio icónico. Cualquier interpretación de un texto literario que se llame autónoma y que no tome en cuenta su función en un amplio contexto sociocultural se malogrará finalmente. Esto lo ha dejado bien claro Lotman, quien de hecho reelabora convincentemente las nueve tesis de Tinianov y Jakobson (1928) y la posición de Jakobson (1934).

Lotman introduce también una noción semiótica de texto que incluye tanto el texto lingüístico como el literario, así como el cine, la pintura o una sinfonía. El texto es *explícito,* es decir, se expresa por medio de signos definidos. Es *limitado,* pues tiene principio y fin. Por último, tiene una *estructura* como resultado de una organización interna en el nivel sintagmático. Como resultado de estas cualidades los signos de un texto entran en relación de oposición con signos y estructuras fuera del texto. A menudo los factores distintivos (la significación) de un texto y sus signos constituyentes sólo pueden reconocerse en relación con otros textos y otros sistemas.

Por todo ello, la ausencia de un elemento esperado, *v. g.*, la ausencia de rima en una tradición donde ésta es normal, puede chocar al lector como un mecanismo negativo o minus-mecanismo *(minus-priëm).* Algo parecido al grado cero en fonología. Lotman se refiere en este punto a Roland Barthes (1953) como pudiera haber mencionado a Sklovski (1925) o Jakobson (1939). Queda claro, pues, que la noción de minus-mecanismo es incompatible con una interpretación rígidamente autónoma del texto literario. Otros han argumentado también que el texto literario no se puede considerar autónomo en el sentido estricto de la palabra. Pero la ventaja del acercamiento de Lotman es que introduce el mismo método semiótico para el análisis de la estructura literaria interna y para las relaciones externas entre el texto y el contexto sociocultural. Si dicho método nos permitiera superar el profundo hiato que separa el estudio de la recepción de la literatura (Jauss, 1970) y la sociología de la literatura de las interpretaciones autónomas practicadas por el

New Criticism y por la *Werkimmanente Interpretation* [interpretación intrínseca] y relacionar los resultados de estos métodos altamente divergentes, entonces sí se podría decir que la obra de Lotman ha introducido una revolución copernicana en el estudio de la literatura.

Hemos visto que Lotman acepta la coexistencia de varias interpretaciones sin posibilidad de decidir cuál es la correcta; él también abandona el intento de decidir la corrección de las varias posibles valoraciones (Lotman no plantea la cuestión de la corrección en el sentido de consistencia interna de las valoraciones). En el estudio de la historia literaria, afirma Lotman, podría distinguirse entre la «estética de identidad» y la «estética de oposición». La primera es característica del folklore, de la Edad Media y del Clasicismo e incluso se podrían añadir las antiguas culturas asiáticas. La segunda lo es del Romanticismo, Realismo y la Vanguardia. La «estética de la identidad» presupone la identidad o casi-identidad del código emisor y el del receptor. La «estética de oposición» tiene lugar cuando los códigos del emisor y del receptor difieren. Evidentemente las funciones de un texto literario y sus mecanismos difieren según sean interpretados en términos de la estética de la identidad o de la oposición.

Lotman distingue entre las dos estéticas afirmando que es posible diseñar modelos generativos para textos que observan las normas de la estética de la identidad, pero duda si esto sería posible para textos que pertenecen a la estética de la oposición. El texto literario, sin embargo, dentro de la estética de la oposición no es un texto sin reglas sino un texto en que algunas de sus reglas se crean en el curso de su producción y se descubren durante su recepción.

La cuestión de por qué predomina una u otra estética en una cultura particular pertenece a la tipología cultural y no la discute Lotman. Nosotros podemos deducir, sin embargo, que ambas estéticas buscan la «percepción intensificada» (Sklovski, 1916a) puesto que Lotman mantiene que el arte se caracteriza por un máximo de información y por ello la percepción intensificada parece ser la condición previa de este criterio. Obviamente, la cuestión de la prevalencia de una u otra estética en ciertas culturas sólo se puede contestar si se examina la relación entre organización (información) y entropía simultáneamente en otras tradiciones sociales y culturales de la misma cultura.

Lotman relaciona la interpretación y la función de un texto con un código dado y con un sistema dado de valores. Aunque en la práctica no se presenta el caso, el intérprete idealmente tendría que completar el conocimiento del código del emisor. De hecho, Lotman ha extendido el relativismo histórico de los formalistas rusos (Sklovski, 1916a; Jakobson, 1921, 1960; Tinianov, 1924a) a un relativismo cultural. Puesto que presupone una interrelación entre las reglas inmanentes del texto literario y el código cultural a que pertenece o en el que funciona a través de la traducccíón o tradición, su método proporciona una plataforma firme de referencia para la literatura comparada. El relativismo cultural previene a Lotman de afirmar una absoluta demarcación entre literatura y no literatura. De hecho, él se limita a la descripción de las posibles condiciones de la literatura y a una condición necesaria de la literatura (la concentración de información), pero éstas no son condiciones suficientes para distinguir un texto literario de otro no literario. La aceptabilidad de un texto como texto literario está determinada por el código que el receptor emplea al decodificarlo.

Conclusiones

Si repasamos el desarrollo del formalismo ruso hasta llegar al estructuralismo checo y en la década de los 60 la semiótica estructuralista en la Unión Soviética, podemos ver al tiempo una continuidad y un cambio. Unas conclusiones finales sobre las tesis básicas de la semiótica soviética y su relación con las anteriores corrientes rusas y checas pueden dejar esto más claro.

1. Hemos observado que el concepto de Lotman de texto literario como modelo del mundo no le lleva a investigar el valor de la verdad del texto. Al igual que Eco, Lotman desea preservar el problema de la verdad o falsedad fuera de la semiótica. El concepto de texto como modelo es sólo una hipótesis para Lotman, aunque nunca la anunció como tal. El concepto de estructura tiene el mismo *status*. Aquí también una definición de Eco parece ser relevante para el concepto de Lotman. En efecto, Eco define la estructura como «un modelo resultante de varios procedimientos simplificadores que nos permite adquirir un punto de vista unificador de los diversos fenómenos»[11]. Lotman no se plantea si la estructura existe en el «mundo real». Aquí observamos un notable desarrollo a partir de la postura neopositiva de Eichenbaum, de la idea de reclamar la primacía

[11] Cfr. Eco, 1972, pág. 63.

del material objeto de investigación y a través de la posición estructuralista de Mukarovsky, que planteó la relación dialéctica entre material y método, para llegar al reconocimiento aparente por parte de Lotman del modelo deductivo, al menos en el estado presente de su investigación. Dicho desarrollo hay que atribuirlo, al menos en parte, a la influencia de Benjamin Lee Whorf.

2. Para los formalistas rusos el concepto de la norma establecida era esencial, pero no estaba siempre claro si era el lenguaje ordinario o la invención literaria prevaleciente o ambas lo que se consideraba como normas de las que se desviaban las obras literarias. Sklovski introdujo la idea de la «forma obstruyente», que no es necesariamente una forma «dificultosa», sino una forma que se experimenta como tal. Puede ser incluso una forma sencilla cuando el lector está esperando formas complicadas. Mukarovsky trabajó sobre la oposición entre desvío y norma. Gradualmente, sin embargo, se plantearon dudas sobre el *status* de la norma. ¿Es el lenguaje ordinario la norma de la que la lengua literaria se desvía? La validez de esta tesis la ha cuestionado la estilística americana e incluso se ha pensado que el estilo literario es más el producto de una selección entre varias posibilidades que un desvío de una norma preconcebida * (Chatman, 1967).

   En la semiótica soviética, también, la noción de norma se ha despojado de sus connotaciones normativas. La introducción del concepto de código y la idea de la sucesión de los diferentes códigos así como el subsiguiente relativismo cultural, dio como resultado que algunas veces las normas pueden ser consideradas desvíos, mientras que los desvíos de la norma, bajo ciertas condiciones, pueden llegar a ser norma. A este respecto habría que recordar la observación de Mukarovsky de que *fuera* del arte el valor estético está de acuerdo con la norma mientras que *dentro* del arte el valor estético es el resultado de la ruptura de la norma. La diferencia

* Sobre el concepto de *registro* que modifica el de desvío *vid.* F. Lázaro Carreter, «Consideraciones sobre la lengua literaria», en C. Castro *et al.*, *Doce ensayos sobre el lenguaje*, Madrid, 1974, págs. 35-38. Sigue sus ideas Francisco Abad, *El signo literario*, Madrid, Edaf, 1977, págs. 218 y ss. [*N. del T.*]

es que en este último caso el valor estético es el valor dominante y en el primero no lo es.
Lotman continúa esta línea de pensamiento que, de hecho, vuelve a los primeros días del formalismo ruso. Pero, más que en los primeros escritos formalistas, pone el énfasis en la relación dialéctica entre la función estética y otras funciones. Con la introducción de la noción de «estética de identidad», Lotman reconoce la vuelta de la postura formalista. Según ésta, el arte tiene que tender a la sumisión a la norma más que al desvío de ella. La estética de identidad sólo puede prevalecer en culturas de un tipo específico que necesitan (o se dice que necesitan) una fuerza centrípeta, un foco de atención, más que las tendencias centrífugas e individualizadoras del arte moderno.
El concepto de Lotman de la función social del arte es menos exclusivo que el de los formalistas. Su explicación del texto estético como algo que ofrece el máximo de información libera al arte de ser un subproducto de cultura y lo coloca en una posición central. Incluso los ingenieros de computación podrían aprender de qué manera la información se acumula en el arte (Lotman, 1972a, pág. 42).

3. Hemos hecho hincapié en que Lotman emplea el término información en un sentido puramente técnico, es decir, el grado de organización de un sistema. La diferencia con la percepción intensificada de Sklovski queda clara. Para Lotman el arte está no sólo para ser percibido sino para ser interpretado; la interpretación es una necesidad cultural (Lotman, 1972a, pág. 108). De nuevo vemos que nos ofrece un concepto de arte que se integra plenamente en la sociedad. El arte es, pues, importante e indispensable, no un fenómeno periférico. El reconocimiento de la función fundamental del arte en la cultura ha llevado a los estructuralistas soviéticos a investigar la semiótica de la cultura. De alguna manera, al hacer esto, seguían los pasos de la investigación de Mukarovsky.

4. Por último, hay que afirmar que el interés de los formalistas por textos concretos no ha disminuido en los escritos de los estructuralistas checos y soviéticos. Al igual que Lévi-Strauss, odian inventar abstracciones generalizadas que no puedan dar cuenta de la diversidad vital de las estructuras textuales. Coincidiendo con el

New Criticism, sus análisis están cercanos a las cualidades tangibles de los textos literarios a veces altamente valorados. A veces parece que su interés por textos «vivos» está motivado para contrarrestar la ubicuidad de la función estética. Podemos distinguir en el formalismo ruso, lo mismo que en el estructuralismo checo y soviético, un énfasis sobre lo particular no menor que sobre lo general. Imitando a Lotman, relegamos la explicación de esta actitud al estudio de la cultura rusa o europea como un todo. Este interés por los fenómenos individuales de la literatura no se ha introducido como una hipótesis de trabajo y debería tomarse como un valor, lo mismo que la creencia sin explicación en los modelos explicativos de la gramática generativa es un valor mucho más que una hipótesis.

En la medida en que los intereses y puntos de partida en la moderna semiótica no están hechos explícitos en términos hipotéticos, son valores, es decir, son capaces de proporcionar la «racionalización» del procedimiento científico (Rescher, 1969, pág. 9). Esto se aplica también a los vagos fundamentos epistemológicos de los trabajos de Lotman, al rechazo de las connotaciones normativas del término *norma,* al interés en la información más que en la percepción y, finalmente, al interés por el texto concreto. Lejos de querer afirmar que los fundamentos del estructuralismo soviético son superficiales, consideramos que el estructuralismo de orientación semiótica es un acceso muy prometedor para el estudio de la literatura.

Nuestros comentarios sobre la distinción vaga entre valores y convicción por un lado e hipótesis y su verificación por otro, tratan sólo de contribuir a un mayor desarrollo de la semiótica de la literatura.

CAPÍTULO III

El estructuralismo en Francia: crítica, narratología y análisis de textos

Claude Lévi-Strauss confesó su desencanto con la fenomenología y el existencialismo en sus *Tristes trópicos* (1955) en donde critica a sus maestros por su continua preocupación por el *Essai sur les données immédiates de la conscience* de Bergson (1889) y por no leer el *Curso de lingüística general* de Ferdinand de Saussure (1915). Aparte la cuestión de si la situación contraria hubiera debido ser la deseable (el *Curso*, hay que recordarlo, es una colección de conferencias publicada por sus discípulos) la observación de Lévi-Strauss describe adecuadamente la situación de Francia en ese tiempo. Aunque los textos estructuralistas clásicos (Saussure, 1915; Trubetzkoy, 1933; Lévi-Strauss, 1945) se escribieron en francés, fue precisamente en el mundo franco-parlante donde encontraron mayor resistencia. La oposición al ímpetu estructuralista se hacía en nombre de la factualidad y la individualidad. La factualidad, legado del positivismo, estaba representada en los estudios literarios por Gustave Lanson, quien difería del pensamiento estructuralista por su aversión a las generalizaciones: «Resistamos la pequeña vanidad de usar fórmulas generales» y «La certeza decrece cuando la generalidad crece» (Lanson, 1910, ed. Peyre, 1965, págs. 41 y 55). La necesidad de la certeza de los hechos se aviene mal con el nivel de abstracción que, para el estructuralismo, es indispensable.

Si el individualismo se convierte en criterio (como sucede en la filosofía existencialista) se ponen unos límites claros al conocimiento científico. La actividad científica, que se basa en la repetición y en la generalización, debería excluir lo individual, irreemplazable en su unicidad. El orden irreversible de la secuencia temporal de Bergson —tiempo de la experiencia que contrasta con el tiempo «espacializado» de los físicos— mantiene la primacía de lo individual. Este concepto de tiempo tiene que negar por principio la repetición o la vuelta del mismo momento y por tanto tiene que rechazar la posibilidad de comparación con otros momentos.

En nuestra opinión, sin embargo, no fue primariamente el concepto de tiempo de Bergson lo que llevó a Lévi-Strauss a hacer la ya mencionada confrontación entre Bergson y Saussure. El *Essai* sugiere una comparación con el *Curso* en otro aspecto. Los dos tienen el lenguaje como tema pero desde diferentes puntos de vista y, sobre todo, con diferentes valoraciones del fenómeno. Para Bergson el signo lingüístico es un obstáculo, algo que destruye las delicadas, fugaces y frágiles impresiones de la conciencia individual (Bergson, 1889, pág. 99). La estabilidad del lenguaje presenta una inmutabilidad de las impresiones cuando, en realidad, estas impresiones están en flujo constante. Además, el lenguaje tiene un efecto nivelador, pues los sentimientos de amor u odio, peculiares en cada individuo, tienen que expresarlos todas las personas por medio de los mismos signos (Bergson, 1889, pág. 126).

También Saussure reconoce la estabilidad del signo, pero difiere de Bergson en su valoración de esta estabilidad. El individuo no puede escoger el signo él mismo, pues se trata de un «producto heredado de las generaciones precedentes» (Saussure, 1959, pág. 71; 1915, pág. 105) y tiene que aceptarlo como tal. Esto lleva a Saussure a dudar de la utilidad de una cuestión traída y llevada en la lingüística histórica: la del origen del lenguaje; por ello él comienza excluyendo el aspecto genético y se ciñe al estudio de la relación entre significante y significado. Característica de esta relación es la ausencia de una correspondencia natural entre significante y significado. La arbitrariedad es la que protege al lenguaje de cambios repentinos y violentos. La sorprendente «continuidad del signo en el tiempo» es de nuevo favorable para una investigación sincrónica del lenguaje.

De este breve contraste entre Bergson y Saussure queda claro que la atención sobre la individualidad que notamos en Bergson, no tiene equivalente en Saussure. Aquí existencialismo y estructuralismo corren caminos diferentes. Incluso Sartre, que hasta cierto punto relativiza el individualismo por medio del enquistamiento histórico del individuo, no está dispuesto a renunciar al aspecto absoluto del hombre: «Lejos de ser relativistas, afirmamos contundentemente que el hombre es un absoluto» (Sartre, 1948, pág. 15).

Cuando la factualidad y el individualismo dominaban la escena cultural francesa, el estructuralismo lingüístico postulaba que un fonema no se puede analizar fuera del sistema fonológico y que definir un fonema significa «determinar su lugar en el sistema fonológico (Trubetzkoy, 1933, pág. 65). Una definición tan sólo es posible «cuando se toma en consideración la estructura de este sistema». El punto de partida del fonólogo es el sistema fonológico y de ahí procede el fonema individual. De esta manera Trubetzkoy sienta los fundamentos metodológicos de la fonología, que se declara así independiente de la fonética.

Más que a Saussure sigue aquí a Baudouin de Courtenay, quien preparó el camino para la separación de las dos ramas de la lingüística. Saussure no había sido capaz de tratar la línea decisiva de separación de estos dos campos de investigación, aunque estableció que la consideración de los fonemas lleva al estudio del «carácter diferenciador, constrastivo y relativo de los elementos» que es de lo que se compone el significante. Igualmente estableció que de todos los elementos del sistema lingüístico se puede afirmar lo siguiente: «la característica más precisa es que son lo que los otros no son» (Saussure, 1959, pág. 117; 1915, pág. 162).

Durante el primer congreso de lingüística de La Haya (1928), estudiosos de varios países no lograron ponerse de acuerdo en un programa básico [1]. En especial los checos representados en este congreso consideraron que las cuestiones de investigación literaria caían dentro de su área de interés: de esta forma los problemas lingüísticos fundamentales, tratados en La Haya, encontraron una entrada natural en la discusión literaria. Francia no tenía profesores que manejasen los dos campos y por ello los descubrimientos en el campo de la fonología no se traspasaron a los estudios literarios.

Por eso en este país no se planteó la idea de que el carácter distintivo, contrastivo y relativo de los elementos —desarrollado para los fonemas— podría aplicarse con provecho a la investigación literaria o a la antropología. Por entonces se analizaba la obra literaria en relación con su autor o, a lo sumo, se prestaba atención a las cualidades de una obra particular. La obra no se contemplaba como elemento de un sistema, definible en términos del lugar que ocupa en él; de la misma manera el individuo no se veía como parte de un todo mayor. Con una

[1] Este programa puede verse en «Thèses», *Mélanges Linguistiques dédiés au Premier Congrès des Philologues Slaves,* Travaux du Cercle linguistique de Prague, 1 (1929), págs. 7-29.

perspectiva relativista como esta, con un descentramiento del ego total (Bakker, 1973, pág. 30) el terreno no estaba abonado. Mientras tanto los trabajos en el área de la fonología (campo muy restringido en comparación con la literatura o la filosofía) continuaban su curso.

Como resultado de la emigración forzosa de Lévi-Strauss a América, donde en 1941 aceptó un cargo en la New School of Social Research de Nueva York, tuvo la oportunidad de trabajar con Roman Jakobson. Este enseñaba en la misma escuela y pronto su influencia se hizo evidente en el artículo de Lévi-Strauss publicado en *Word* en 1945, «L'Analyse structurale en linguistique et en anthropologie»[2]. A pesar de todo, la influencia de Trubetzkoy se dejó notar con mayor fuerza en este artículo que la de Jakobson. Lévi-Strauss describe el nacimiento de la fonología como rama independiente de la lingüística como si se tratase de una revolución comparable al nacimiento de la física nuclear. Retomando en su punto de partida el artículo programático de Trubetzkoy de 1933, desarrolla la idea de la analogía entre fonología y antropología. Los términos del parentesco, como los fonemas, son elementos significativos y, como los fonemas, derivan su significado sólo de la posición que ocupan en un sistema. La conclusión es que «aunque pertenecen a *otro orden de la realidad,* los fenómenos del parentesco son *del mismo tipo* que los fenómenos lingüísticos (Lévi-Strauss, 1972, pág. 34).

Hay que añadir que la antropología había alcanzado un grado de desarrollo muy similar al de la lingüística en vísperas de la fundamentación de la fonología: su nueva tarea era la de promover las investigaciones sincrónicas en oposición a las diacrónicas que hasta entonces habían dominado el panorama. Esta analogía no ocultó a Lévi-Strauss los posibles peligros. Él conocía perfectamente que la fonología puede satisfacer las demandas del análisis científico de tres maneras —«un análisis verdaderamente científico tiene que ser real, sencillo y con poder explicativo» (Lévi-Strauss, 1972, pág. 35)—, pero esto mismo no era válido para la antropología. En lugar de descender a los problemas concretos, el análisis antropológico procede de manera opuesta, parte de lo concreto; el sistema contiene mayor complicación que los datos de observación y, por último, la hipótesis no ofrece una explicación del fenómeno o del origen del sistema. Al contrario que la fonología, la antropología trata los sistemas de parentesco en la intersección de dos

---

[2] Este ensayo formó parte después del volumen *Anthropologie Structurale* (1958).

órdenes diferentes de realidad: el sistema de «terminología» y el de las «actitudes». La fonología se puede describir sólo en el sistema de la nomenclatura, pero no necesita dar cuenta de ninguna «actitud» sicológica o social (Lévi-Strauss, 1972, pág. 37).

No obstante la complicada situación en que, según Lévi-Strauss se encuentra la antropología, el principio fonológico por el que se atribuyen las cualidades a partir de los rasgos distintivos —en este método la oposición binaria desempeña un importante papel como «procedimiento de descubrimiento»— puede aplicarse también en la investigación antropológica.

La precaución inicial de Lévi-Strauss a trasladar un principio epistemológico y un método a otro campo científico, contó con la aprobación general y se señaló por parte de sus críticos —en contraste con su ulterior desarrollo— como ejemplar. *Pensée sauvage* (1962) revela un cambio general a partir de la precaución inicial hacia atrevidas generalizaciones y hacia la extensión del estructuralismo. Desde la perspectiva lingüística se ha considerado el lenguaje de Lévi-Strauss como «sociologizante» (Baumann, 1969, pág. 168). Desde el lado filosófico-hermenéutico la sospecha se ha centrado sobre la demanda filosófica de un modelo explicativo que, etapa por etapa, ha probado ser útil, primero en lingüística y después en etnología (Ricoeur, 1969, página 54).

Mientras tanto, la protesta más o menos explícita contra los hechos e individualidades como meta de la investigación científica, protesta basada en los presupuestos epistemológicos del estructuralismo lingüístico y epistemológico, condujo a una viva respuesta entre algunos representantes franceses de la enseñanza de la literatura. De ellos, el primer grupo se acogió al nombre colectivo de *Nouvelle critique.* Hay que notar, sin embargo, con relación a este «grupo» que la unidad sugerida por el nombre colectivo hay que entenderla como unidad estratégica más que metodológica. Su interés común era polemizar contra los profesores tradicionales de literatura de las universidades, herederos de la rutina de Lanson con las consabidas tesis de «el hombre y su obra». Esa unidad de la *Nouvelle critique* la describió Raymond Picard como «una realidad menos intelectual que polémica (Picard, 1965, pág. 10).

Además de seguir el estructuralismo (sobre todo en su vertiente antropológica) esta nueva crítica tuvo que responder a los estímulos que venían de Freud, Marx y en menor grado, también de Nietzsche con todas las consecuencias e implicaciones del método que conlleva tal diversidad de orígenes intelectuales. En la medida en que la *Nouvelle critique* es deudora de Freud, pone en primer plano los rasgos biográficos y reclama una correspondencia exacta entre la vida y el arte. Las estructuras sicológicas que se proyectan sobre la obra son las principales. Raymond Picard en su apología de la investigación tradicional y académica de la literatura y en su polémica contra la *Nouvelle critique,* critica a esta por mezclar todas las cosas mientras que la escuela de Lanson al menos trata al hombre y a la obra como entidades distinguibles (Picard, 1965, página 16). *La Nouvelle critique* considera la obra como un documento, signo o síntoma de la cual parte para hacer sus construcciones: «este depósito en desorden» (Picard, 1965, pág. 121). Los hechos, los detalles del método de Lanson se abandonan en favor del sistema. «Es una crítica de *totalidades,* no de detalles», afirma Jean-Pierre Richard e incluso Picard habla de la crítica moderna como crítica que merece el título de «totalitaria» (Picard, 1965, pág. 107). En opinión de Picard este acercamiento no ha llevado consigo un acercamiento mayor a la obra literaria como tal. La totalidad que estudian profesores como Richard, Mauron y Weber es «una unidad profunda (...) cercana a la biografía sicológica y metafísica del autor» (Picard, 1965, página 106) *.

Estas observaciones y otras similares las hace Picard en relación con las variantes psicoanalíticas de la *Nouvelle critique* a las que dedica una parte de su *Nouvelle critique ou nouvelle imposture* (1965) libro caracterizado por Peter Demetz como «inteligente e irónico en la mejor tradición de la polémica literaria» [3]. Esta obra, sin embargo, representa en primer término la controversia pública entre Raymond Picard, representante de la «vieja» crítica y Roland Barthes, representante de la «nueva».

La confrontación de estos dos profesores plantea el debate en un nivel que requiere nuestra atención. Por ello no se trata de un enfrentamiento entre un positivista de la Sorbona, tradicional y volcado en la biografía y un psicoanalista influyente; por el contrario, el representante de la Sorbona se interesa en profundidad por la obra literaria y el «nuevo» crítico da pruebas

---

* El primero y el último pertenecen a la llamada «crítica temática». Cfr. por ejemplo *Psicoanálisis, literatura, crítica* de A. Clancier (Madrid, Cátedra, 1976), en especial las páginas 194-212. Sobre Mauron aparece un largo estudio en esa misma obra, «La psicocrítica de Charles Mauron». El joven profesor español Diego Martínez Torrón ha aplicado con éxito el método de J. P. Richard al estudio de la obra de Octavio Paz. [*N. del T.*]

[3] *Die Zeit,* 13 de octubre de 1967.

de estar versado en estructuralismo lingüístico y antropológico, pues incluso este último se pregunta la cuestión básica de la relación entre el texto y su intérprete.

En esta controversia, el año 1965 marca un punto decisivo para la tradición académica francesa en los estudios literarios [4]. Las publicaciones principales de la controversia son: Roland Barthes, *Histoire ou littérature?* y *Sur Racine* (1963); Raymond Picard, *Nouvelle critique ou nouvelle imposture* (1965) la réplica a Picard vino con *Critique et verité* de Barthes (1966); por último terció en la controversia, aunque no imparcialmente, Serge Doubrovsky con *Pourquoi la nouvelle critique: critique et objectivité* (1966).

Después de este panorama de las condiciones que encontró el camino de los estudios estructuralistas en Francia, debemos considerar más de cerca sus corrientes principales. La primera corriente la podemos resumir con el nombre de *crítica estructuralista;* bajo esta etiqueta agrupamos el pensamiento de Roland Barthes tal como quedó expresado en su *Sur Racine* así como en sus ensayos *Histoire ou littérature?*, *L'Activité structuraliste* (1964a, págs. 213-221) y *Critique et vérité.* Somos conscientes de que Barthes, gracias a su versatilidad intelectual, aúna varias posibilidades él solo y podría quedar incluido en el segundo grupo, el de la *narratología estructuralista;* con todo, sus primeras ideas, en nuestra opinión, causaron mayor impresión y por eso los estudiaremos con más detalle. La tercera corriente que trataremos la llamaremos *descripciones de textos lingüístico - estructuralistas;* el análisis que Jakobson y Lévi-Strauss realizaron del soneto «Les chats» de Baudelaire (1962) formarán el punto central de esta variante.

Crítica estructuralista

La investigación literaria de Barthes se remonta, por una parte al estructuralismo antropológico de Lévi-Strauss y, por otra, al concepto de percepción de Merleau-Ponty. El primer componente es mucho más evidente en su *critique,* término que

[4] El año 1965 puede decirse que marca también un cambio en Alemania por la publicación de obras que tratan del problema de la valoración literaria causa del artículo «Poetik und Linguistik» de Bierwisch. Igualmente en Suiza el llamado «Debate literario de Zurich» *(Zürcher Literaturstreit)* marca la cesura. En este debate Emil Steiger tiene una importancia radical por su comunicación titulada «Literatur und Oeffentlichkeit» [Literatura y publicidad] (17 de diciembre de 1966). Esta comunicación se publicó tres días después en el *Neue Zürcher Zeitung.*

él emplea en contraste con *histoire* o *vérité*. La base fenomenológica sirve para justificar la «actividad estructuralista» que Barthes desarrolla en su *Sur Racine*.

Dado que la investigación literaria no se manifiesta como historia literaria, su meta es la determinación del sentido. Barthes concibe la historia en su sentido estricto y genético mientras que la determinación del sentido (significado) comporta una relación. Determinar el sentido es decodificar una obra de arte «no como el efecto de una causa sino como el *significante* de *algo significado*» (Barthes, 1964b, pág. 163). La relación que es relevante, pues, es la de «la de la obra y el individuo» relación que, en principio, se caracteriza por la subjetividad. Naturalmente la subjetividad que se reclama aquí concibe al sujeto como parte de un sistema, es decir, susceptible de quedar clasificado en ciertas categorías describibles de una *vision du monde*. Se postula, por tanto, el reconocimiento explícito del «sistema» como un polo de la relación («la inmunidad del sistema»). Concebido esto así, Barthes puede subsumir la oposición historia *vs.* crítica en la oposición «objetivo *vs.* sistemático» en la cual «sistemático» hay que entenderlo como teoría-límite o sistema límite, como «nuestra idea preconcebida de la sicología o del mundo» (Barthes, 1964b, pág. 165).

La proximidad a Merleau-Ponty en este punto puede quedar aclarada por el rechazo de este último de toda suerte de realismo: «Hay una significación de lo percibido que no tiene equivalente en el universo del entendimiento, un *milieu* perceptivo que todavía no es el mundo objetivo» (Merlau-Ponty, 1945, págs. 57-58). Con esta observación Merleau-Ponty se opone a la «hipótesis de la constancia» según la cual «un cuadrado siempre es un cuadrado, ya se apoye en una de sus bases o en uno de sus puntos». Pero su concepto fenomenológico de percepción no es, sin embargo, una forma de introspección (él rechaza la vuelta a los «datos inmediatos de la conciencia» de Bergson) sino una cuestión de perspectiva, de relación objeto/horizonte: «yo puedo ver un objeto en la medida en que los objetos forman un sistema o un mundo y en que cada uno de ellos tiene otros alrededor» (Merleau-Ponty, 1945, págs. 82-83).

La apertura del horizonte de sentido o la constitución de sentido del sistema-límite que, de acuerdo con la tradición fenomenológica, Barthes representa, tuvo por algún tiempo aceptación en otras partes de Europa. La distinción entre artefacto y objeto estético forma la base de la teoría literaria de Jan Mukarovsky, desempeña un gran papel en la obra de Roman Ingarden y tiene gran importancia en la actual estética de la recepción en Alemania [5]. Sólo en un sentido muy alto se podría hablar de una fuente común: la filosofía de Edmund Husserl. A pesar de todo, las ramificaciones de la teoría literaria en Checoslovaquia difieren considerablemente de los franceses que han alcanzado mayor independencia, pues el formalismo ruso llegó a Francia relativamente tarde, mientras que para los checos fue su fuente primaria de inspiración.

En todas las hipótesis sobre literatura que tengan en cuenta la recepción de la misma, entre las que se incluye la de Barthes, se postula de manera más o menos explícita un relajamiento de los lazos estrechos entre el signo lingüístico y el *denotatum* y se prevé la posibilidad de trasladar un signo lingüístico de su contexto histórico original a otro posterior. Con este traslado, el aspecto denotativo del signo literario se va perdiendo poco a poco y, en cambio, se van agrandando las asociaciones generales *.

Se tiene que examinar la obra literaria en relación con procesos culturales y comunicativos más amplios, tal como hace Mukarovsky siguiendo a Tinianov. Roland Barthes denomina «accesibilidad» a la latitud de la interpretación literaria. Esta disponibilidad explica por qué una obra literaria puede mantenerse «eternamente en el campo de cualquier lenguaje crítico», pues ese es «el verdadero ser de la literatura».

La literatura es un sistema funcional en el que «un término es la constante (la obra) y otro es la variable (el mundo, la época de la obra). El componente variable es la reacción o respuesta *(réponse)* del lector que trae a la obra su historia, su lengua, su libertad. La historia, la lengua y la libertad están en flujo constante; las reacciones son infinitas; la obra como pregunta (como desafío) queda, las interpretaciones en cambio, fluctúan.

El estructuralismo checo de Mukarovsky y Vodicka vino a reclamar el estudio de las diversas reacciones dependientes del contexto histórico y lo hicieron basándose en presupuestos semejantes a los de Barthes [6]. Este último coloca su respuesta entre el lector y el análisis científico, es decir, no le interesa

---

[5] *Vid.* a los apartados dedicados en este volumen.

* De ahí que, a partir fundamentalmente de L. Goldman se empiece a hablar de muerte de la literatura. Llegado un momento, con el advenimiento de una nueva sociedad se pueden perder los lazos del signo con el *denotatum,* vigente en el tiempo de una obra antigua. Dicho de otra forma, el número de notas explicativas para la comprensión aumentaría continuamente. [*N. del T.*]

[6] Peter Demetz habla de un «redescubrimiento» de sus ideas por Barthes *(Die Zeit,* 13 de octubre de 1967).

describir varias respuestas concretas sino la que él mismo puede dar a causa de participar en una determinada «visión del mundo». Picard a veces no llegó a percibir claramente estos presupuestos de Barthes y por eso la polémica no se llevó a las cuestiones fundamentales. Los críticos académicos hubieran hecho mejor para su propia apología si, en lugar de arremeter sólo contra *Sur Racine,* hubieran reaccionado antes contra la decisión fundamental que subyace a la interpretación de la obra de Racine por parte de Barthes. Picard reprocha repetidamente a Barthes el abstraerse de la obra literaria, pero esta queja se aminora desde el momento que Barthes queda resguardado en este punto: él nunca negó la «subjetividad institucionalizada» de su respuesta. Su fundamento es más sólido que el de Weber o el de Mauron. Si Picard hubiera tratado problemas de subjetividad institucionalizada en un nivel abstracto en lugar de descender a detalles filológicos, la relación con Racine, su defensa de la vieja crítica, hubiera sido más fundamentada.

En *Sur Racine* Barthes saca partido de la libertad que había reclamado para sí en el plano teórico. Las obras de Racine forman la base para la construcción de un sistema antropológico en el cual las relaciones ocupan el lugar de los individuos. Los *dramatis personae* de Racine son:

> figuras que difieren una de otra, no por su posición pública, sino por su lugar en la configuración general en que se hallan confinados. A veces los distingue su función (padre opuesto a hijo, por ejemplo), a veces es su grado de emancipación con relación a una figura de su linaje más regresiva (1964b, págs. 9-10).

Encontramos de nuevo la forma de pensar característica del estructuralismo antropológico de Lévi-Strauss. De la misma manera que el antropólogo echa mano de dos categorías principales para las comunidades de tribus primitivas, en concreto, la «relación de deseo» y la «relación de autoridad», el crítico literario Barthes encuentra que Racine se desenvolvía obsesivamente en esas mismas categorías. Barthes llega a dividir la relación de deseo en dos formas opuestas de amor. Aunque el contenido de estas formas es de menos interés para nuestro propósito, esta oposición binaria nos muestra que Barthes es un estructuralista. La «relación de deseo» es, según él, de menos relevancia y poder derivativo; la relación de poder, sin embargo, es la dominante y amplia; de ahí que «el teatro de Racine no es un teatro de amor (...), sino un teatro de violencia» (1964b, pág. 25) y la única cosa que interesa es mantener o ganar la plaza en un mundo que no es lo suficientemente grande para dos. El mundo de Racine se compone de fuertes y débiles. Esta división, sin embargo, no se corresponde con la de los sexos; en ese mundo hay «mujeres viriles» y «hombres feminoides» (Barthes, 1964b, pág. 13).

Las oposiciones binarias, que son los instrumentos para construir modelos estructuralistas, llegan a ser para Barthes datos reales de la obra de Racine. Él encuentra «que la división de Racine es rigurosamente binaria, lo posible no es ninguna otra cosa sino lo contrario» (pág. 36).

Dicha bifurcación se manifiesta en los más variados planos. Como escisión del ego aparece evidente en los monólogos, pero es más clara en la oposición entre personajes. La fórmula de poder («A tiene poder completo sobre B») aparece en las continuas luchas de padre e hijo; esta misma batalla es la de Dios y la criatura. El padre es algo inevitable, impuesto, «un hecho primordial, irreversible» y eso es así antes que nada, no por lazos de sangre, edad o sexo, sino por su anterioridad: «lo que viene después de él, desciende de él (...). El Padre es el Pasado». *(Ibíd.)*

Dos sustancias opuestas se comprometen en una lucha similar: la luz y la sombra. Sus amenazas recíprocas, sus disputas inacabadas conforman lo tenebroso de Racine: «este gran combate mítico (y teatral) entre la luz y la sombra: por una parte noche, sombras, cenizas, lágrimas, sueño, silencio, delicadeza tímida y presencia continua; por otra, todos los objetos de la estridencia: armas, águilas, haces, antorchas, estandartes, gritos, brillantes juramentos, lienzos, púrpura y oro, espadas, la pira, llamas y sangre (pág. 21).

Como prueba de este *homo racinianus,* construido según estas o parecidas coordenadas, Barthes citó algunos ejemplos aislados para ilustrar sus generalizaciones. Picard, como es lógico, rechazó este modo de argumentar y Barthes se justificó en su ensayo *L'Activité structuraliste;* el estructuralista comienza a trabajar con el objeto real, lo descompone y lo vuelve a recomponer de nuevo. La reconstrucción no significa restaurar el objeto original sino traerlo a una nueva existencia —la cual es capaz de sacar a la luz «algo que quedó invisible o, si se prefiere, ininteligible en el objeto original» (1964a, pág. 214). La operación más importante al hacer la reconstrucción es exponer las regularidades que gobiernan las funciones de un objeto. De esta manera se consigue una imagen (simulacro) del objeto, aunque sea un simulacro «dirigido, interesado».

Roland Barthes había formulado algunas veces postulados para justificar sus abstracciones de largo alcance a partir del texto. La obra de Racine es una forma (significante) con la que Barthes tiene que relacionar su significado para que el conjunto sea un signo. En este punto, sin embargo, se olvida del sistema de lengua dado y aporta el significado a partir del sistema antropológico de Lévi-Strauss.

Pero aquí se presenta la siguiente complicación: lo que Barthes toma prestado del sistema antropológico como significado es, dentro de ese sistema, el significante. Por eso el método de Barthes se caracteriza por la interferencia entre significado y significante. Como resultado, ambos sistemas aparecen reducidos a una sola dimensión; y queda claro el defecto de un estructuralismo literario que toma como precedente un sistema que a su vez es derivado (la antropológía estructural tiene como precedente al estructuralismo lingüístico). La literatura, como tal sistema de lengua, está mucho más cerca de la lingüística que el estructuralismo antropológico. Pero como veremos, éste último por mor de la personalidad de Lévi-Strauss, ha sido más decisivo e inspirador en el panorama francés que el estructuralismo lingüístico. Mientras que el análisis lingüístico de «Les chats» y análisis similares en esa línea causaron poco impacto en Francia (las reacciones vinieron de más allá de las fronteras), *Sur Racine* provocó una fuerte polémica.

Picard quiso quedarse dentro de un sistema —el literario— y rehacer el objeto original después de hacerle la disección. Barthes quiso crear un nuevo objeto, un metatexto, una nueva forma basada en dos formas dadas: la obra de Racine y la antropología de Lévi-Strauss. Hizo explícito su punto de vista crítico y en ello está más allá de cualquier reproche. Como método orientado a la recepción reclama nuestra atención, pone las cartas sobre la mesa y nos invita a la discusión. Como estructuralista confronta la investigación literaria con serios problemas metodológicos, el primero de los cuales es clarificar los varios dominios de investigación y los posibles intercambios entre ellos.

Narratología estructuralista

La influencia de Lévi-Strauss la podemos ver también en la que llamamos segunda corriente de la teoría literaria estructural en Francia: la narratología estructuralista. Fue precisamente Lévi-Strauss quien reseñó en 1960 la *Morfología del cuento* de Vladimir Propp, en la traducción inglesa (Propp, 1958) de la obra original rusa que apareció en Leningrado en 1928. Lévi-Strauss presenta a Propp como un formalista y, en conformidad con el prejuicio de la época sobre el formalismo ruso, lo critica por sobrevalorar los aspectos formales y por adoptar la división forma/contenido supuestamente característica de esta escuela. Por otra parte, señala que el estructuralismo no conoce tal dicotomía. Su reproche es injustificable por dos razones: Propp no es un representante del formalismo ruso sino sólo un contemporáneo de dicha escuela; además la dicotomía forma/contenido no es característica del formalismo ruso y mucho menos de Propp.

Aparte este reproche, Lévi-Strauss valoró altamente la obra de Propp y con ello estimuló en primer lugar a Algirdas Julien Greimas, Claude Bremond y Tzvetan Todorov; luego les seguirían otros muchos. ¿Qué es lo que llevó a un estructuralista como Lévi-Strauss a ver en la obra de Propp una aportación e incluso un desafío? En primer lugar el material que Propp analizó. Los cuentos folklóricos de la colección Aarne-Thompson (números 300-749) pertenecen a un campo muy cercano al etnólogo que estudia los mitos primitivos. En segundo lugar, la creciente insatisfacción dentro de la investigación del cuento folklórico por su orientación hacia el origen y desarrollo de los materiales del folklore. La vieja demanda de Propp de mantener la primacía en la descripción sistemática sobre el método genético, fue muy bien recibida por Lévi-Strauss. Propp mantenía que: «discutir la genética sin elucidar el problema de la descripción es completamente inútil» (Propp, 1968, pág. 5). De igual manera la preferencia por la sincronía había hecho posible que Lévi-Strauss llegase a convertirse en seguidor de Saussure.

Por último —y esto quizá constituye la principal razón de la atracción de los estructuralistas por Propp— existía una especie de credo estructural en Propp con relación al lugar relativo de la «función» en el desarrollo de la trama: «no se puede definir una acción sin tener en cuenta su posición en el curso de la narración. Hay que considerar el sentido que tiene una determinada función en el curso de la acción» (Propp, 1968, pág. 21).

Alan Dundes, el folklorista americano que más desarrolló las tesis de Propp, considera esta afirmación de la *Morfología* como «una de las contribuciones más revolucionarias e importantes a la teoría del folklore en muchos años» (Dundes, 1962, pág. 100). Con esta observación de Propp surgió la idea de que la investigación folklórica, con su clasificación de motivos aislados, había seguido una dirección errónea. En la clasificación usual de motivos, los cuentos folklóricos se habían agrupado en diferentes tipos si en un caso una persona y en otro un animal cumplían la misma acción. La observación repetida condujo a

Propp a la hipótesis de que en la tradición mítica la multiplicidad de personajes contrasta con un pequeño número de «funciones» (se considera función el acto de un personaje, definido desde el punto de vista de su relevancia para el curso de la acción (Propp, 1968, pág. 21). Propp ilustra lo anterior por medio del siguiente ejemplo:

> 1. Un rey da un águila a un héroe. El águila se lleva al héroe a otro reino. 2. Un viejo da un caballo a Sutchenko. El caballo se lleva a Sutchenko a otro reino. 3. Un mago da una barca a Iván. La barca se lleva a Iván a otro reino. 4. Una princesa da un anillo a Iván. Unos jóvenes que aparecen del anillo llevan a Iván a otro reino.

De este ejemplo se puede inferir que las acciones son los elementos constantes y los personajes son los variables: «Las funciones de los personajes actúan como elementos estables, constantes en un cuento independientemente de cómo y por quién se cumplan» (*Ibíd*, pág. 21). La conclusión de Propp es que son las funciones y no los motivos los que hay que considerar como unidades básicas del cuento maravilloso. Motivos diferentes pueden comportar una y la misma acción en la secuencia de sucesos y dividirse en unidades menores. Frente al motivo que era tradicionalmente la unidad mínima, Propp coloca a la función como nueva unidad mínima. Los motivos son entonces las variantes de una misma función invariante.

Las tres razones citadas antes para explicar la afinidad que Lévi-Strauss muestra con Propp se pueden ahora completar por el deseo de Propp de buscar regularidades estructurales. En el prólogo a su obra señala que «es posible examinar las formas del cuento de manera tan exacta como la morfología de las formaciones orgánicas (Propp, 1968, pág. XXV). En la introducción a la *Antropología estructural* vemos que se afirma que la meta del etnólogo es el descubrimiento de regularidades; en el mismo lugar Lévi-Strauss anima a los antropólogos a descubrir «la estructura inconsciente que subyace a cada institución y cada uso para obtener un principio de interpretación válido para otras instituciones y otros usos» (Lévi-Strauss, 1972, pág. 21).

Lévi-Strauss marca la ruta que hay que seguir para conseguir este objetivo: «la transición de lo consciente a lo inconsciente se asocia con la progresión desde lo específico a lo general». Ese fue el camino que siguió Propp. Un corpus de 100 cuentos folklóricos le sirvió de fundamento para su obra, aunque empleó otros como material de contraste. Habría que añadir que no emprendió sus investigaciones sin base teorética. Sus observaciones intentaron dar respuesta a un problema dado: «puesto que estudiamos los cuentos de acuerdo con las funciones de sus personajes, hay que suspender la acumulación de material tan pronto como sea evidente que los nuevos cuentos estudiados no contienen funciones nuevas (Propp, 1968, pág. 23).

El resultado de las observaciones de Propp es como sigue: se pueden identificar 31 funciones y además el orden en que aparecen es constante[7]. Ello no quiere decir que todas las 31 funciones se encuentren en cada uno de los cuentos, pero tampoco que la ausencia de algunas de estas funciones no altere la secuencia de los que aparecen. Los cuentos fantásticos con funciones idénticas en el sentido mencionado pertenecen a un tipo único. Propp da a conocer tres posibilidades para la acotación de estas funciones: por medio de una frase, un sustantivo o un símbolo (el símbolo sirve para la claridad deseable en una formalización; dicha claridad, sin embargo, disminuye cuando en las traducciones los símbolos se traducen de diferente manera).

Se considera un cuento fantástico cualquier historia que se mueve desde la función A (villanía) a través de funciones intermedias hasta llegar a la función W de resolución del problema (boda). Las siete funciones que preceden a A se consideran introductorias. Propp denomina a la cadena de funciones A ... W una secuencia. Cada aparición de una A (villanía) indica una nueva secuencia. Un cuento fantástico puede consistir en varias secuencias. Lo que hay que determinar entonces, es el número de secuencias en un texto. Dado que no siempre aparecen una tras otra —pues es posible que una secuencia se interrumpa por la inserción de una nueva— el análisis no es siempre una cuestión sencilla. Hay que determinar también si varias secuencias se pueden considerar un cuento solo o si se trata de dos o más cuentos separados. Otros elementos que desempeñan un papel en la morfología de los cuentos fantásticos, aparte las funciones formadoras de secuencias, son las repeticiones de funciones y la conexión entre ellas.

Propp considera que las secuencias entrelazadas y las funciones dobles o triples son variables y raras. Pero esta idea ha sido discutida por varios estudiosos, entre ellos Claude Bremond. Aunque este fue uno de los primeros en adoptar las funciones de Propp como unidades básicas de las estructuras narrativas, se opuso desde el principio al carácter unilineal de estos ele-

[7] Para una crítica del postulado del orden fijo de las funciones *vid.* más adelante.

mentos, ya que él concibe la narrativa no como «una cadena unilineal, sino como un entramado de secuencias» (Bremond, 1964, pág. 26). Pero hay que recordar que Bremond no se limita al corpus de cuentos fantásticos rusos, sino que más bien ve la manera de abandonar el corpus de Propp y usar su análisis como hilo conductor en la búsqueda de una narratología general. Por eso las funciones entrelazadas y las dobles y triples que se consideraban excepcionales llegan a ser problemáticas porque precisamente son las que más aparecen en las narraciones que no pertenecen al corpus cerrado de Propp.

Todo ello se refiere al rechazo de Propp de la distinción entre *fábula* y *sjuzet*, introducida por los formalistas rusos. Él no necesitaba de esta distinción porque ambas nociones coinciden en las «formas sencillas». Pero es precisamente cuando se dan las funciones entrelazadas y las dobles cuando *fábula* y *sjuzet* empiezan a marchar por caminos separados, es decir, cuando se produce un desvío de la secuencia de elementos cronológicamente finales y cuando hacen su aparición los componentes de arreglo de la trama. Bremond se aparta en otro aspecto de la teoría de Propp —y en ello su crítica coincide con las de Lévi-Strauss y Greimas— cuando achaca a Propp el preocuparse exclusivamente por la sintagmática, es decir, la sucesión de acciones en un tiempo determinado. En efecto, Propp no toma en consideración el aspecto paradigmático de la lógica de la acción, según la cual quedan abiertas varias posibilidades lógicas cuando se inserta una función (la función «batalla», por ejemplo, puede conllevar derrota, victoria, victoria y derrota o ni victoria ni derrota). De esta forma las realizaciones lógicas de causa y efecto, medios y fines, quedan sin reflejar y pueden llevar a conclusiones falsas. Así la función «victoria» implica «batalla» (como postulado lógico); el que «batalla» implique «victoria» no es una necesidad de la lógica sino un estereotipo de determinada cultura (Bremond, 1964, página 15).

De esta manera Bremond llega a distinguir entre funciones que son necesarias a causa de postulados lógicos y funciones que no lo son. Aunque mantiene la función como unidad básica, descubre nuevas unidades (por ejemplo, tres funciones forman una secuencia), y ello no ocurre por examinar las relaciones de sucesión temporal en un corpus dado, sino cuando llega a sistematizar las muchas posibilidades lógicas en su trabajo «La logique des possibles narratifs» (1966). Con él, Bremond da un giro decisivo lejos de los textos narrativos concretos. Por ello la distinción *fábula-sjuzet* no tiene sentido en su modelo, puesto que esta diferencia conduce la atención a textos concretos. Por exigencias de su propia decisión metodológica, Bremond últimamente ha realizado su crítica de Propp, puesto que la validez de dicha crítica depende de la consideración de textos concretos.

E. M. Meletinski, semiótico ruso que se basa firmemente en la tradición formalista, critica el carácter abstracto del modelo de Bremond: «El análisis de Bremond es muy abstracto (y por ello inadecuado), porque intenta un análisis general a expensas de un acercamiento orientado al género (como el de Propp)» (Meletinski 1969, pág. 203). Con todo, un análisis en términos de género es de menos interés tanto para Bremond como para Greimas. Ambos están empeñados en una «gramática de la narrativa» o, tal como Bremond lo ha formulado recientemente, en una «semiótica de la narrativa» en la cual la base lógica es indispensable: «Un modelo inspirado en la lógica refuerza esta construcción y garantiza su validez para cualquier forma de narrativa» (Bremond, 1974). En esta consideración el modelo de Propp puede ser de gran ayuda; por medio del modelo del actante: «el universo semántico que es demasiado amplio para ser aprehendido en su totalidad, se organiza en microuniversos accesibles al hombre» (Greimas, 1966, pág. 174).

El proceso de abstracción que caracteriza los análisis franceses que se apartan de Propp (en contraste con los rusos) basa su justificación en la crítica de Lévi-Strauss a la sintagmática lineal. En este sentido, Meletinski y Segal afirman desde su perspectiva rusa: «Propp dirigió su total atención a las estructuras narrativas del cuento folklórico y a la sintagmática lineal y no a la paradigmática lógica, tal como hizo Lévi-Strauss» (Meletinski y Segal, 1971, pág. 95).

En sus análisis de mitos, Lévi-Strauss se interesaba fundamentalmente por ciertas oposiciones semánticas (crudo/cocido, húmedo/seco) y podía, por tanto, dejar fuera de consideración la estructura lineal de la narrativa. Su material, al contrario que en el caso de Propp, no consistía propiamente en textos. Meletinski describe la diferencia así: «Aparte su manera de pensar más penetrante y detallada en relación con la búsqueda de un método de análisis estructural del mito, sus ejemplos concretos no son análisis estructurales de narrativa mítica, sino de pensamiento mítico (...) Lévi-Strauss se interesa esencialmente por la lógica mitológica; por ello empieza por el mito, combina las funciones sólo de manera vertical e intenta explicar su paradigmática yuxtaponiendo las variantes míticas. Su modelo estructural es no-lineal» (Meletinski, 1969, pág. 191).

Greimas concibe los postulados ideales de una narratología como una combinación del modelo paradigmático de Lévi-

Strauss y el sintagmático de Propp. Al contrario que este último, Greimas analiza no sólo cuentos fantásticos, sino mitos (Greimas, 1963, y especialmente 1966b). Analiza los mitos, en primer lugar, según el método de Lévi-Strauss, y después el desarrollo lo lleva a la dirección del método sintagmático de Propp. Su argumento es que un mito, en tanto *narrativa,* tiene una dimensión temporal: «Las acciones de los personajes míticos están relacionadas con lo que sucedió antes y lo que sucederá después (1966b, pág. 29), y sistematiza la función de la narrativa con ayuda de un corpus de mitos de los indios Bororo; de ahí procede a anotar los papeles de los personajes y trata en particular el cambio de papeles de los personajes principales (padre e hijo). Finalmente, lleva su análisis sistemático a la relación entre los datos sintagmáticos de las funciones y secuencias y los datos paradigmáticos de papeles, cambios de papeles y las dos formas diferentes de función contractual (el contrato voluntario y forzoso).

Greimas trata de establecer, en primer lugar, las estructuras elementales de significado dentro de un micro-universo semántico. Su modelo da cuenta de formas estáticas, no narrativas, por una parte, y de procesos dinámicos y creadores de acciones, por otra. O, según ha resumido Bremond: haciendo dinámicas las relaciones fundamentales que constituyen el modelo taxonómico (por ejemplo, oro *versus* plomo), las proyecta en operaciones establecidas ya por la misma morfología elemental (decir, por ejemplo, cómo el oro puro se convierte en plomo despreciable)» (Bremond, 1973, págs. 83-84). Las regularidades de estas operaciones forman la sintaxis de la gramática de la narrativa. De esta manera, Greimas lleva a cabo dos niveles de análisis: el de las «estructuras narrativas inmanentes» y el de «la manifestación» (Bremond, 1973, pág. 88).

Bremond, quien por otra parte aprecia la obra de Greimas a pesar de su rigurosidad estricta, critica este punto. En su opinión, Greimas ve los niveles en un claro orden jerárquico en el que el nivel «profundo» de las relaciones conceptuales y no temporales determina el significado actual de la narrativa. La siguiente afirmación de Greimas confirma esta sospecha:

> Tenemos el derecho a asumir que el modelo de organización de contenidos fuera del tiempo, que encontramos en muchos campos diferentes, tiene que tener una presencia general (...) Esto permite considerarlo como un modelo metalingual que está jerárquicamente situado por encima de modelos funcionales (1966a, pág. 233).

La secuencia temporal de acontecimientos, la «estructura superficial», no puede añadir en el último análisis nada al contenido: «por el contrario, tiende a camuflar el juego de las constricciones semióticas, a disfrazar el significado» «Bremond, 1973, pág. 89). Según Bremond, en el análisis de Greimas se arrastra una tendencia dogmática, en el sentido de que priva a la narrativa de su libertad. El narrador no puede escoger entre varias posibilidades para continuar su historia: «Del tejido de trayectorias disponibles, Greimas selecciona una combinación posible entre otras, y le confiere —pero ¿con qué derecho?— el privilegio de gobernar el universo de la narrativa» (Bremond, 1973, pág. 99).

Bremond y Greimas difieren grandemente en su concepción del tiempo. Tal como afirma el primero, la esencia de la narración para Greimas consiste en la acción recíproca de las relaciones no temporales que trascienden el «devenir» de los acontecimientos narrados. Para Bremond, al contrario, consiste en el «devenir» que implica la posibilidad de una variante futura. Greimas, pues, representa una perspectiva más estática y ahistórica. Aunque no se puede considerar a Bremond como un «historiador» entre los narratólogos franceses, hay que admitir que *teóricamente* defiende un dinamismo propio del historiador [8] y ello lo hace en nombre de la libertad que desdeñan las «restricciones semióticas» de Greimas: «Para nosotros, la impresión de libertad, verdad y belleza que siempre han llevado a los hombres a inventar narraciones no es una ilusión que enmascara "el juego de las constricciones semióticas". Si hay un juego, no es uno al que nos sometemos, sino un juego *por encima* de las constricciones, una experiencia liberadora que les saca partido y las transciende» (Bremond, 1973, pág. 101).

A pesar de este testimonio y de alertar sobre las fuerzas y debilidades de las teorías de otros narratólogos estructuralistas, Bremond obstaculiza su propia trayectoria a la libertad, historicidad y valoración personal apegándose firmemente a las relaciones lógicas: «Una lógica de la intriga, tarea, quizá desagradable pero necesaria, tiene que preceder a la semiótica. Esta lógica, verdadero lenguaje universal de la narrativa, se nos impone como primera etapa en un análisis estructural de la narrativa» (Bremond, 1973, pág. 134).

En su análisis lógico y abstracto, cuyo principal objetivo es determinar qué elementos implican o excluyen a otros o qué elementos se pueden combinar con otros, Bremond no ha en-

---

[8] Nuestra opinión de que el estructuralismo francés (y no sólo Julia Kristeva) ha tratado el problema de la diacronía lo confirma Karlheinz Stierle (1972).

contrado todavía su camino de vuelta a la manifestación individual de esta lógica en textos concretos o en grupos de textos. Tan sólo ha llegado a señalar algunas variantes culturales (por ejemplo, el hecho de que batalla implique victoria es un estereotipo cultural). El temor que Lévi-Strauss expresó en su reseña de que Propp no encontrara su camino de vuelta de lo abstracto a lo concreto es mucho más verdadero en el caso de Bremond. Propp no se alejó mucho de los textos. Pero la flexibilidad de la «secuencia» de Bremond sólo ha probado que es un refinamiento del esquema de Propp y no tanto una «experiencia liberadora». Para Bremond, en su concepto modificado de secuencia, ésta denota la estructura tripartita de un proceso: «potencialidad, paso a la acción y ejecución» con las posibilidades de «no paso a la acción, falta de ejecución». La introducción de papeles hay que entenderla como un refinamiento. Sobre la base de su concepto de papel, Bremond define la función «no sólo por una acción (que se llamará *proceso*), sino por la posición y relación de una persona-sujeto y un proceso-predicado; o, adoptando una terminología más clara, deberemos decir que la estructura de la narrativa descansa no en una secuencia de acciones, sino en una constelación de *roles* (papeles)» (Bremond, 1973, página 133). La mayor parte de su libro *Logique du récit* se consagra a la catalogación de papeles que, como él mismo admite, queda incompleta como algo arbitrario que es. La minuciosidad de la obra de Bremond, la manera en que valora y asimila los estudios de otros y su falta de pretensiones hablan mucho en su favor, pero por desgracia parece no poder abarcar la diversidad histórica, el «devenir» y no digamos la posibilidad de explicar el valor estético de los textos narrativos (cfr. Scholes, 1974, pág. 96).

Uno de los varios estudiosos que en Francia sufrieron la influencia no sólo de Propp y Lévi-Strauss sino también del formalismo ruso es Tzvetan Todorov, quien en 1965 publicó en traducción francesa varios estudios de los formalistas rusos. Por ello no sorprende que la distinción entre *fábula* y *sjuzet*, que no era corriente en la narratología francesa, desempeñe un papel importante en la obra de Todorov; por eso, su método se presenta como más cercano al texto que el de los anteriores y, además de esto, se esfuerza en determinar el carácter literario de los textos, tarea que nos es familiar desde el formalismo ruso. En su contribución al número especial de *Communications* (1966), Todorov resume una serie de conceptos para dar cuenta de la distinción entre *fábula* y *sjuzet*. En «Les catégories du récit littéraire» propone la dicotomía de *histoire* y *discours* que corresponde a la de «*fable*» y «*sujet*». En la sección consagrada a la *histoire* echa mano del modelo tripartito de Bremond, por una parte, y del modelo de las homologías de Lévi-Strauss por otra; según este último, la narrativa es la proyección sintagmática de relaciones paradigmáticas. La lógica de la acción que postula Todorov con este modelo es para él la base de la investigación narratológica, especialmente en los casos en que la congruencia de la lógica y la secuencia de la acción se interrumpen. También estos desvíos están llenos de sentido. «Incluso si el autor no acata esta lógica deberemos informarnos de ello: su desobediencia adquiere su sentido precisamente en relación con las normas que esta lógica "impone"» (Todorov, 1966, pág. 132). Todorov ilustra estas afirmaciones generales refiriéndose a *Les liaisons dangereuses* de Laclos.

Más cercanas al dominio de la *fábula* están también las relaciones de los personajes entre sí que Todorov coloca en el esquema tripartito de «deseo, comunicación, participación». Todas las demás relaciones posibles se pueden derivar de estas tres generales con ayuda de reglas de derivación. Todorov realiza la transición de la *fábula* al *sjuzet* refiriéndose al tiempo multidimensional de la *fábula* opuesto al tiempo del *sjuzet* que es básicamente lineal. Lo que en la *fábula* puede tener lugar de manera simultánea tiene que aparecer necesariamente en el *sjuzet* (en el texto): «una figura compleja se proyecta en una línea estrecha» *(Ibíd.*, pág. 139). De esta forma la secuencia natural de la acción se rompe aunque el autor quiera mantenerla lo más exactamente posible. Pero, por lo general, el autor se esfuerza en cambiar la secuencia natural por razones estéticas. Además del tratamiento específico del tiempo, el punto de vista narrativo distingue también el *sjuzet* de la *fábula*.

El trabajo de Todorov, que cuenta con una sección dedicada a los aspectos del *sjuzet*, nos lleva a preguntarnos si sus afirmaciones sobre el *sjuzet* son parte integrante de sus discusiones teóricas. La transición desde la sección de la *fábula*, en donde desarrolla los elementos de la lógica de la acción, al *sjuzet* se hace en términos muy generales y se limita al tiempo lineal y al principio estético como conceptos básicos. Esta transición no es convincente, en nuestra opinión, por la dificultad que existe en encontrar un puente entre el nivel abstracto de la lógica de la *fábula*, más o menos desarrollado por algunos investigadores como campo de razonamiento, y el nivel más concreto del *sjuzet*. Precisamente porque ese puente no se ha tendido todavía es mucho mayor el peligro de que los postulados lógicos lleguen a ser autónomos e independientes de los datos textuales.

En su *Grammaire du Décameron* (1969) Todorov abandona el *sjuzet* como objetivo de investigación y en su lugar trata del nivel sintáctico de la narrativa *(fabula)* que distingue junto con el nivel semántivo y el verbal (estilístico-retórico) y en ello se aproxima a Propp. Además, el hecho de que en este caso parta de cierto material, las «novelas» de Boccaccio, acentúa este parentesco. Con todo, Todorov no deja de tener en cuenta las leyes narratológicas generales que van más allá del material utilizado, perspectiva que, como dijimos, no era familiar a Propp. En su estudio se aferra con fuerza a las divisiones en triadas, y, así, desarrolla esquemas tripartitos en varios niveles de tal manera que se impone una impresión general de la debilidad peculiar de las divisiones tripartitas y, en particular, se advierte una disparidad entre un elemento de la triada y los otros dos. Bremond dedica un capítulo de su *Logique du récit* al estudio de Todorov, señala sus discrepancias aun sin poner en cuestión la triada misma, ya que usualmente desarrolla su pensamiento en términos tripartitos. En el esquema «nombre propio, adjetivo, verbo», por ejemplo, el adjetivo como elemento calificativo y descriptivo se rechaza en la sintaxis narrativa por su falta de potencia dinámica para llevar la acción adelante: «Dios es omnipotente» es una preposición atributiva que no narra nada; «Dios creó el cielo y la tierra» es una narración mínima, pero una narración completa (Bremont, 1973, pág. 112). Propp clasifica el adjetivo entre los atributos y, por ello, no desempeña ningún papel en la función. Su aspecto calificativo ofrece, en nuestra opinión, lugar para la valoración de los personajes y acciones, valoración que, desde luego, cae fuera del objetivo de los narratólogos franceses.

Los tres verbos que forman el léxico de las acciones en Todorov muestran una inconsistencia parecida: «modificar, pecar y castigar» en realidad forman sólo dos grupos porque sólo «modificar» tiene una función general de hacer avanzar la acción; los verbos «pecar» y «castigar» carecen de generalidad y neutralidad semántica. De ellos «castigar» parece el más inadecuado puesto que no siempre es cierto que un castigo tenga que seguir a un pecado. En el *Decamerón*, por ejemplo, no siempre es la regla.

Debido a su acercamiento al texto, Todorov, el estructuralista francés enraizado en la tradición de la Europa Oriental, no sucumbe a las constricciones del sistema lógico (como es el caso de Greimas) ni entra tampoco en el dominio de las abstracciones en las que no hay camino de vuelta a los hechos literarios (caso de Bremond). La historicidad y la reacción a favor de la valoración —proclamada por Barthes como base de cualquier acceso a la literatura— no desempeñan ningún papel en la variante narratológica del estructuralismo francés. En el empeño de hacer inteligible el universo lógico-antropológico y trazar sus esquemas generales, no hay lugar para la individualidad histórica de un texto y su lector. La tercera corriente del estructuralismo francés, representada a título de ejemplo por el análisis que hicieran Jakobson y Lévi-Strauss del soneto de Baudelaire «Les chats», al menos no se le puede tachar de hacer abstracciones lejos del texto.

El comentario de textos lingüístico-estructuralista

La importante presencia de Lévi-Strauss en el desarrollo del método estructuralista en la investigación literaria francesa resulta también evidente en el campo del comentario estructuralista de textos. No sólo colaboró con Jakobson en el análisis de «Les chats» *, sino que hizo la introducción y defensa del mismo en la primera publicación de este texto en *L'Homme: Revue française d'anthropologie* (1962). Más tarde, la inclusión de este trabajo en antologías de estudios literarios lo sacó definitivamente de su ambiente antropológico.

En el prólogo Lévi-Strauss intenta primeramente responder al asombro del lector que se encuentra con el análisis de un poema en una revista de antropología señalando los problemas análogos del etnólogo y del lingüista. Esta idea nos es familiar desde su *Antropología estructural;* nada nuevo añade

* Para mejor comprender los pasos de dicho análisis y las ulteriores discusiones se presenta aquí el soneto completo de Baudelaire.

> Les amoreux fervents et les savants austères
> aiment également, dans leur mûre saison,
> les chats puissants et doux, orgueil de la maison,
> qui comme eux sont frileux et comme eux sedentaires.
> Amis de la science et de la volupté
> ils cherchent le silence et l'horreur des ténèbres;
> L'Erebe les eût pris pour ses coursieres funèbres,
> s'ils pouvaient au servage incliner leur fierté.
> Ils prennent en songeant les nobles attitudes
> des grands sphinx allongés au fond des solitudes
> qui semblent s'endormir dans un rêve sans fin;
> leur reins féconds sont pleins d'etincelles magiques,
> et des parcelles d'or, ainsi qu'un sable fin,
> etoilent vaguement leurs prunelles mystiques.

[*N. del T.*]

en *L'Homme;* incluso su argumento de la analogía parece menos convincente. Lévi-Strauss nos dice que el lingüista describe estructuras en las obras literarias que son sorprendentemente análogas a las que el etnólogo encuentra en su análisis de los mitos. Añade que los mitos, que son al mismo tiempo obras de arte, despiertan en los etnólogos fuertes sentimientos estéticos.

La distinción entre mito y poema no se debería negar, pero el contraste entre ambos habría que entenderlo como un principio estructural, como prueba de que pertenecen a la misma categoría.

Si asumimos que la armazón teórica del análisis se sustenta en el concepto de Jakobson de función poética que proyecta «el principio de equivalencia desde el eje de la selección al eje de la combinación» (Jakobson, 1960, pág. 358) entonces la analogía propuesta por Lévi-Strauss no resulta muy plausible. Como afirma en el prólogo, el mito «sólo puede ser interpretado en el nivel semántico». Las equivalencias sobre el eje de la combinación son por ello fuertemente relevantes; en el mito, en cambio, sólo la relación de contigüidad domina sobre ese eje.

Estas observaciones críticas se refieren solamente al intento de legitimar, por medio de la analogía, la publicación de un análisis poético en una revista que no estaba dedicada ni a literatura ni a lingüística; de ninguna manera van dirigidas contra un análisis en cierto modo representativo de una de las variantes del método estructuralista.

Una comparación con las dos ramas del estructuralismo francés ya examinadas nos permite el bosquejo de esta variante que nos ocupa:

1) La base no es el estructuralismo antropológico sino el lingüístico.

2) No se postula un sistema de reglas en un nivel de abstracción más alto; más bien se demuestra un principio funcional (el principio de equivalencia).

3) El principio de equivalencia de Jakobson está construido dentro de una jerarquía de hipótesis. Es necesario contar con las seis funciones del lenguaje señaladas por él. En el caso de la función poética el énfasis se carga en el signo que llama la atención sobre el mensaje mismo *.

* Cfr. «¿Existe la función poética?», en F. Lázaro Carreter, *Estudios de poética,* Madrid, Taurus, 1978. [*N. del T.*]

4) El principio de equivalencia se presenta como condición necesaria, pero no suficiente, de la función poética.

5) Nada se afirma de la disposición del lector, que es el único implicado. La presuposición implícita es el valor universal que el hombre atribuye al orden (información) en contraste con el desorden (entropía). Las relaciones de equivalencia de muchos tipos, todas las cuales se pueden demostrar en un texto, manifiestan un alto grado de desorden.

6) Un análisis basado en las relaciones de equivalencia está sujeto a la prueba intersubjetiva.

De esta forma el postulado «se puede hablar con verdad sobre Baudelaire» contrasta con el de Barthes «no se puede hablar con verdad sobre Racine». Qué extensión pueda tener esta aspiración a la verdad y dentro de qué límites es posible, lo vamos a discutir en las próximas páginas.

Uno de los límites es el aislamiento del signo portador de mensaje dentro del sistema de comunicación. Jakobson parte de dicho sistema cuando enumera las diferentes funciones del lenguaje, pero entonces, en el fondo de su descripción de la función poética, omite las relaciones que existen entre el mensaje y el emisor receptor y la realidad extra-lingüística; concentra más bien el énfasis en el mensaje y en sus relaciones internas. Los niveles lingüísticos que son compatibles con este grado de concentración y aislamiento se ofrecen al análisis por medio de este método. Por ejemplo, las relaciones de equivalencia en un corpus elegido se pueden determinar en un nivel fonológico y sintáctico y de una manera a la vez exhaustiva y falsable. Pero en el nivel semántico se presentan pronto dificultades de tal forma que para una palabra hay que postular no solo un significado léxico (significado central, el núcleo del significado [Schmidt, 1969]) sino también la formación del significado en el contexto; el aislamiento del signo portador del mensaje se torna problemático y el análisis en este nivel es metodológicamente menos riguroso. Los rasgos semánticos como tales no eluden la descripción y se pueden hacer análisis exactos con la ayuda del léxico. Pero los datos contextuales y situacionales son capaces de cambiar los rasgos semánticos de una palabra en un texto específico. El soneto «Les chats» ofrece ejemplos de tales influencias del contexto hasta tal punto que los rasgos «inanimado, animado» y «masculino, femenino» llegan a ser decisivos para la *interpretación* (hipótesis sobre la interrelación del sentido) y tanto las relaciones de equivalencia (influencias dentro del texto) como la tradición cultural (influencias fuera del texto) tienen un efecto para la constitución final del sentido de una palabra. Puesto que el sentido en ambos casos se constituye por desvío de los rasgos léxicos enumerados, la semántica ha de ser capaz de dar cuenta de esos desvíos y transiciones si se desea una estricta pureza metodológica. Pero ciertamente la semántica no puede cumplir esta tarea.

Como resultado de la formulación de la función poética de Jakobson son precisamente aquellos rasgos de la palabra que no figuran en el léxico los que hacen ahora su aparición. Las equivalencias sobre el eje de la combinación contribuyen a activar sentidos «marginales» que desempeñan un papel sustancial, por ejemplo, en las metáforas. Las equivalencias en el nivel de la combinación realizan selecciones posibles que no son admisibles en un texto no artístico (Lotman, 1972a, pág. 123). El principio poético no significa un refuerzo o un rodeo de una selección previa y primaria. A veces el sentido se determina sólo con ayuda de la combinación; se hace una selección y se considera plena de sentido aunque el lenguaje no artístico se considere una selección defectiva o incompleta. Nos topamos con este fenómeno sobre todo en la moderna poesía hermética. Probablemente, el análisis de un texto moderno difícil hubiera llevado a Jakobson y a Lévi-Strauss a aceptar la semantización sobre la base de la combinación. Ello hubiera atenuado la discrepancia, que se encuentra en el análisis del soneto de Baudelaire con respecto a criterios de exactitud y posibilidad de prueba, entre las realizaciones de identidad fonológicas y sintácticas por una parte y las realizaciones semánticas por otra. Los estudios de Ursula Oomen (1973) que se basan en la gramática transformacional y que por ello asignan un papel relevante a la sintaxis, indican una posible dirección en la investigación futura.

Jakobson y Lévi-Strauss no hacen una descripción total de la influencia de combinación de equivalencias en el campo de la semántica. Ni en la teoría ni en el análisis del poema presentan la posibilidad de un orden jerárquico de equivalencias y sólo dando cuenta de una jerarquía tal podría afrontarse el campo de la semántica que todavía hoy se resiste a una descripción exacta. En su análisis Jakobson y Lévi-Strauss hacen afirmaciones altisonantes y pretenciosas sobre los aspectos semánticos, pero estas son vulnerables en relación con el método. Y esta debilidad adquiere todavía más importancia si verdaderamente el fundamento teórico del análisis poético no debe permitir la *interpretación* (en su sentido peor del que hemos hablado). La formulación del principio de equivalencia ofrece la posibilidad de demostrar la función poética tal como se presenta en «Les chats» de Baudelaire. En consecuencia, el trabajo que estamos considerando, con todas sus limitaciones teóricas, sólo puede tener el carácter de *un análisis*, y, como tal, de valor ejemplar. Dentro de los límites de un análisis entendido como un catálogo exhaustivo de relaciones satisface plenamente las demandas teóricas; y si este catálogo se hubiera acompañado de observaciones más elaboradas e hipótesis suplementarias, a lo sumo, hubiera descubierto la estructura de un texto particular de Baudelaire.

Otras observaciones podrían hacerse sobre la distribución de las clases de equivalencia. El hecho de que dos clases de equivalencia, definidas distintamente, tengan la misma distribución en un texto, contribuye, según Roland Possner, a estructurar dicho texto: «cuantos más niveles de texto hay que se puedan relacionar, independientemente uno de otro, por medio de la segmentación, es más relevante dicha segmentación para llegar a la estructura del texto» (Posner, 1972, pág. 218). Posner toma como ejemplo la palabra «fin» en el poema de Baudelaire. Esta palabra es miembro de cinco clases de equivalencia, las clases A-E. (Es (A) adjetivo, (B) del género masculino, (C) al final de verso, (D) tiene cadencia masculina y (E) rima con un homónimo —Posner se limita a las categorías formales y no menciona datos léxicos.) De esta suma de rasgos estructurales infiere un alto grado de necesidad (irreemplazabilidad) del segmento de texto en cuestión: «Cuanto más clases de equivalencias verticales diferentes comprende un nivel del texto y hay más intersecciones entre dicho nivel y el resto del texto, más significante es este nivel dentro del texto considerado como un todo» (Posner, 1972, pág. 219).

De esta forma Posner saca la conclusión de la asunción implícita de Jakobson del alto valor del orden y trae a discusión una hipótesis de valor que permite —en contraste con Jakobson y Lévi-Strauss— jerarquizar y valorar las observaciones sobre las relaciones de equivalencia. Este ensanchamiento del fundamento teórico de la función poética es, en nuestra opinión, necesaria puesto que se impone distinguir entre las combinaciones de los textos no literarios (por ejemplo, la publicidad) y la de los textos literarios. E igualmente era necesario el recuento de las más pequeñas relaciones de identidad imaginables de un texto. La idea que subyace al concepto de Lotman de interferencia es también básica para Posner. La multiplicidad de interferencias determina la individualidad y el valor de un texto: «Cuanto más regularidades se descubren en un punto dado de la estructura, más individual y peculiar parece que es el texto» (Lotman, 1972a, pág. 121).

En 1968 Nicolas Ruwet lanzó la cuestión de si el principio de equivalencia como tal es suficiente para producir un efecto poético y estético puesto que este principio se realiza en otros textos. Se refiere a Samuel R. Levin y a su teoría del *coupling* o emparejamiento (en la que la equivalencia se presenta al menos en dos niveles diferentes) * para tratar de encontrar un rasgo distintivo de los textos poéticos. En sus propios análisis ha intentado introducir la jerarquización que falta en Jakobson y Lévi-Strauss señalando que las equivalencias sintácticas forman la base de las fonológicas y semánticas. Aunque muestra la relevancia de esta jerarquía, su método —en el análisis de «Je te donne ces vers» (1971)— está todavía muy cerca del de Jakobson y Lévi-Strauss. La formulación de la función poética por parte de Jakobson no incluye una base para jerarquizar las equivalencias; en sentido estricto no pasó del estado de dar un catálogo. Su análisis, sin embargo, contiene valoraciones de las relaciones de equivalencia (por ejemplo, con respecto a las dos partes del segundo cuarteto) que de hecho presuponen una revisión de la distribución de las equivalencias, tal como ha hecho Posner. El paso de la catalogación a la reconstrucción de una jerarquía parece que se puede llevar a cabo mediante hipótesis suplementarias, sin detrimento de la precisión. En cambio, el paso del análisis a la interpretación parece ya más complicado. Jakobson y Lévi-Strauss no quisieron dejar de lado la interpretación a pesar de todo, ya porque estuviesen insatisfechos con su exhaustiva catalogación o porque se dieran cuenta del valor real del poema. Pero, dado que su teoría no da pie para la interpretación, sus resultados en este aspecto son buenos para descubrir su capacidad crítica.

A veces, sin indicar cómo los niveles sintáctico y fonológico ejercen influencia en el semántico, Jakobson y Lévi-Strauss saltan de sus observaciones fonológicas y sintácticas a otras más atrevidas que conciernen al significado (por ejemplo, cuando afirman: La supresión de [r], así como la anterior de [l], evoca claramente el paso de un gato empírico a sus transfiguraciones fantásticas). Desgraciadamente no hay fundamento semántico para este contraste y sería difícil encontrarlo, pues

---

* Una aplicación del método de Levin al análisis del soneto de Góngora «Tras la bermeja aurora, el sol dorado...» por F. Lázaro Carreter puede verse en la traducción española de la obra *Estructuras lingüísticas en poesía*, Madrid, Cátedra, 3.ª ed., 1979, páginas 97-106.

iría en contra de la misión que dentro del sistema de comunicación jakobsoniano tiene el signo portador de mensaje.

Por otra parte, si las relaciones con la realidad extralingüística —el emisor y el receptor— se incluyen en los postulados teóricos, entonces el factor del tiempo, indispensable en las observaciones semánticas, hay que introducirlo en el modelo «espacial» de Jakobson, pues, en efecto, dicho modelo se caracteriza por un concepto espacial de la estructura [9]. En su análisis se investigan las relaciones internas del poema considerado como un todo (es decir, después de cumplirse el proceso de lectura) y por ello se separa de la secuencia lineal del tiempo.

Michael Riffaterre, que ha criticado el método de Jakobson y Lévi-Strauss y ha respondido a sus análisis de «Les chats» con una interpretación propia *, incluye en ella el factor tiempo, pues, en primer lugar, desempeña un papel en el proceso de lectura. Riffaterre emplea el concepto de «experiencia de contraste» en la determinación de la estructura poética por parte del lector: «Cualquier punto del texto que necesita un superlector se puede considerar un componente de la estructura poética». (Riffaterre, 1966, pág. 204) [10]. Los contrastes se originan cuando las expectativas del lector con respecto a las estructuras repetitivas quedan frustradas y la predicibilidad queda reducida o anulada. Sin rechazar el principio de equivalencia (Riffaterre de hecho lo necesita para determinar los puntos de expectativa) lo hace depender de la percepción del lector durante la secuencia temporal del proceso de lectura. Cuando la experiencia de contraste tiene lugar, es capaz, según Riffaterre, de influenciar retroactivamente los significados del texto que ya han sido percibidos. Después de cumplirse el proceso de lectura esta influencia se manifiesta más clara: «Entonces el total de datos y el conocimiento del final vuelve atrás para

---

[9] «Como ha mostrado R. Jakobson, la búsqueda de la función artística de las estructuras gramaticales se asemeja en algo al papel de las estructuras geométricas en las artes espaciales» (Lotman, 1972a, pág. 233).

* Un loable proyecto editorial recoge en un libro, coordinado por José Vidal Beneyto, los diferentes comentarios que «Les chats» ha venido suscitando, por ejemplo, los de Rifatterre, Posner, Ruwet, Blanco Aguinaga, etc., bajo el título de *Análisis estructural. Una investigación concreta en torno al lenguaje y poesía.* (De próxima aparición en Editora Nacional.) [*N. del T.*]

[10] No discutiremos en este lugar el concepto de «superlector». Riffaterre da una clara explicación en 1966, pág. 204.

modificar lo que se percibió al principio» * (Riffaterre, 1966, página 221).

Además del factor del tiempo que surge en el proceso de lectura, Riffaterre aduce de nuevo dicho factor que aparece en la tradición de la historia cultural y de la tradición literaria en particular. Cuando dicho autor señala que el poema de Baudelaire encierra alusiones literarias, clichés e ironía, necesita de nuevo el concepto de tiempo. Las relaciones de equivalencia no pueden en este caso reemplazar el conocimiento de un uso lingüístico anterior o la familiaridad con la literatura anterior. Acerca de la ironía, dice: «Esta ironía se amplifica en todo el cuarteto segundo. Jakobson y Lévi-Strauss, cegados por paralelismos irrelevantes, no la ven» (pág. 210). La expresión *horreur des ténèbres* que Riffaterre considera un cliché (no en el sentido negativo) para el lector cultivado y que ve como alusión a Racine y Delille, deriva de su conocimiento de la tradición literaria y conduce a un significado que difiere completamente del señalado por Jakobson y Lévi-Strauss. Los «poderes de las tinieblas» de Jakobson, que están relacionados con «el terrible trabajo de los *coursiers funèbres*», aparecen en Riffaterre, una vez tenido en cuenta su significado histórico como «un asilo para la vida retirada, un privilegiado lugar para la meditación, un santuario» (Riffaterre, 1966, pág. 212).

En esta discrepancia aparece muy clara la diferencia entre los dos postulados teóricos: por una parte, el aislamiento del signo portador del mensaje y, por otra, la inclusión del lector y su código, en el que está implicado el elemento temporal. Sorprende que partiendo del mismo texto lleguen a conclusiones diferentes. El símbolo de «androginia» lo rechaza Riffaterre en favor de «contemplación», y lo hace con ayuda de referencias a las relaciones léxicas en el texto, que los dos estructuralistas pierden de vista en su búsqueda de equivalencias gramaticales y con la inclusión de los cambios de significado en el curso del tiempo: «El francés, hizo el cambio de *la* por *le sphinx* durante el siglo XVIII» (pág. 226).

Riffaterre considera importante el análisis de Jakobson y Lévi-Strauss de «Les chats», pues presenta una demostración convincente de la extraordinaria concatenación que mantienen las diferentes partes de la oración, pero —y de nuevo su atención al lector es innegable— mantiene reservas sobre las equivalencias que eluden la percepción cuando ésta es posible, al

* Como ilustración de las ideas de Riffaterre véase la composición de Rimbaud «Le dormeur du val». [*N. del T.*]

menos en un sentido teórico. Las divisiones tres y cuatro de Jakobson y Lévi-Strauss son ejemplares, en su opinión, por su falta de perceptibilidad. El énfasis sobre la forma lingüística que se requiere para el efecto poético, tiene al menos que ser «visible»; si no es así, es irrelevante. Desde esta perspectiva, Riffaterre rechaza las mencionadas divisiones. «Las divisiones tres y cuatro, especialmente la última, hacen uso de constituyentes que el lector no puede percibir; por tanto, hay que dejarlos fuera de la estructura poética, ya que se supone que ésta quiere remarcar la forma del mensaje para hacerlos más visibles, más precisos» *(Ibíd.)*.

El contacto entre el texto y lector es fundamental para Riffaterre, que, como hemos dicho, está de acuerdo con el principio de equivalencia; este contacto es el que tiene la última palabra sobre la aceptabilidad de las observaciones de la equivalencia y su necesidad estética. En cuanto al principio de equivalencia, la diferencia entre los dos estructuralistas y Riffaterre se puede describir así: los primeros recogen la mayor parte posible de relaciones de equivalencia; Riffaterre, por su parte, considera sólo las ya realizadas. De esta manera encuentra su solución al problema de la jerarquización.

Como hemos indicado, Nicolas Ruwet propone objeciones al elevado número de equivalencias que son posibles en la teoría de Jakobson, pues dicha teoría «recoge sistemáticamente y, en cierto sentido, a ciegas, el mayor número de relaciones de equivalencia tomadas por separado en cualquier nivel» (Ruwet, 1968, pág. 61)[11]. Al mismo tiempo adopta una posición moderada sobre aspectos que un análisis lingüístico puede clarificar. Lucha contra la superestima de los elementos de la obra literaria que se pueden describir técnicamente y excluye el «connaissance du monde» del dominio lingüístico de la competencia.

Hemos examinado con mucho detalle las críticas contra el método puesto en práctica por Jakobson y Lévi-Strauss. Y ello nos parece justificable por cuanto las tres críticas —Riffaterre, Ruwet, Posner— están dentro de la tradición estructuralista. Por eso sus afirmaciones sobre la debilidad y limitaciones del método son marcadamente constructivas. Incluso Riffaterre, que de los tres es el que más se aparta de Jakobson, no rechaza el principio de equivalencia. El método lingüístico de Jakobson (olvidándonos momentáneamente de su parentesco

[11] La proliferación de relaciones de equivalencia fue también criticada por Jonathan Culler (1975, pág. 62) y Roger Fowler (1975a).

con Lévi-Strauss) ofrece un punto de partida que hasta ahora ha sido el más prometedor. Una de las posibilidades de desarrollo del mismo puede ser tomar la base del modelo de comunicación y aumentarlo con relaciones adicionales *. Este es el caso, entre las variantes semióticas del estructuralismo, de Lotman, por ejemplo. Pero esto mismo es verdad en la investigación literaria orientada a la recepción que acoge entre sus tareas el análisis verificable del signo portador del mensaje.

Resumiendo el desarrollo de la teoría de Jakobson, habría de seguir, en nuestra opinión, las siguientes líneas. En primer lugar, una sistematización de las relaciones de equivalencia basada en un orden jerárquico. «Una ordenación adecuada de las relaciones de equivalencia tiene que dar cabida a la posibilidad de que algunas clases de equivalencia que tienen la misma extensión puedan ser de mayor influencia para la segmentación del texto que la presencia simultánea de segmentaciones numerosas pero triviales» (Posner, 1972, pág. 221).

Una vez valoradas las relaciones de equivalencia, habría que defender la semantización de las categorías gramaticales y así cubrir una etapa en la dirección de la interpretación; es decir, para establecer el contexto del significado. La teoría de Lotman apunta en esta dirección. «Dado que todo lo que aparece en un texto artístico es algo lleno de sentido y se siente como poseedor de cierta información semántica, sus elementos gramaticales están necesariamente semantizados» (Lotman, 1972a, pág. 233).

Por último, el concepto espacial de estructura de Jakobson tendría que incluir y describir el factor tiempo; éste haría posible percibir y describir los cambios. Tales cambios podrían deberse a rasgos semánticos, pero también a la participación en un género determinado y en una época. Ayudado por el factor tiempo, el intérprete podría valorar la ausencia de rasgos —o en caso especial la ausencia de relaciones de equivalencia— como llena de sentido (cfr. el «minusmecanismo» de Lotman). Al incluir el código del receptor, Riffaterre suple las presuposiciones para el aspecto evolutivo. De esta forma quedan claros algunos elementos importantes del significado, tales como la ironía o la parodia. Por otra parte, el concepto de

* En España son conocidos los intentos, a lo largo de la obra del malogrado E. Hernández Vista, de integrar los niveles semántico y cultural en el denominado por él «principio de convergencia». [*N. del T.*]

estructura con un componente temporal lo hemos encontrado ya en Mukarovsky[12].

Los estudios literarios en Francia han recibido la influencia del estructuralismo y lo han asimilado en sus propios términos. Ahora cada vez más se está realizando una orientación internacional que antes se echaba de menos. Posibilidades para una investigación internacional no faltan en la base común desarrollada por el estructuralismo lingüístico y el formalismo ruso. De igual forma, en su reflexión sobre el receptor el estructuralismo francés sigue una línea internacional de investigación *. La narratología estructuralista y el análisis lingüístico-estructural tienen la ventaja —en oposición a la variante de Barthes— de que están en vías de desarrollar un metalenguaje mientras que el «meta-texto» de Roland Barthes es una variación del lenguaje objeto. No hemos tratado de las corrientes marxistas del estructuralismo francés. La conexión entre el marxismo y el estructuralismo en Francia puede ser tratada, en nuestra opinión, con mucho más provecho dentro del estudio de la teoría literaria marxista.

---

12 Véase arriba, págs. 31-35.

* *Vid.* en este sentido la obra de investigadores como Ph. Sollers, J. Kristeva, grupo Tel Quel, etc. Por otra parte, han criticado el estructuralismo como ideología de carácter «holístico», entre otros, P. Macherey, Godelier, H. Lefebvre, G. della Volpe, etcétera. [*N. del T.*]

CAPÍTULO IV

Teorías marxistas de la literatura

El marxismo es una filosofía de contradicciones, y cualquier intento de explicar la teoría marxista de una manera radical encontrará inconsistencias aparentes. La creencia en la primacía de las condiciones materiales y el esfuerzo simultáneo por enfatizar el papel humano para cambiar esas condiciones es una de las contradicciones más características del marxismo. ¿Cómo se pueden considerar compatibles el materialismo y la revuelta heroica?

Si se acepta que esta contradicción se puede resolver recurriendo al método dialéctico, surge un nuevo problema, el de saber si es posible alguna crítica del método dialéctico. Al contrario que el formalismo ruso o el estructuralismo francés, las teorías literarias marxistas tienen su base en una filosofía normativa que hace explícitas ideas sobre cuestiones epistemológicas. La teoría marxista no puede aceptar ninguna crítica sobre una base puramente empírica. Por otra parte, la crítica de la teoría marxista sobre la base de normas que se derivan de la misma teoría no puede ser nunca satisfactoria. Por ejemplo, una crítica de la interpretación en China de las teorías marxistas sobre la base de los escritos originales de Marx y Engels o una crítica de Marx y Engels sobre la base de criterios emanados del neomarxismo, necesariamente quedarán limitados en su objetivo. La verdadera base del pensamiento marxista, común a la original filosofía marxista y a sus varias derivaciones, escaparía de esta forma a un juicio crítico.

Hemos decidido analizar la teoría literaria marxista desde una perspectiva metateórica, a pesar de que los teóricos marxistas niegan que sea posible dicho punto de vista. La alternativa —poco atractiva— es la aceptación o rechazo de la teoría marxista por razones no científicas. Por otra parte, no pensamos que nuestra posición metateórica nos dé el acceso a un criterio superior. Si analizamos las teorías marxistas en términos ajenos a estas teorías, estamos sólo relacionando un sistema de pensamiento con otro sistema de pensamiento. Naturalmente, nuestro sistema de referencia puede estar sometido al análisis y crítica por parte de estudiosos que por una razón u otra prefieren otra postura epistemológica (quizá la del marxismo).

Todo análisis, toda atribución de sentido y valor se da dentro de los límites de ciertas reglas. Si se explican cuáles son las reglas que servirán de guía (y se siguen), cualquier análisis y explicitación son válidos. Las reglas que respetaremos en nuestro análisis son las de la precisión, la claridad, la falsabilidad, la distinción entre teoría y práctica (o entre metalenguaje y lenguaje objeto) y la distinción entre hechos observados y valores atribuidos.

Estas convenciones pertenecen a la tradición del racionalismo crítico. Estamos convencidos de que dicha tradición de la que Karl R. Popper (1969b; 1972a) es uno de los máximos representantes, ha sido extremadamente productiva y ha obtenido resultados, incluso en el campo de la teoría literaria, que han superado el examen de la más severa crítica. Aunque varios estudiosos marxistas rechazan varias tesis de la tradición popperiana, lo toman muy en consideración, tal como aparece en el interesante volumen *Der Positivismusstreit* (Adorno, 1969), al que volveremos más tarde.

Marx, Engels y Lenin

No es nuestra intención presentar aquí un panorama sistemático del pensamiento marxista. Pero si nos restringimos a las afirmaciones marxistas *sobre literatura*, nos engañaríamos al ver sólo la relación de la literatura con la sociedad, con el desarrollo histórico y con las condiciones materiales que le sirven de base. El marxismo rehúye el considerar los fenómenos aislados y en este sentido se puede considerar como una holística. En eso se parece al estructuralismo, pero este último permite al estudioso restringirse a su campo de investigación por razones prácticas, mientras que el marxismo suele ser menos proclive a aminorar sus demandas holísticas. Otro postulado básico del marxismo es la primacía de la materia sobre el pensamiento. De hecho, esto es lo que separa a Marx y Engels de Hegel, pues los tres se insertan en el método dialéctico. Hegel concibe la dialéctica meramente como movimiento del *pensamiento,* mientras que los fundadores del marxismo sugieren que la relación dialéctica existe tanto en la *naturaleza como en el pensamiento.*

El materialismo dialéctico que explica el desarrollo del mundo es ciertamente difícil de entender, si no tenemos en cuenta que implica un cierto dinamismo y describe un proceso de desarrollo desde una etapa más baja a otra más alta. Nos será de utilidad recordar que la palabra «dialéctico» proviene de un verbo griego que significa «conducir una discusión».

Una afirmación (tesis) y una contraafirmación (antítesis) pueden originar cierta conclusión (síntesis). En condiciones favorables se puede considerar la conclusión como perteneciente al nivel más alto. La conclusión, naturalmente, puede servir de nuevo como punto de partida o primera afirmación para una nueva afirmación.

Marx y Engels aplican el principio dialéctico en especial a la esfera del desarrollo social. Piensan que la lucha de clases entre la burguesía y el proletariado llevará inevitablemente a la ruina del capitalismo promoviendo el progreso social. En sus últimos años Engels comenzó el estudio de las ciencias naturales para elaborar la idea de que «entre los innumerables cambios que tienen lugar en la naturaleza operan las mismas leyes dialécticas de movimiento que gobiernan el aparente azar de los sucesos en la historia» [1]. Con ello Engels intentaba demostrar que el principio dialéctico se daba tanto en la naturaleza como en la realidad. La omnipresencia del principio dialéctico se ha destacado también en la reciente filosofía soviética, que ve en la dialéctica «la teoría de las leyes más generales del desarrollo de la naturaleza, la sociedad y el pensamiento» (Rozental' y Judin, 1963, pág. 124).

Además del materialismo dialéctico que intenta establecer leyes objetivas y necesarias que gobiernen el conjunto de la realidad, los filósofos marxistas tienen también en cuenta el materialismo histórico; es decir, la extensión de las tesis del materialismo dialéctico al estudio de la vida y desarrollo sociales.

Las leyes del materialismo histórico están afectadas por el factor humano, por ello el marxismo no es puramente determinista. Hay, pues, un margen para la voluntad humana y para las convicciones individuales que explica la diferencia

---

[1] F. Engels, *Herrn Eugen Dührings Umwälzung der Wissenschaft: Dialektik der Natur, 1873-1882.*

entre materialismo dialéctico e histórico. Queda claro que la literatura, que los críticos marxistas ven en primer lugar como ideología, tiene que ser estudiada dentro de los términos del materialismo histórico.

A menudo es difícil descubrir el efecto de la concepción materialista de la historia de Marx en sus afirmaciones sobre literatura; en especial sus primeras opiniones son mucho más las de un joven culto alemán de los años 40, versado en literatura clásica que las de un revolucionario iconoclasta.

En general, sus opiniones literarias se basan en: 1.º) el criterio del determinismo económico en lo que se refiere a la cuestión de si la obra literaria refleja desarrollos avanzados o regresivos en la base económica; 2.º) el criterio de verosimilitud, que está en concordancia con el código literario de su época; 3.º) el criterio de las preferencias personales, tales como las obras de Esquilo, Shakespeare y Goethe, que pertenecen al canon literario de su tiempo. Aunque podía esperarse que el primer criterio es el más importante desde la perspectiva marxista, los más recientes autores marxistas (con excepción de los defensores del *Proletkul't* y los críticos chinos durante la revolución cultural) han empleado con más profusión los dos últimos.

En su prólogo (1859) a *Zur Kritik der Politichen Oekonomie* [Crítica de la economía política] Marx expresó claramente su pensamiento sobre la relación entre la base económica y la superestructura (incluida la literatura):

> El modo de producción de la vida material determina conjuntamente el proceso de la vida social, política e intelectual. No es la conciencia de los hombres lo que determina su ser, sino, por el contrario, es un ser social lo que determina su conciencia. En cierto estadio de su desarrollo las fuerzas materiales de producción de la sociedad entran en conflicto con las relaciones de producción existentes o, empleando la expresión legal, las relaciones de propiedad dentro de las que ellas operan. A partir de las condiciones para el desarrollo de las fuerzas de producción, estas relaciones de propiedad llegan a ser sus cadenas. Entonces comienza un periodo de revolución. Con el cambio de la base económica se transforma más tarde o más temprano toda la superestructura [2].

Esta resumida afirmación del determinismo económico de Marx es la que, a pesar de su imprecisión, ha quedado siempre en el trasfondo de las posteriores explicaciones marxistas de la relación entre la superestructura ideológica y la base

[2] Marx y Engels, 1967: I, págs. 74 y 75.

económica o de la literatura y la estructura económica de la sociedad.

Las ideas citadas resultan imprecisas porque, como resultado de los cambios de la base económica, las alteraciones en la superestructura tendrá lugar *más tarde* o *más temprano*. Aparentemente, ciertos cambios esperados en la superestructura pueden quedarse rezagados. Esto produce una complicación epistemológica que en algunos casos hace imposible refutar la tesis marxista del determinismo económico. Si, por ejemplo, los cambios esperados en la superestructura no se producen (por ejemplo, el nacimiento de una espléndida literatura socialista en una sociedad socialista) la teoría marxista tiene que señalar que dichos cambios se han retrasado por una razón u otra. Por tanto, en principio, la tesis marxista del determinismo económico no puede ser falsada.

En el mismo año Marx y Engels aplicaron su concepción de determinismo económico en su crítica de *Franz Von Sickingen* (1859), obra de Ferdinand Lassalle que trata de un caballero rebelde en la Guerra de los campesinos en la Alemania de principios del siglo XVI. En una carta de 6 de marzo de 1859 Lassalle pidió a Marx y Engels que comentaran el texto de su tragedia. Marx y Engels consideraron a Lassalle, futuro fundador del primer partido alemán de los trabajadores, como un posible aliado político. Su crítica se presentó amablemente, pero resulta más bien severa (cfr. Demetz, 1967, páginas 107-116). En primer lugar, en sus cartas separadas a Lassalle, presentan una crítica de hombres de gusto literario. Marx considera al personaje principal un poco superficial y ofrece el muchas veces citado consejo de que tendría que haber tomado como ejemplo que seguir más bien a Shakespeare que a Schiller[3]. Engels también hace una referencia positiva a la viveza de Shakespeare y espera que en un futuro Lassalle tenga éxito al expresar su mensaje a través de la acción de los personajes en lugar de las discusiones abstractas.

Sin embargo, hay otros dos pasajes que se refieren al determinismo económico. Uno es cuando Marx pregunta si la elección del Franz von Sickingen histórico (1481-1523) como héroe trágico es correcta. Marx rechaza a Sickingen como reaccionario, pues «siendo un caballero y un representante de una clase a punto de desaparecer, se rebeló contra el orden existente» (Marx y Engels, 1967, I, pág. 180). Engels añadió que Lassalle había olvidado al plebeyo anónimo y a los ele-

[3] *Ibíd.*, I, pág. 181.

mentos del campesinado en el movimiento de rebelión. La larga respuesta de Lasalle el 27 de mayo de 1859, que aparece en muchas antologías de la crítica literaria marxista, es reveladora. Se da cuenta de que Marx y Engels hubieran querido de él que escribiese sobre acontecimientos más progresistas de la historia alemana y no sobre un caballero reaccionario que, en consecuencia con las leyes del desarrollo histórico, estaba destinado a fracasar. Pero Lassalle replica que el Sickingen histórico era menos reaccionario de lo que Marx creía y que no existe base histórica para afirmar que durante la guerra la clase baja de los campesinos fuera políticamente más avanzada que Sickingen: «En último término, una guerra de campesinos era no menos reaccionaria que los planes de Sickingen» (Marx y Engels, 1967, I, pág. 192). Lassalle acusa a Marx y Engels de defender una visión determinista de la historia alemana, pues este concepto de historia, que destruye la posibilidad de decisiones y acciones individuales «no ofrece una base para la acción revolucionaria práctica o para la acción dramática representada» [4].

Desde el punto de vista literario el asunto cobra más interés cuando, aparte el pensamiento político del Sickingen histórico, Lassalle asegura que *su* Sickingen no puede ser medido con la vara del historiador sino que es el producto de un tratamiento poético; y se hace la siguiente interrogación retórica: «¿No tiene el poeta el derecho a idealizar a su héroe y atribuirle un más alto nivel de conciencia? ¿Es el Wallenstein de Schiller una figura histórica? ¿Es acaso real el Aquiles de Homero?» (Marx y Engels, 1967, I, pág. 200). Lassalle en esta cuestión se apoya en Engels que en su carta le había concedido que no intentaba negarle el derecho a concebir a Sickingen y Hutten *como si* hubieran intentado la emancipación de los campesinos. Por eso Lassalle pone su énfasis en la defensa del derecho del poeta a idealizar su material. De alguna manera, pues, subraya el componente de ficción de la literatura; Marx no comentó después la respuesta de Lassalle y sólo ocasionalmente protestó por la amplitud de ésta. Con todo, la idea aristotélica de que la literatura puede desviarse de la pintura de la verdad histórica e idealizar la realidad, quedó como uno de los conceptos componentes de la teoría marxista de la literatura.

El comentario de Marx sobre la tragedia de Lassalle difícilmente se puede considerar como una pieza de crítica literaria. El núcleo verdadero de estas notas afecta a la interpre-

---

[4] *Ibíd.*, I, pág. 191.

tación de los hechos históricos. Igualmente su comentario sobre *Les mystères de Paris* (1842-1843), de Eugène Sue —novela por entregas muy popular sobre el submundo parisino y la clase aristocrática, la inocencia perseguida, el rescate y la salvación— no se motivó por interés literario sino por la oportunidad de asestar un golpe a sus oponentes filosóficos, los jóvenes hegelianos Bruno, Edgar y Egbert Bauer (Marx y Engels, 1968, II, págs. 64-142). Los hermanos Bauer habían aceptado una reseña de *Les mystères de Paris* en su revista mensual *Allgemeine Literatur Zeitung.* El autor de la reseña era Szeliga, pseudónimo de Franz Zychilin von Zychlinsky (1816-1900), oficial prusiano. La crítica de Marx más bien trata sobre la interpretación hegeliana errónea y llevada demasiado lejos que de la novela misma. El rechazo de la injustificable interpretación idealista de la novela francesa aparece muy evidente, así como su inclinación a la aplicación del criterio de verdad que en la particular interpretación de Marx, no es otra cosa que la fidelidad a la realidad social. Tal como ha demostrado Peter Demetz (1967, págs. 102-107), desde la crítica de la interpretación filosófica Marx evoluciona gradualmente a la crítica social de la novela de Sue, trasladando su idea preconcebida de la realidad social a su concepto de cualidad literaria. Este aspecto de la crítica de Marx, que era característico del positivismo decimonónico, está en contradicción con el concepto aristotélico de literatura como representación de una imagen idealizada y más universal de la realidad tal como la había defendido Lassalle y aparentemente aceptado Engels. Parece, pues, que la teoría literaria marxista se formó en sus inicios sobre tensiones contradictorias que más tarde los filósofos marxistas reconciliarían con ayuda del método dialéctico.

Además de los criterios del determinismo económico y la verosimilitud, Marx echó mano de sus propias preferencias literarias, que coinciden ampliamente con el canon literario de su época. Son interesantes a este respecto sus observaciones sobre el arte antiguo griego. En 1857, dos años antes que apareciera su *Crítica de la economía política,* Marx redactó una «Introducción» a este libro que fue publicada póstumamente por Karl Kautsky en 1903 y que no recibió mucha atención entre los escritos marxistas. De hecho, alarga la afirmación que se había hecho en el «Prólogo» (1859), es decir, que a los cambios en la superestructura les seguirán *más tarde o temprano* cambios en la base económica. En el manuscrito de la «Introducción» (1857) Marx parte del concepto determinista de que los desarrollos en la superestructura, sobre todo en el ámbito de la estética, tienen necesariamente que producirse a partir de los cambios de la base económica. Y ahí destaca que el desarrollo de la producción artística y material puede estar desequilibrado [5]. Intrigado por el hecho de que en la antigüedad griega el arte había alcanzado cotas increíbles en un tiempo en que el desarrollo social y económico era todavía bajo, Marx concluye que a periodos de grandes monumentos artísticos no corresponden necesariamente un alto desarrollo de la base material [6]. El problema principal es entender cómo el arte de una sociedad arcaica puede irradiar «eterno encanto» *(ewiger Reiz)* y proporcionar placer a individuos de la época industrial. Su explicación es más sicológica que materialista, puesto que relaciona la admiración por el arte griego con una nostalgia de la juventud histórica de la raza humana [7]. Aunque su explicación no puede ser tachada de materialista y la «introducción» sólo fue publicada póstumamente, la teoría de un desarrollo desequilibrado de la producción artística y material ha llegado a ser una ley constante de la teoría literaria marxista que ha servido unas veces para justificar la asimilación de los grandes escritores clásicos y otras como argumento de protesta en manos de escritores disidentes en países socialistas contra los dogmas estrechos del realismo socialista. Si la teoría de Marx del desarrollo desequilibrado se aplica a los tiempos modernos, se sigue que una sociedad socialista no producirá necesariamente una literatura superior.

Friedrich Engels contribuyó con dos documentos importantes al corpus de escritos marxistas sobre literatura. El 26 de noviembre de 1885 escribió una carta a Minna Kautsky con ocasión de la publicación de la novela de ésta, *Die Alten und die Neuen* [Los viejos y los jóvenes] (1884). En esta carta se tratan dos problemas de naturaleza más general. El primero es el de la relación entre literatura y compromiso político o «tendencia» *(Tendenz)*. Engels no está de acuerdo con la novela de Minna Kautsky por motivos políticos obvios. Aunque no se opone a la «literatura tendenciosa» *(Tendezpoesie)* en cuanto tal y cita a Esquilo, Aristófanes, Dante, Cervantes y Schiller como los mejores escritores de *Tendenz*, cree también que «la *Tendenz* tiene que ser evidente a partir de la situación y la acción, pero no se debe explicar de manera clara;

---

[5] Marx señaló este fenómeno hablando literalmente de «la relación desigual entre el desarrollo de la producción material y, por ejemplo, la producción artística». *(Ibíd.*, I, pág. 123).

[6] *Ibíd.*, I, págs. 123-124.

[7] *Ibíd.*, I, pág. 125.

el poeta no está obligado a presentar al lector la solución futura, histórica de los conflictos sociales que describe»[8]. La actitud crítica de Engels hacia la predisposición política clara es parte de su legado a la tradición de la crítica marxista. Y parece que esta postura se suele utilizar contra la verdadera esencia del realismo socialista que, según la definición soviética de 1934, tiene que llevar a cabo «una representación verdadera e históricamente concreta de la realidad en su desarrollo revolucionario» (citado por Swayze, 1962, pág. 113). Parecería imposible presentar la realidad en su desarrollo revolucionario sin indicar «la solución futura de los conflictos sociales» que el escritor describe. De hecho, una corriente de la crítica china en el periodo de «las cien flores» intentó desasirse de las restricciones políticas del realismo socialista, trató de apoyar sus argumentos refiriéndose a la postura de Engels sobre la literatura de tendencia (Fokkema, 1965, págs. 130-132). Se podría concluir, entonces, que las reservas de Engels para con la predisposición política clara en literatura es la fuente de esta contradicción en la teoría literaria marxista.

El segundo problema que aparece en la carta a Minna Kautsky es el de lo típico. Engels toma prestada del idealismo alemán la tesis de que todo personaje en una novela tiene que ser «un tipo, pero al mismo tiempo también un individuo particular, un único», como el mismo Hegel expresó[9]. Pero ¿en virtud de qué criterios hay que seleccionar las propiedades típicas de un personaje? En su carta de primeros de abril de 1888 a Margaret Harkness, quien le había enviado su novela *City Girl* (1887) Engels sostiene que la selección de características típicas debería ser compatible con las necesidades del realismo. En esta carta, escrita en inglés, Engels acuñó su famosa frase: «El realismo, en mi opinión, implica, además de la verdad del detalle, la reproducción verosímil de personajes típicos en circunstancias típicas» (Marx y Engels, 1953, página 122). En su comentario sobre *Franz von Sickingen* la palabra «realista» había aparecido como opuesta a abstracta e ideal y como característica del drama de Shakespeare. Casi treinta años después Engels vuelve a emplear el término de manera semejante. Realismo significa fidelidad a la verdad histórica. Margaret Harkness hubiera debido dedicar más atención a la protesta revolucionaria del proletariado contra la explotación, puesto que dicha protesta se había manifestado como un hecho histórico. De nuevo Engels rechaza la idea de un *Ten-*

---

[8] *Ibíd.*, I, pág. 156.
[9] *Ibíd.*, I, pág. 155.

dezroman y se refiere a Balzac que en *La comedia humana* ha proporcionado «la más admirable historia realista de la sociedad francesa» (Marx y Engels, 1953, pág. 122). Aparece claro que Engels relaciona su concepto de tipo con la clase de literatura que marxistas posteriores denominarían «realismo crítico». Al contrario que Demetz, pensamos que Engels concibió lo típico como un modelo de representación de la experiencia más bien que como «una imagen ideal» (Demetz, 1967, págs. 137-138). La afirmación de que había que considerar a Engels precursor de la crítica realista socialista es difícil de fundamentar.

El realismo por el que Engels aboga puede incluso llevar a resultados que contradicen las opiniones políticas del escritor. Balzac es un caso claro, a pesar de sus simpatías por la nobleza, escribió con una admiración no disimulada sobre los héroes republicanos de Cloître Saint-Merry, hombres que, según Engels, representaron en los años 30 las masas populares y de hecho fueron sus propios oponentes políticos. Engels llama a esto «uno de los grandes triunfos del realismo». Su teoría de la posible discrepancia entre las opiniones políticas del escritor y el significado de su obra constituye una contribución importante a la teoría literaria marxista. En 1858, N. A. Dobroliubov había defendido una tesis semejante en relación con Gogol, quien «inconscientemente, sólo por intuición artística», se acercó mucho a la perspectiva popular (Dobroliubov, 1961, página 213). Engels parece que no conoció los escritos críticos de Dobroliubov, aunque tenía noticias sobre su obra y respetaba sus tesis políticas. Pero cuando escribió su opinión sobre Balzac, pudo haber conocido juicios semejantes de Zola sobre Balzac, publicados en 1881 y 1882 (Wellek, 1955-1965, IV, página 18).

En la crítica marxista se cita normalmente a Engels y Dobroliubov como los autores de la teoría de la posible discrepancia ante la visión del mundo del escritor y el contenido de su obra. La teoría tiene implicaciones importantes. Al igual que la tesis del desarrollo desequilibrado de la producción material y artística, ésta ha servido para incorporar a los escritores clásicos al conjunto de lecturas permitidas. Es más, dicha teoría es incompatible con un rápido juicio de las obras literarias, que se base en la biografía del autor o en sus intenciones políticas, pues esto atrae la atención del crítico al texto literario y como tal niega lo que los «nuevos críticos» han llamado la «falacia intencional».

Como Marx, Lenin admira el gran arte y le acució el problema de cómo conciliarlo con la revolución. Entre 1908 y 1911,

Lenin escribió cinco artículos con ocasión del ochenta aniversario y la muerte de Tolstoi. Aunque admite que las obras de Tolstoi hay que colocarlas entre las más grandes de la literatura mundial, al mismo tiempo equipara la perspectiva del autor, con «la del campesino patriarcal e ingenuo». Detesta en Tolstoi «al terrateniente obsesionado con Cristo», «llorón, humillado e histérico», «fanático predicador de la sumisión» y defensor del clericalismo (Lenin, 1967, pág. 55). Evidentemente Lenin se siente molesto con el efecto político de las obras de Tolstoi, pero les atribuye un valor eterno desde el punto de vista literario. De acuerdo con la tesis de Marx sobre el desarrollo desequilibrado de la producción material y artística y con la de Engels sobre la discrepancia entre la cosmovisión del autor y su obra (pero sin referirse a ellos), Lenin afirma que «Tolstoi (...) produjo obras artísticas que serán apreciadas y leídas por las masas una vez que éstas creen sus propias condiciones de vida después de sacudirse el yugo de patronos y capitalistas» (Lenin, pág. 48). Queda claro que Lenin es opuesto a cortar los lazos con la gran literatura, de ahí que justifique en términos políticos su amplia admiración por el gran arte.

La justificación de esta apreciación de Lenin es la del relativismo histórico o historicismo que, por imitación de Friedrich Meinecke (1936), hemos definido antes como el intento de interpretar y valorar fenómenos históricos de una determinada época en relación con otros fenómenos (incluyendo sus normas) de la época presente. Dado que el materialismo histórico establece que la superestructura evoluciona como resultado de cambios históricos específicos en la base económica, el desarrollo de la superestructura no se puede desconectar de su base material. En principio se supone que los cambios en la superestructura no van por delante de los económicos, aunque según el pensamiento marxista reciente, algunos cambios superestructurales se pueden considerar como motores de ciertos cambios de la base económica. Como ejemplos pueden servir la implantación de campañas ideológicas o las «revoluciones culturales» en algunos países socialistas. En último recurso, sin embargo, el desarrollo de la «conciencia social» o de la cultura se gobierna por la producción material (Wetter, 1966, página 240). Por ello, las posibilidades de la literatura de un determinado periodo quedan en principio restringidas por sus condiciones históricas y materiales. Es, pues, en este sentido por lo que el materialismo histórico contiene cierto grado de historicismo.

El argumento historicista del materialismo histórico es que el mérito de un escritor habría que medirlo frente al conjunto de condiciones socioeconómicas de un tiempo más bien que con la óptica del movimiento revolucionario moderno. O, en propias palabras de Lenin, «las contradicciones en las tesis de Tolstoi» hay que entenderlas no desde la perspectiva actual del movimiento de la clase trabajadora y desde el socialismo actual (tal entendimiento, naturalmente, es necesario pero no suficiente), sino desde la perspectiva de la protesta contra el capitalismo avanzado, contra la ruina de las masas que eran desposeídas de sus tierras, protesta, que tuvo que provenir del campesinado ruso de tipo patriarcal» (Lenin, 1967, pág. 30). De esta cita se desprende que Tolstoi debería juzgarse desde la perspectiva de sus contemporáneos y desde la del «socialismo actual». De esta manera se pueden emplear dos formas de evaluación: la historicista, para determinar el papel histórico de Tolstoi y salvarlo como un escritor importante, y la política para juzgar su obra en relación con la situación política de su época. Cualquier contradicción entre las dos normas requiere obviamente una solución dialéctica con posibilidad de que bajo ciertas condiciones políticas se enfatice más la primera que la segunda, o al revés. De manera similar algunos años después Mao-Tse-tung (1942) hizo diferencias entre el «criterio artístico» y el «criterio político». Así como Lenin rechaza cualquier «principio de moralidad abstracto o eterno», Mao niega la existencia de «criterio artístico abstracto o absolutamente inamovible». El juicio artístico de las obras literarias del pasado por parte del proletariado depende de la cuestión de si estas obras han tenido o no «un significado históricamente progresivo» (Mao-Tse-tung, 1942, pág. 89). De nuevo aquí es el argumento historicista el que tiene que salvar a la gran literatura.

El juicio de Lenin sobre la literatura se basa a la vez en una norma historicista y en otra rigurosamente política. El materialismo histórico no puede nunca satisfacerse con el relativismo histórico porque la situación política puede requerir una actitud diferente. Una razón más general de por qué el materialismo histórico no puede identificarse completamente con el método historicista es el hecho de que (según la teoría marxista) el materialismo histórico con su rechazo de sus orígenes decimonónicos tiene que considerarse como la verdad objetiva y por ello no puede someterse a un juicio relativista. Con todo, dejando aparte criterios historicistas y políticos, hay que inferir que Lenin, al igual que Mao-Tse-tung[10], es consciente de su estrecho criterio artístico por el cual ciertas obras de arte tienen que ser apreciadas desde el punto de vista estético, aunque éstas hayan apartado a sus receptores de la acción revolucionaria.

La intuición artística reclama su derecho cuando Lenin, en una conversación con Gorki, llama a la sonata de Beethoven *Appasionata,* «música asombrosa, divina», añadiendo que afecta sus nervios y le hace querer decir dulces bagatelas y acariciar la cabeza de las personas cuando lo cierto es que «hoy no podemos acariciar a nadie la cabeza, si no queremos salir con la mano mordida» (Lenin, 1967, pág. 247). Es probable que una experiencia similar previniese a Marx de razonar sin contradicciones en la teoría del desarrollo desequilibrado de la producción material y artística.

Quizá más importante que las opiniones de Lenin sobre Tolstoi y Beethoven es su artículo «Organización del partido y literatura del partido» (Lenin, 1967, págs. 22-28). Escrito a finales de 1905, trata de la nueva situación que resultó de la desaparición de la diferencia entre la prensa legal e ilegal en Rusia (Simmons, 1961). En la situación anterior la prensa ilegal del partido se podía controlar fácilmente y permanecer pura. Pero cuando escritores de todo tipo tuvieron acceso a la prensa, Lenin estaba preocupado por la posible influencia burguesa sobre el partido por parte de escritores que, apoyándose en ideas izquierdistas o abiertamente cristianas, no eran miembros del Partido Democrático Social o no querían someterse a la disciplina del Partido. Esta fue la ocasión concreta para las afirmaciones de Lenin.

Intérpretes posteriores han extendido el alcance original de este artículo de dos maneras. En primer lugar han pasado por alto el hecho de que Lenin sólo habla del control del Partido sobre las publicaciones del Partido y no del control del Estado o de cualquier partido sobre las publicaciones no partidistas. Aunque el artículo de Lenin se ha empleado para justificar la censura estatal en los países comunistas sobre las publicaciones no pertenecientes al Partido, no hay base

[10] *Vid.* la siguiente observación de Mao-Tse-tung: «Algunas obras que son políticamente reaccionarias pueden tener cualidades artísticas. Las más reaccionarias por su contenido y las de más alta calidad artística son las más peligrosas para el pueblo y las que más hay que rechazar» (Mao-Tse-tung, 1942, pág. 89). De este pasaje se deduce que una obra literaria particular, que no se puede juzgar positiva ni siquiera en el nivel historicista, puede poseer una alta calidad artística.

para tal justificación. En segundo lugar, han escamoteado la diferencia que existe entre publicaciones literarias y políticas. En realidad, Lenin se refiere al hecho general de escribir mucho más que a la literatura creativa. E. J. Simmons (1961, pág. 82) ha observado correctamente que el equivalente ruso de literatura o «belles lettres», es decir, *chudozestvennaja literatura* no aparece ninguna vez en el artículo de Lenin. Para mencionar sólo un ejemplo de interpretación a favor de que Lenin se refería a la literatura creativa y marcaba el camino de la censura incluso fuera del ámbito de las publicaciones del Partido, podemos citar el informe de A. A. Surkov al Segundo Congreso de Escritores Soviéticos publicado el 16 de diciembre de 1954, en *Literaturnaja gazeta.* Surkov afirma de dicho artículo: «Estas palabras de Lenin que han sido ahora confirmadas en la práctica por el desarrollo total de nuestra literatura justifican —dada la *dirección* general a través de la aplicación del método del realismo socialista— la posibilidad de existencia de varias *corrientes,* de una competencia creativa entre ellas, y de amplias discusiones sobre las ventajas de ésta y otra tendencia.»

Aunque Lenin nada dijo sobre un método literario obligatorio o estándar ni menciona el realismo socialista, Surkov da a entender que sólo habrá libertad para discutir sobre corrientes literarias siempre que éstas tengan lugar dentro del entramado del método oficial: el realismo socialista. La interpretación de Surkov está en flagrante contradicción con la tesis de Krupskaia de que «Organización del Partido y literatura del Partido» no se refiere a las obras literarias (Eimermacher, 1972, pág. 44).

Sería forzado ciertamente sugerir que Lenin puso las bases para la censura estatal en un artículo que deplora la situación en «la obra literaria que ha sido corrompida por la censura asiática» (Lenin, 1967, pág. 24). Por ello hay que concluir que la propaganda en favor del realismo socialista en los países comunistas y la institución de la censura de la literatura creativa que se desvíe de este método oficial, no se puede justificar apoyándose en Marx o Engels, o en los pronunciamientos prerrevolucionarios de Lenin sobre literatura. De hecho, la censura no es la consecuencia lógica del materialismo histórico porque los cambios en la base económica tienen que producir más tarde o más temprano, pero inevitablemente, cambios en la superestructura. En teoría la censura sólo puede ser aplicada temporalmente y por razones tácticas. En la práctica, ha quedado claro que la «temporalidad» se puede alargar por mucho tiempo.

Teoría y práctica tras la Revolución de Octubre

La introducción de una estructura económica socialista después de la Revolución de Octubre creó una nueva situación tanto en el campo de la crítica literaria marxista como en los demás aspectos. Desde una perspectiva marxista, la situación cultural en la Unión Soviética y en los demás países socialistas es completamente diferente de la de Europa Occidental y Norteamérica. Como marxistas convencidos, los dirigentes soviéticos creyeron firmemente que la nueva base económica produciría tarde o temprano una nueva cultura. Pero no podían saber *cuándo* podría llegar ésta ni si su extensión dependería de los medios políticos o de otros. Otra cuestión era la de qué actitud tomar hacia la vieja cultura burguesa. Estas cuestiones mantuvieron divididos a los dirigentes soviéticos cerca de una docena de años hasta que al principio de los años 30 el problema se suavizó provisionalmente, aunque no se resolvió por completo. Cuando en 1934 el realismo socialista se anunció como la más alta forma de literatura, quedó, en principio, en segundo plano la literatura anterior. Las repetidas referencias a las obras *avant la lettre,* representantes del realismo socialista tales como *(Mat')* [*La madre*] (1906), de Gorki; *Zeleznij potok* [Iron Flood] (1924), de Serafimovich; *Cement* (1925), de Gladkov, y *Razgrom* (1927), de Fadeev, sirvieron para potenciar la creencia de que la construcción de una nueva cultura estaba en buen camino. Sobre todo, el concepto de realismo socialista sirvió como principio guía en la crítica literaria oficial y se suponía como la mejor expresión literaria de la nueva sociedad.

La noción de realismo socialista era una fórmula de compromiso y no el resultado natural y evidente de una larga discusión sobre materias teóricas por parte de los dirigentes soviéticos. En los primeros años después de la Revolución de Octubre existía una clara corriente que abogaba por la abstención del Partido en el ámbito de la cultura o, al menos, la restricción al mínimo de sus decisiones en materia de cultura, de forma que se esperaba pacientemente que los escritores produjeran literatura revolucionaria de alta calidad. Mientras tanto se seguía leyendo la literatura anterior de la cual se imprimieron millones de volúmenes en ediciones baratas. Esta línea estaba representada por A. K. Voronski, editor del periódico *Krasnaja nov'* desde 1921 a 1927, por Lunacharski (en un nivel mayor, pero con menos convencimiento), jefe del Comisariado popular para la educación durante los años 20, por Leon Trotski, uno de los principales teóricos del partido pero que fue expulsado en 1927 y de alguna manera también por Lenin, que murió en 1924 (Maguire, 1968).

En el primer número de *Krasnaja nov'* Lunacharski expresó su apreciación de la postura de Marx, tal como la recogió Franz Mehring, de que las personas que no entendieran el significado del arte clásico para el proletariado eran «idiotas incurables» (Eimermacher, 1972, pág. 96). También Lenin remarcó el principio de continuidad cultural. En una resolución de 1920 señaló que la cultura proletaria «no es la invención de una nueva cultura, sino el desarrollo de los mejores ejemplos, tradiciones y resultados de las culturas existentes siempre que se mantuviese una visión marxista del mundo» (*Ibídem*, pág. 81). Quizá tuvieran peso aquí las propias preferencias literarias de Lenin. No apreciaba los versos futuristas de Maiakovski, aunque estaba impresionado por la audiencia que los trabajadorles ofrecían a sus recitales. Otros dirigentes, entre ellos Trotski, se dieron cuenta de que los escritores que se esforzaban en ignorar los logros de la cultura burguesa, tales como *Proletkul't* (grupo de escritores proletarios partidarios de la construcción de una cultura proletaria) o los futuristas comunistas agrupados en torno a la revista *Lef*, tenían poco que ofrecer para competir en calidad con la literatura anterior no marxista.

Mientras autores como Homero, Shakespeare, Balzac o los grandes realistas rusos quedaron como lectura permitida, Voronski se quejó de que la censura de la literatura moderna era demasiado estricta, pues él solo podría aceptar un único criterio de censura: que las obras literarias fuesen contrarrevolucionarias. Los censores no deberían interferirse en la valoración artística de una obra y, en principio, el autor debería ser libre de escribir las facetas sombrías de la vida soviética. Los censores no deberían considerar «la representación de la vida a la manera de Gogol, Saltykov-Scedrin o Chejov como un ataque contra la revolución». Esta actitud compartida por Viktor Sklovski y reforzada por Lunacharski, abrió el camino a escritores como Zamiatin, Pilniak y Bulgakov, que continuaron publicando en la década de los 20.

Lunacharski y Voronski dieron mucha importancia al valor cognitivo de las obras literarias puesto que consideraron que ofrecía un tipo de información que no se podía encontrar en las estadísticas. Por tanto, animaron a los escritores a contar la verdad y sólo la verdad, aunque contradijera las expectativas del partido (Eimermacher, págs. 265-267).

Los escritores agrupados bajo la bandera de *Proletkul't* eran de diferente opinión. Su objetivo era crear una cultura proletaria sin ayuda de las demás clases. Shakespeare y Molière ya habían cumplido su misión histórica y por eso sólo eran de interés histórico para el proletariado *(Ibíd.,* pág. 133). Pero los escritores proletarios raras veces rechazan de plano el legado cultural. El llamamiento de Kirillov a quemar las obras de Rafael en nombre de la cultura y a destruir los museos, es una excepción. Llevado a un poema (de 1917) supone la repercusión de ciertas tesis futuristas [11]. En una resolución de un congreso de 1925 los escritores proletarios reclamaban que «ha llegado a ser necesaria la destrucción de todos los tipos y matices de la literatura burguesa y pequeñoburguesa», pero dicha conclusión era mitigada con una aquiescencia simultánea y poco convincente al programa leninista de asimilación crítica del arte y cultura clásicos burgueses *(Ibíd.,* páginas 278-279).

El *Proletkul't* intentó llevar a cabo su objetivo mediante distribuciones presupuestarias, censura y campañas de difamación. Creían que se había dado demasiado apoyo a escritores como Boris Pilniak, que había afirmado claramente que no era comunista y que no trataba de escribir como comunista, o a Ilia Erenburg, que por ese tiempo había acabado su novela satírica *Julio Jurenito.*

En 1924, un componente destacado de la revista *Lef,* N. Cuzac, explicó con más claridad lo que odiaba en la policía cultural del momento, que permitía publicar a escritores como Pilniak o Erenburg y difundir sus tesis sobre literatura a Voronski. El Partido debería controlar todo lo que destruya el deseo de actuar y ganar la victoria decisiva. Todo lo que vaya en contra del buen gusto y del goce de la vida debería ser eliminado. Todo escritor debería saber exactamente lo que quiere y los efectos que desea conseguir con sus escritos. No debería permitirse hablar de la inspiración o de la mística de la «creación artística». Incluso habría que rechazar la teoría según la cual la literatura tiene un valor cognitivo. Según Cuzak, el objetivo básico de la literatura es inspirar —en primer lugar, a la juventud— el deseo de participar en la construcción y en la victoria del socialismo *(Ibíd.,* págs. 168-172).

Había varias razones que hacían dudar al Partido con respecto al *Proletkul't* en su controversia con otros escritores. Al principio de la década de los 20, ninguno de los escritores principales apoyaba al *Proletkul't.* Además, no parecía políticamente idóneo

---

[11] Cfr. Erlich, 1969, pág. 42.

ofrecer una vida cultural demasiado estricta en un momento en que la situación política y económica distaba de ser estable. Por último, los problemas del joven estado soviético eran tan amplios que los problemas literarios pasaron a un segundo término, lo cual suponía que no proviniesen directivas claras del Partido a este respecto. Trotski intentó justificar la actitud del Partido en materia cultural de la siguiente forma:

> El arte tiene que encontrar su propio camino por sus propios medios. Los métodos marxistas no son los mismos que los artísticos. El Partido es la guía del proletariado, pero no del proceso de la historia. Hay dominios en los que el Partido es la guía, directa e imperativamente. Hay otros en los que sólo coopera. Por último, hay otros en los que sólo orienta. El dominio del arte es uno en los que el Partido no puede dar órdenes. Puede y debe protegerlo y ayudarlo, pero sólo puede decidirlo de una manera indirecta (Trotski, 1824, pág. 218).

Otra de las razones importantes por las que el Partido no apoyó incondicionalmente al *Proletkul't* era la demanda de éste de dirigir el campo entero de la literatura sin interferencia de la dirección del Partido. Aunque la mayoría de los miembros de la organización del *Proletkul't,* tales como la Asociación Rusa de Escritores Proletarios (RAPP), eran miembros del Partido, éste temía que dichos organizadores mantuviesen una posición independiente. Con todo, los dirigentes soviéticos se impacientaron poco a poco con la situación literaria cuando observaron que los escritores no se convertían automáticamente en partidarios del régimen. Por estas razones, la posición del *Proletkul't* logró conseguir cierta fuerza.

Ello no condujo, sin embargo, a la victoria completa del *Proletkul't.* Cuando en 1930 la RAPP hubo absorbido casi todas las demás asociaciones de escritores, tomó en sus manos la responsabilidad del pobre estado de la literatura soviética. La RAPP consiguió la posición de monopolio por medio de críticas vehementes, de difamación e intimidación de organizaciones competitivas y escritores individuales, de los cuales los más notorios fueron los ataques contra Boris Pilniak y Eugeni Zamiatin * desde 1929 en adelante. Como resultado de la acción de la RAPP contra los escritores disidentes, se silenciaron los autores más importantes. Más o menos apoyados por Gorki, lograron llevar

---

* Una recopilación de los escritos críticos de Zamiatin se publicó en italiano con el título *Tecnica della prosa,* Bari, De Donato, 1970. [*N. del T.*]

sus quejas a Stalin, quien urgió al Comité Central a disolver todas las organizaciones de escritores proletarios y a unir «a todos los escritores que apoyen el programa del poder soviético y traten de participar en la construcción del socialismo» en una sola unión de escritores (Eimermacher, 1972, pág. 434).

En el I Congreso de Escritores Soviéticos (1934) se aceptó el realismo socialista como guía de la creación literaria. En los estatutos de la unión de escritores éste se formuló de la manera siguiente:

> El realismo socialista, método de la literatura y crítica literaria soviéticas, demanda del verdadero artista la representación históricamente concreta de la realidad en su desarrollo revolucionario. Al mismo tiempo, la verdad y la concreción histórica de la representación artística de la realidad tiene que combinarse con el objetivo de remodelamiento ideológico y de educación de la clase trabajadora en el espíritu del socialismo (Swayze, 1962, pág. 113).

La fórmula era, evidentemente, un compromiso y encontraba cierto número de contradicciones. Se intentaba cerrar el paso a algunas de las severas restricciones políticas que el *Proletkul't* había querido introducir en la literatura, pero la definición oficial del realismo socialista mantenía la demanda de que la propaganda se hiciese en aras de los ideales políticos del socialismo. Describir la realidad en su desarrollo revolucionario de hecho significa retratar lo que se puede considerar como realidad y lo que todavía no es realidad. Desde el principio este concepto tuvo que ser explicado ampliamente, y las explicaciones eran a veces contradictorias. En una comunicación al Congreso de escritores, Gorki —a quien A. A. Zdanov, por la oposición de Gorki al *Proletkul't,* lo llamó con inefable ironía el «gran autor proletario»— habló sobre el poder de la palabra, sobre la literatura como «exorcismo» y «encantamiento» *(Problems of Soviet Literature,* 1935, págs. 15 y 29).

Nikolai Bucharin, sin embargo, creyó que el realismo socialista «es el enemigo del idealismo sobrenatural, místico o transcendente». Bucharin destacó el componente realista del realismo socialista; Gorki y Zdanov, en cambio, el componente romántico. El primero veía al escritor como un observador; los otros, como un predicador o propagandista. Años más tarde se dieron diferentes respuestas según las distintas situaciones, y en ellas se marcaba el énfasis en una o en otra función del escritor. No obstante, nunca se ha borrado la imposición de que el escritor soviético tiene que participar a través de su obra en la propaganda de la vía socialista.

El I Congreso de Escritores Soviéticos tomó una postura menos rígida que el *Proletkul't* acerca de la literatura clásica y burguesa. Refiriéndose a la frase de Stalin de que los escritores tendrían que ser ingenieros de almas, Zdanov, hablando en su calidad de secretario del Comité Central del PCUS, explicó que «la asimilación crítica del legado literario de todas las épocas» representaba una meta que había que conseguir sin tardanza. Gorki expresó una opinión positiva sobre Griboedov, Gogol, etcétera, y negativa sobre Chejov y Bunin. Calificó al crítico Vissarion Belinski como uno de los rusos más dotados y honestos. Pero rechazó las *Memorias del subsuelo,* de Dostoievski, así como a Proust y Celine. Karl Radek criticó a Joyce porque había retratado «un montón de estiércol lleno de gusanos», y aconsejó a los escritores aprender de Tolstoi y Balzac en lugar de Joyce (*Ibíd.*, págs. 153 y 182).

De esta manera se animaba a los escritores a escribir sobre el futuro espléndido del comunismo... ¡en términos y estilo del siglo XIX! Con razón, años más tarde, Abram Terc (pseudónimo de A. D. Siniavski) llegaba a la conclusión de que el concepto de realismo socialista adolecía de eclecticismo (Terc, 1957).

¿Por qué a los escritores soviéticos modernos no se les ha permitido experimentar en formas nuevas y no usuales? En principio, porque el partido ha tenido acceso al campo total de la literatura. Las formas complejas y sus correspondientes significados, por más progresivos que sean, harán más difíciles el acceso al texto literario y por ello incómoda la inspección por parte del Partido. Al escritor comunista se le permite soñar —y a veces hasta se le anima a ello—, pero sus sueños tienen que caer dentro de los confines de la lógica marxista y ser comprensibles para los censores del partido. La historia del *Proletkul't* ha demostrado claramente que, en definitiva, no hay otra autoridad que la del Partido capaz de decidir si una obra literaria es perjudicial o ventajosa para la causa de la revolución.

Al contrario que Trotski, más tolerante en materias literarias, el estalinismo creyó que no debía delegar sus poderes o la vida literaria en general en unos cuantos críticos y escritores inteligentes. El Partido reclamó siempre su derecho a discutir sobre las obras literarias en términos ideológicos, y por ello ha seguido hablando de literatura a la manera decimonónica, sosteniendo que forma y contenido son separables [12].

---

[12] Esta fue una de las diferencias entre la ortodoxia estalinista y el formalismo ruso. La idea de que el análisis científico puede

Desde el principio de la década de los 30, los escritores soviéticos estuvieron dispuestos a aceptar la dirección final del Partido. Tuvieron que respetar el «espíritu de partido», es decir, tuvieron que adoptar las tesis del Partido y permanecer leales a sus continuas y cambiantes perspectivas. El «espíritu de partido» sirvió también como criterio para juzgar las obras literarias contemporáneas. De igual manera, el término «naturaleza popular» *(narodnost')*, que empleó Belinski en 1836 para caracterizar los relatos de Gogol, sirvió para describir el carácter progresivo, popular, de la literatura anterior, y se convirtió también en un estándar en la crítica literaria soviética. Los críticos marxistas consideran el espíritu del partido comunista como el más alto nivel de la «naturaleza popular» (Ovsiannikov, 1973, pág. 395).

Atribuyendo a Lenin (sin mucho fundamento, por cierto) el principio del espíritu del Partido en materia literaria, A. A. Zdanov lo llevó a sus últimas consecuencias. Su influencia sobre la vida literaria de posguerra es tan extraña como lamentable. En 1946 obligó al Comité Central a censurar a M. Zoschenko y a Anna Achmatova e inició un régimen muy estricto en la vida literaria [13]. Zdanov murió en 1948, pero hasta después de la muerte de Stalin, en 1953, no se produjo el deshielo cultural.

Una de las señales de dicho deshielo fue el cambio en la definición de realismo socialista. El II Congreso de Escritores Soviéticos (diciembre de 1954), reconoció que la obligación de combinar la expresión verosímil de la realidad en su desarrollo revolucionario con el objetivo de la educación ideológica de la clase trabajadora había que considerarla redundante, ya que toda expresión verosímil de la realidad llevaría consigo la educación ideológica. De esta forma se simplificó la definición de realismo socialista en los términos siguientes: «El realismo socialista demanda del escritor la representación verosímil de la realidad en su desarrollo revolucionario» (Swayze, 1962, página 114). A pesar de la enmienda se mantenía la principal contradicción al pedir que se describiese al mismo tiempo el presente y el futuro.

«separar» forma y contenido la defendía recientemente Moissel Kagan (1971, pág. 279). Cfr. la separación de forma y contenido por parte de Engels en su carta a Lassalle (Marx y Engels, 1967, I, pág. 185).

[13] Sobre las revistas «*Zvezda*» (Estrella) y «*Leningrad*» y la Resolución del Comité Central de PCUS del 14 de agosto de 1946, *vid. Bol'sevik* núm. 15 (1946), págs. 11-14. También, A. Zdanov «Informe sobre las revistas *Zvezda* y *Leningrad*» en *Bol'sevik*, números 17-18 (1946, págs. 4-20).

El editorial de *Kommunist* de diciembre de 1955, «Sobre el problema de lo típico en la literatura y el arte», contribuyó también a cierto deshielo en el ámbito de la cultura. Hemos mencionado en el capítulo II que se había presentado entonces el problema de «lo típico» *(tipicnost')*. Pues bien, dicho editorial criticaba la tesis de que el problema de lo típico fuese siempre un problema político. G. M. Malenkov, parafraseando ideas que ya se han mencionado antes [14], se expresó en este sentido en 1952 (Erlich, 1955, pág. 414).

El citado editorial se divide en tres secciones que tratan, respectivamente, de lo típico, del espíritu de partido y de la exageración como medio de tipificación. Afirma que el significado de la tipificación consiste en el empleo de «imágenes claras, concretas y afectivas, estéticamente impresivas, que no sólo influencien la razón del hombre, sino también sus emociones». Por tanto, es erróneo restringir el concepto de lo típico haciendo que éste coincida con la esencia de ciertas fuerzas sociales.

El conocimiento artístico de la vida tiene ciertos elementos en común con la ciencia, pero es completamente diferente de él. Está determinado por sus propias leyes, de las cuales la tipificación es básica. Al contrario que la ciencia, «el arte refleja las leyes que gobiernan la realidad en imágenes, es decir, en formas concretas y afectivas que engloban lo general en lo particular».

El editorial admite que la tipificación siempre está relacionada con la cosmovisión del artista, pero considera erróneo el empeño de expresar el punto de vista de un partido en cualquier cosa típica, haciendo abstracción del tiempo y condiciones en las que el artista trabaja. En ese caso subsiste el peligro de vulgarización, pues es posible que el significado «objetivo» de una obra contradiga las opiniones políticas de su autor. En este contexto se menciona el conocido ejemplo de Balzac. No todos los artistas poseen el necesario espíritu de partido, pero sus obras son dignas de leerse. A pesar de todo, el espíritu del partido comunista es la «más alta expresión del carácter de clase en la perspectiva del mundo». El espíritu del partido es «el principio ideológico básico del método artístico de la literatura socialista».

Por último, el editorial censura los errores de algunos dogmáticos que entienden el método de la «exageración» de una manera superficial. Olvidan que lo que no es común en arte

---

[14] Cfr. L. Timofeev y N. Vengrov (1955, pág. 148): «La opinión del escritor sobre lo que constituye lo típico en la vida, los rasgos que describe como típicos, lo que el mismo tipifica en su obra, todo esto refleja primordialmente las ideas políticas del escritor.» Citado también por Friedberg (1959, pág. 21).

realista puede llegar a ser típico sólo si trae «gérmenes de lo nuevo al potencial del carácter de las cosas» y si está conectado con fenómenos vitales, regulares y no accidentales. Esta especie de error en la aplicación del mecanismo de la exageración ha sido el origen del adorno inútil e innecesario *(lakirovka).*

Como es usual en los escritos marxistas, el editorial trata de aspectos genéticos de la literatura y de los efectos de ésta sobre el lector, pero no discute las características del texto literario; reconoce el empleo literario de imágenes estéticas que pueden tener influencia en las emociones, pero no explica de qué manera estas imágenes estéticas eluden el juicio político. El principal mensaje parece ser, pues, la afirmación de que la censura política ha sido en el pasado demasiado severa.

Por otra parte, no se revoca el dogma marxista básico de que en último término todo es político y, en principio, está sometido al juicio político. En resumen, el deshielo cultural introdujo un marxismo *menos explícito* de lo que había sido usual en el periodo zdanovista. Hubo un ensanche de áreas de discusión. Las corrientes de los años 20 se redescubrieron. Las opiniones de los formalistas rusos y los artículos de Lunacharski y Voronski se volvieron a reimprimir.

Los críticos marxistas que evitaron el método estructuralista centraron su atención en el origen y formación de la literatura. Al explicar la génesis de la literatura, el editorial de *Kommunist* de diciembre de 1955 se refirió a la fórmula de Belinski, «el arte es pensar en imágenes». De esta forma se producía un concepto con connotaciones románticas e idealistas para la explicación genética de la literatura, de base supuestamente materialista [15]. Y esto se puede simplificar con la siguiente digresión histórica, que trata de demostrar que la teoría del arte de Belinski se caracteriza por los conceptos de creación inconsciente y por una contemplación casi mística de la verdad. Para ello es necesario examinar brevemente el legado de la crítica literaria rusa del siglo XIX (incluyendo también a N. A. Dobroliubov y N. G. Cernisevski), puesto que, junto con el pensamiento marxista, ha proporcionado los conceptos básicos a la teoría literaria soviética.

Primeramente habría que recordar la tesis de Belinski sobre el acto creativo en un ensayo de 1836 sobre Gogol, «El poder de creación es un gran regalo de la naturaleza. El acto creativo es un gran secreto en el alma del creador. El momento de creación es sacrosanto. El acto creativo es desintencionadamente intencionado, inconsciente en la consciencia, libre en la dependencia».

---

[15] Desde otro ángulo H. R. Jauss (1975c) llegó a conclusiones semejantes.

Según Belinski, la naturaleza del acto creativo implica que el artista quedaría completamente libre en su elección de tema. Y concluye su ensayo diciendo: «¿Puede el tema añadir algo al valor de la obra literaria? (...). Dejemos a Gogol describir las cosas que su inspiración le ordena que describa y que evite describir la materia que su propio deseo o sus críticos le imponen.»

En segundo lugar, en el mismo ensayo explica su concepto de lo típico. «Una de las características más significativas de la originalidad creadora —afirma Belinski— consiste en la tipificación *(tipizm)* (...) En las obras de verdadero talento cada persona es un tipo y cada tipo es para el lector un conocido o desconocido.» En una ocasión llama a un famoso personaje de los relatos de Gogol «símbolo, mito místico (...), un caftán tan bien hecho que le va bien a mil personas».

El tipo, según la explicación de Belinski, es el resultado inmediato del impulso de la inspiración. Por ello describe el arte como «la contemplación inmediata de la verdad o el pensamiento en imágenes» (IV, pág. 585), lo cual es una reminiscencia de Hegel y A. W. Schlegel [16].

El pensamiento de Belinski había sido popular en el primer marxismo ruso. Al discutir la recepción del arte, el destacado crítico marxista G. V. Plejanov mantuvo una posición que se retrotrae a la tradición romántica. Se remonta al postulado de Kant sobre el goce desinteresado de la belleza y espera que el escritor hable el lenguaje de las imágenes más que el lenguaje de la lógica. Y añade que «lo útil será juzgado por la razón; lo bello por la contemplación. El dominio de lo primero es el cálculo; de lo segundo, el instinto», y como una reminiscencia clara de Hegel y Belinski afirma que «el rasgo más importante del goce estético es su inmediatez» [17]. Como corolario de su postura, y en acuerdo completo con Belinski, Plejanov recela de cualquier intento de obligar a los escritores a diseminar propaganda política (Demetz, 1967, págs. 89-198).

Dirigente de los mencheviques, Plejanov fue arrestado inmediatamente después de la Revolución de Octubre y murió en prisión en 1918. Sus primeros escritos críticos, sin embargo, quedarán como un tema de polémica literaria en los años 20. Lunacharski y Voronski recalcaron que la relación entre una obra literaria y la base económica es de naturaleza indirecta y cir-

---

[16] Cfr. Hegel, 1956-1965, XII, págs. 68-69. René Wellek ha observado que la segunda parte de la fórmula de Belinski recuerda la definición de Schlegel de poesía. *Vid.* Wellek, 1955-1965, III, pág. 363.

[17] Plejanov, 1955, págs. 196-197.

cunstancial. El arte no es un simple reflejo de la realidad, escribió Lunacharski en 1924. El escritor no es sólo un observador, sino también un predicador, y puede ofrecer la expresión inmediata de su pensamiento y sentimiento. En su defensa de la literatura, Lunacharski atribuye a Krupskaia la idea de que las masas también prefieren «pensar en imágenes» (Eimermacher, 1972, páginas 262-265). En el mismo año, I. Vardin, portavoz del *Proletkul't*, tachó a Voronski de no ser un crítico bolchevique porque todavía sostenía ideas tradicionales de los tiempos de Belinski. En 1932, las tesis de Plejanov sobre el pensamiento lógico y el pensamiento en imágenes fueron criticadas en *Pravda* por inducir a la teoría de las impresiones inmediatas» *(Ibíd.*, página 429).

Se ve, pues, que la aceptación o rechazo del concepto de Belinski del acto creativo tiene una acusada presencia en las varias corrientes de la política literaria marxista. La aceptación significa, de hecho, que el escritor tiene que tener libertad para elegir su tema y no puede prestarse a propagar en su obra ideas ordenadas. Cualquier censura debería quedar lejos de sus confines. Cuando se restauró a Belinski como fuente permitida de cultura literaria, los dirigentes soviéticos evitaron hacer explícitas sus consecuencias. Cuando fue necesario echaron mano de otras fuentes de la tradición crítica rusa del siglo XIX para apoyar la demanda de que el escritor tiene que tratar temas ordenados y ser un propagandista de las ideas socialistas. Tanto N. A. Dobroliubov como Cernisevski han podido prestar el apoyo requerido. Mientras el primero hizo suyo, hasta cierto tiempo, el concepto romántico de acto creativo, ambos admiten que forma y contenido se pueden discutir por separado y aceptan su propio conocimiento preconcebido de la realidad como fuente para juzgar la obra literaria. Abogando por una teoría del reflejo estrictamente materialista, Cernisevski, en una reseña de un libro de 1856 se hace la pregunta retórica de si admiraríamos tanto a Rafael si hubiera pintado sólo arabescos, pájaros y flores (Cernisevski, 1950, pág. 230). Unos años más tarde. Dobroliubov observa: «Nunca admitiremos que un poeta que demuestra su talento en la pintura de hojas y arroyuelos tenga la misma relevancia que uno que, con igual fuerza de talento, sea capaz de representar, por ejemplo, los fenómenos de la vida social» (Dobroliubov, 1961, pág. 262). Recientemente, el crítico soviético Moissei Kagan se ha expresado de manera semejante y ha declarado que el valor de una obra literaria depende del carácter del tema [18].

---

[18] Cfr. Kagan, 1971, pág. 285 y la posición de la profesora de Alemania Oriental Rita Schober, coincidente con Kagan. Importan-

Con todo, es incomprensible que los marxistas chinos, no obligados por la necesidad de preservar el legado crítico ruso, hayan descartado el conjunto entero de los escritos de crítica de los revolucionarios rusos demócratas, incluido Cernisevski. En 1966 y 1967, Belinski, Dobroliubov y Cernisevski, así como Chou Yang, teórico y político chino que popularizó sus tesis en China, fueron criticados como representantes del idealismo burgués [19].

Incluso hoy, los defensores del realismo soviético en la Unión Soviética comparten los conceptos del Romanticismo de inspiración, impresión inmediata y creación inconsciente. Es otro ejemplo que muestra la naturaleza ecléctica de la teoría literaria soviética que encierra en sí muchas contradicciones. Según esta, el acto creativo es a la vez consciente e inconsciente. La obra literaria es el resultado de la subjetividad creativa y de la realidad objetiva (Guliaev, 1970, pág. 128; Fizer, 1963). Al escritor se le pide que describa la realidad de manera realista y que haga propaganda socialista al mismo tiempo; es a la vez observador y predicador; tiene que respetar el principio político del espíritu del Partido y el principio estético de lo típico; su obra se determina socialmente tanto como por sus esfuerzos individuales (Ovsiannikov, 1973, pág. 247). Los teóricos marxistas asumen una relación dialéctica entre los términos opuestos de estas contradicciones. Un libro de texto llega a postular «una relación dialéctica entre el espíritu del Partido y el talento artístico», puesto que la verdadera expresión de la realidad está conectada con la interpretación del mundo «a la luz de la más avanzada de las concepciones del mundo, la marxista-leninista» (Guliaev, 1970, página 128). Estas conclusiones son aceptables siempre y cuando se acepte la asunción subyacente de que el marxismo-leninismo es idéntico a la verdad o el único camino seguro a la verdad.

Pero ¿cómo pudo el determinismo económico del marxismo original llegar a tal eclecticismo vago? Siempre que en alguna situación práctica una ley del materialismo histórico o dialéctico no se ha producido o no ha sido convincente, los teóricos marxistas de la Unión Soviética han intentado amoldarse o bien rechazando la ley en cuestión o descubriendo excepciones a esa ley. De esta manera, la teoría del determinismo económico ha

---

cia similar tiene el contenido ideológico en su concepto de la imagen del hombre (socialista) como criterio en el juicio literario (Schober 1973, págs. 241-244).

[19] *Vid.* Cheng Chi-ch'iao, «Es necesario apoyarse en la epistemología marxista en literatura y en arte», *Hung ch'i* [Bandera Roja], núm. 5 (1966), págs. 34-52. (Trad. inglesa en *Survey of China Mainland Magazines,* núm. 523 (1966), págs. 23-47.

quedado invalidada, aunque nunca se haya reconocido como tal dicha invalidación[20].

La práctica y, como ha sugerido Morton Bloomfield (1972a), la situación política han llegado a ser los jueces de la verdad. Por el contrario, siempre que el cambiante momento político determinó el valor de verdad de una posición marxista apenas se ha podido evitar el camino fácil del eclecticismo.

La recepción en China de las teorías literarias marxistas

El pensamiento marxista no se introdujo en China hasta el siglo XX, y no se prestó demasiada atención a la teoría literaria marxista hasta el Movimiento del Cuatro de Mayo (1919). Empeñado en la emancipación política y cultural de China de los lazos del tradicionalismo de Confucio, el Movimiento del Cuatro de Mayo abrió las puertas al estudio del pensamiento europeo, incluido el marxismo. La década de los 20 se caracteriza por una rápida proliferación de movimientos literarios y revistas que abarcan una gama completa desde «el arte por el arte» hasta el utilitarismo marxista. Muchos escritores chinos estaban convencidos de que la literatura podría servir a la revolución, pero, aparte la incertidumbre sobre el carácter de la revolución, hubo un largo debate sobre el grado en que la literatura podría mantener sus características plenas en esa posición ancilar. En 1928, Lu Hsün, el más influyente crítico de su tiempo, expresó el dilema de los escritores izquierdistas en los siguientes términos: «Toda literatura es propaganda, no toda propaganda es literatura; de la misma manera, todas las flores tienen color (cuento el blanco como color), pero no todas las cosas coloreadas son flores. Aparte, eslóganes, noticias, telegramas y libros de texto, la revolución necesita literatura, y justamente por eso es literatura»[21]. Siendo un verdadero revolucionario, Lu Hsün se mantuvo ante todo como escritor que siempre defendió la naturaleza particular de la expresión literaria y la libertad necesaria para hacerla. Cuando Mao Tse-tung se pronunció sobre teoría literaria en 1942 estaba influenciado por una corriente más rígida de pensamiento izquierdista, representada por los marxistas Ch'ü Ch'iu-pai y Chou Yang. Una diferencia manifiesta entre la crítica marxista china y la soviética es que la primera no está implicada en los

[20] Esto lo señala Karel van het Reve en su libro *Het geloof der kameraden*, Amsterdam, 1969.

[21] Citado del trabajo «Literature and Revolution» en su traducción inglesa en *Selected Works*, Peking, 1959, pág. 22.

esfuerzos por asimilar la literatura europea desde el Renacimiento a los clásicos rusos prerrevolucionarios. Resulta evidente que, en general, la crítica literaria maoísta se puede aplicar con más rigor y consistencia, pues el legado europeo pesa menos que en Rusia. Esto facilita a los dirigentes chinos el aplicar ciertos principios marxistas, o lo que consideran principios marxistas, de una manera libre de compromiso. En particular, en los últimos años han intentado despojar a la teoría literaria marxista de su eclecticismo, cuidadosos de que al hacerlo, ellos mismos se convirtieran en eclécticos. Desde la Revolución cultural los críticos maoístas han rechazado el criterio de Marx de la verosimilitud [22], así como su admiración personal por los clásicos europeos, y al mismo tiempo han marcado el énfasis en su criterio de determinismo económico y en el principio «leninista» del espíritu de partido.

Durante el Gran Salto Hacia Adelante, los chinos hicieron un esfuerzo semejante para evitar el eclecticismo en su crítica del concepto ambivalente de realismo socialista. En China, el realismo socialista se había acogido como un ideal entre 1953 y 1958 [23]. Pero cuando algunos escritores, durante el periodo de las Cien Flores, se esfuerzan por privar al concepto de su contenido ideológico, reemplazándolo con la frase «realismo de la época socialista» [24], los teóricos oficiales chinos acuñaron el concepto de

---

[22] Un editorial en *Kuang-ming jih-pao* del 6 de junio de 1966 critica la tesis de que «ante la verdad todos los hombres son iguales» pues hay varios tipos de verdad definidos por diferentes clases en lugar de una verdad «abstracta». Esta tesis imposibilita comprobar si una aserción está en concordancia con lo que ella pretende decir y esto acaba con toda discusión científica. De acuerdo con esto, cualquier representación de hechos objetiva y verosímil se considera sospechosa a menos que se indique que la «verdad» representada coincida con la verdad del Partido. Si la verdad es una «verdad burguesa» la reacción ortodoxa maoísta se expresa así: «¡Cómo pueden hablar de que son «objetivos», verosímiles e imparciales! Palabras engañosas como «objetivo», «verosímil» e «imparcial» son la mayoría de las veces trampas que ocultan el hecho de que sirven a la burguesía y a la salvaguarda de sus intereses» *(Peking Review,* 37 [1968], pág. 20).

[23] En una comunicación al Segundo Congreso de Escritores Chinos (1953) Chou Yang recalcó que los escritores «tenían que seguir el método creativo del realismo socialista» *(Wen-i-pao)* 19 (1953), págs. 7-17. En el mismo año se reeditan las «Conversaciones de Yenan» de Mao-Tse-Tung, de 1942 como parte de la edición china de sus obras selectas. Aunque Mao en 1942 no mencionaba el realismo socialista (como se refleja en la traducción americana de 1950), dicha edición de 1953 quiere dar la impresión de que en 1942 Mao ya estaba a favor del realismo socialista.

[24] Wang Jo-wang, en un artículo de crítica del realismo de la época socialista en *Wen-ipao,* 6 (1957), págs. 6-7.

«combinación del realismo revolucionario y el romanticismo revolucionario» para sustituir la ambigua fórmula soviética [25]. El nuevo concepto remarcó los objetivos revolucionarios de la literatura y se apartó de las demandas de representación verosímil. Los teóricos chinos se acercaban así a la actitud romántica de Gorki y también a las tesis de Zdanov sobre la función política de la literatura. Esto aparecería claramente en uno de los artículos que explicaba la nueva fórmula china:

> Otra opinión es que la combinación de realismo revolucionario y romanticismo revolucionario es un enriquecimiento y desarrollo del realismo socialista. Muchos camaradas reconocen que este enriquecimiento y desarrollo llega a ser manifiesto en el énfasis sobre el romanticismo revolucionario, y aunque, según las explicaciones de Gorki y Zdanov, este romanticismo revolucionario era una parte orgánica del realismo socialista, no ha recibido una atención satisfactoria ni en la teoría ni en la práctica [26].

La última frase contiene una actitud crítica frente a los desarrollos recientes en la teoría y práctica literarias en la Unión Soviética. Por eso la introducción por parte de los chinos del nuevo concepto literario hay que entenderlo como un intento de emanciparse en teoría literaria del patronazgo soviético. Significativamente una comunicación a un congreso por parte de Chou Yang que, como director del Departamento de propaganda del Comité Central, era el supervisor de la vida literaria entre 1949 y 1966, se titulaba: «Establecer la teoría y crítica literarias marxistas *propias de China*» [27].

Para evitar el eclecticismo, los teóricos chinos apenas han hecho referencias a la teoría de Marx del desarrollo desequilibrado de la producción artística y material la cual contradice la ley materialista del determinismo económico. Una de las pocas excepciones es un artículo de Chou Lai-hsiang en el que éste llega a la conclusión de que o la teoría no tiene una validez universal o sólo es aplicable a la época socialista [28]. Las dos conclusiones son igualmente molestas: la primera por rechazar una tesis de Marx, la segunda porque podría justificar la literatura disidente. Chou Lai-hsiang decide no aplicar la tesis de Marx y atribuir a Mao la enunciación de la nueva ley del «desa-

---

[25] Chou Yang, en *Hung ch'i*, 1 (1958), págs. 33-39
[26] *Wen-hsüeh p'ing-lun*, 2 (1959), pág. 124.
[27] *Wen-i pao*, 17 (1958), págs. 7-12.
[28] *Ibid.*, 2 (1959), págs. 20-24.

rrollo paralelo de la producción cultural, artística y material en la época socialista».

Aunque de alguna forma se observa un intento de arreglar la teoría literaria marxista, por una u otra razón, no ha recibido suficiente atención en la más reciente crítica china.

Mucho más interés suscitó la posibilidad de discrepancia entre la cosmovisión del escritor y el significado de su obra, de acuerdo con la formulación de Engels y Dobroliubov. Así, esta teoría se invocó durante las discusiones en 1954 sobre la interpretación de la novela del siglo XVIII *Hung lou meng* [Sueño de la cámara roja].

Al igual que en la Unión Soviética, la teoría sirvió para la asimilación de una obra clásica y, en lo posible, del legado cultural y ciertamente con mucho éxito, pues en los primeros 15 años de la Republica Popular las obras principales de la tradición china se reimprimieron y se hicieron accesibles al público. Significativamente, durante la Revolución Cultural y coincidiendo con un extremado repudio de casi toda la literatura tradicional, se hizo un intento de eliminar esa teoría para posibilitar un escape del determinismo económico.

Cheng Chi-ch'iao y T'an P'ei-sheng, críticos que se esforzaron en neutralizar la teoría de Engels sobre la discrepancia y en alejarla de la crítica maoísta,[29] rechazaron también la idea de la creación inconsciente así como la distinción entre el pensamiento lógico y el «pensar en imágenes» (tal como la defendieron Belinski, Plejanov, Lunacharski, y en China por Ch'en Yung). Cheng Chi-ch'iao criticó también la tesis soviética, expresada en el editorial «Sobre el problema de lo típico en la literatura y el arte» (1955) de que lo típico no es siempre el resultado del espíritu de partido. Los críticos chinos habían detectado ciertas dosis de idealismo en estas posiciones y obraron en consecuencia. Repararon el camino para una concepción materialista y no ecléctica de la literatura, pero no consiguieron que sus ideas se aceptaran plenamente por parte de los dirigentes chinos que evitaron una decisión claramente apropiada para justificar la asimilación de la literatura clásica. Los acontecimientos más recientes han mostrado que de nuevo se ha hecho accesible la literatura clásica china, al menos con cierta extensión.

Quizás en un futuro próximo otras nociones «idealistas» como la diferencia entre el espíritu de partido y lo típico del carácter inconsciente del acto creativo y el concepto del «pensamiento en imágenes» se restaurarán como conceptos orgánicos de la

---

[29] Cfr. arriba, nota 19.

teoría literaria marxista china. Pero es difícil pronosticarlo *.

Examinemos tras estas observaciones generales, algunas fuentes de la teoría literaria marxista que en el presente actual al menos, tienen vigencia en China. La corriente más importante de la crítica china ha sido determinada por las «Conversaciones sobre la literatura y arte en el Forum de Yenan» (1942) de Mao Tse-tung. Si consideramos los años que van entre 1949 hasta la muerte de Mao en 1976 como un periodo, la teoría literaria maoísta es la única escuela de pensamiento que ha sobrevivido a las vicisitudes del curso político. Las «Conversaciones de Yenan» se concibieron en tiempo de guerra cuando, como es natural, la literatura se consideraba un apoyo más al esfuerzo bélico. La tesis de que la literatura es un «arma» se reforzó en los años posteriores aunque las condiciones cambiaran considerablemente. Cinco opiniones posteriores de Mao Tse-tung sobre literatura se publican en *Bandera Roja* del 27 de mayo de 1967 [30].

La más antigua era de 1944 y la más reciente de 1964. En 1944 con el debido énfasis sobre el tema, Mao expresó sus dudas sobre la ópera tradicional china y, en particular, sobre *Pi shang lian shan* que pone en escena a «damas y caballeros con sus mimados hijos e hijas» y «presenta al pueblo como si fuera algo mísero». En una crítica de la película *La vida de Wu Hsün* (1951) Mao aboga por la aplicación de las tesis del materialismo histórico en literatura y arte. Tres años después, en una carta al Politburó, se sumó a las discusiones sobre la novela *Sueño de la Cámara Roja;* en esta ocasión condenó «la escuela de Hu Shih de idealismo burgués».

Los otros dos pronunciamientos de Mao, de 1963 y 1964, tratan casi exclusivamente de asuntos políticos. Todas estas afirmaciones siguen la línea marcada en las «Conversaciones de Yenan». Y esto mismo se puede aplicar a su más reciente —y más corta— opinión literaria, publicada en el *Diario del pueblo* del 16 de diciembre de 1971: «Espero que se producirán más y mejores obras» en la que se acentúa y repite la idea de que no puede haber una sociedad socialista sin literatura.

---

* Los acontecimientos recientes, tras la edición inglesa de esta obra, parecen dar la razón a los autores. Sobre estos temas el lector español encontrará buena información en Mercedes Rosúa, *La generación del gran recuerdo,* Madrid, Cupsa, 1977. [*N. del T.*]

[30] *Hung Ch'i,* 9 (1967), págs. 2-10. Traducción inglesa en Ch'en (1970), págs. 77-86. Sería justo no mencionar la postura más abierta a la diversidad de escuelas que Mao sostiene el 27 de febrero de 1957 en «De la solución justa de las contradicciones en el seno del pueblo». [*N. del T.*]

Además de Mao Tse-tung, su esposa Chiang Ch'ing ha hecho aportaciones a la teoría literaria maoísta. En 1964 tuvo una postura clara sobre la ópera tradicional en una breve alocución que no fue publicada entonces y que aparecio sólo en 1967[31]. Pero el más importante documento maoísta sobre literatura desde las «Conversaciones de Yenan» es el «Sumario del Forum sobre el trabajo en literatura y arte en las fuerzas armadas que el camarada Lin Piao entregó a la camarada Chiang Ch'ing» de febrero de 1966[32]. Se dice que Mao Tse-tung revisó el texto tres veces antes de que se publicara y ello puede ser una prueba de que el «Sumario» (o al menos las ideas expresadas en él) fueron proscritas, aparte el hecho de que Lin Piao y Chiang Ch'ing caerían después en desgracia.

Como veremos, el «Sumario» es una repetición completamente fiel de las tesis de las «Conversaciones de Yenan».

Durante la Revolución Cultural Chiang Ch'ing hizo observaciones ocasionales sobre materias teatrales y literarias. El 28 de noviembre de 1966 lanzó un ataque furibundo contra la cultura de Occidente.

> El capitalismo tiene una historia de varios siglos. Sin embargo, sólo tiene un reducido número de «clásicos». Después de éstos se han producido algunas obras, pero son estereotipos y no llegan al pueblo (...). Por otra parte hay otras cosas que han invadido el mercado tales como el rock, el jazz, el strip-tease, el impresionismo, el simbolismo, la pintura abstracta, el fauvismo, el modernismo —y un sinfín de ellos— todos los cuales intentan paralizar las mentes del pueblo. En resumen, son la decadencia y la obscenidad que intentan envenenar y paralizar las mentes del pueblo.

Después de su publicación en el *Diario del Pueblo* del 4 de diciembre de 1966 esta visión detractora del arte, que igualaba en vehemencia e incluso sobrepasaba los pronunciamientos de Zdanov, no se volvió a reimprimir. Este detalle justifica las dudas de que se considerase apropiada esta incalificable opinión.

En las «Conversaciones de Yenan» Mao Tse-tung repasó los principales conceptos de la teoría literaria marxista y soviética. Como esta última, Mao no trata de definir la ficción, la poesía, o el drama o analizar la función de la construcción de la trama la rima o el diálogo. Sabemos por la propia producción poética de Mao que diferenciaba bien las formas poéticas, tales como el

---

[31] *Ibíd.*, 9 (1967), págs. 25-28. Traducción inglesa en *Chinese Literature,* 8 (1967), págs. 118-125.

[32] *Ibíd.*, 9 (1967), págs. 11-21.

lü-shih (estrofa de 8 versos, cada una de 7 caracteres) y el *tz'u* (forma métrica en que la longitud de cada verso, la rima y la pauta final dependen del «tono» tradicional que se escoja), pero estas diferencias no forman parte de su teoría literaria. Al final de la década de los 50 había una viva discusión en las revistas literarias sobre los mecanismos poéticos (cuestiones como la función de la rima y el metro) que no entraron en conflicto con las tesis oficiales sobre literatura por la razón de que ni Mao ni ninguno de su círculo íntimo se expresaron en estas materias. Por la misma razón, los novelistas eran libres de experimentar con la construcción de la trama, aunque normalmente adoptaban el camino seguro y no iban más allá de los modelos establecidos por Mao Tun, Pa Chin, Lao She y otros en los años 30 o por los escritores soviéticos como A. A. Fadeev, cuya obra *Razgrom* (1927) se mencionaba en las «Conversaciones de Yenan» como ejemplo digno de seguir. Sobre el drama Mao Tse-tung dice bien poco en su citada obra, aunque trató el tema por extenso dos años después en sus comentarios sobre el tema de la ópera tradicional.

El tema de la obra es una de las constantes recurrentes de las «Conversaciones de Yenan» y también de los críticos más recientes [33]. Un rasgo característico de la teoría literaria maoísta es que el tema o contenido se puede considerar aislado y separado de su expresión formal. No importa mucho aquí la explicación histórica de que en este aspecto Mao es el continuador de una tradición proveniente de Confucio y de que las «Conversaciones de Yenan» nacieron como una respuesta moralista a la crítica moralista de autores «derechistas» (Ting Ling, Hsiao Chün, entre otros). Mao presta una atención casi exclusiva al tema o contenido, puesto que de acuerdo con la teoría literaria marxista, forma y contenido se pueden separar. En cuanto a la relación entre ambos Mao opina: «(...) No rehusamos utilizar las formas artísticas y literarias del pasado, pero en nuestras manos estas viejas formas, remodeladas e investidas de un nuevo contenido, llegan a convertirse en algo revolucionario al servicio del pueblo» (1942, pág. 76).

Según Mao tanto la lucha de clases como la guerra contra el Japón pueden ser buenos temas. Pero no deberían presentarse temas antinacionales, anticientíficos y anticomunistas. El «Sumario» mantiene la tesis de que hay que prestar el mayor apoyo

[33] *Vid.* por ejemplo la crítica de Chou Yang por Wen Kung en *Jenmin jih-pao* (Diario del Pueblo), 2 de febrero de 1972. El artículo de Wen Kung acusa a Lu Ting-i y Chou Yang de rechazar la tesis de que «la materia temática es lo que hace la decisión».

«a los temas de la revolución socialista y la construcción del socialismo» e incluso a concretar que los temas literarios deben tratar de tres campañas militares particulares.

Naturalmente el «Sumario» se dirigió primeramente al estamento militar, pero en un país en el que constantemente se le recuerda al pueblo que aprenda del ejército y viceversa, la indicación de tratar temas militares no se puede entender como dirigida sólo a los militares.

En las «Conversaciones de Yenan» se encuentran otras restricciones de Mao con respecto a temas como «la teoría de la naturaleza humana», «el amor de la humanidad», etc., pues «no hay naturaleza humana por encima de las clases» y «nunca ha existido un amor total de la humanidad porque ésta está dividida en clases» *(Ibíd.,* págs. 90-91). La base de estas afirmaciones es la asunción de que la lucha de clases es la fuerza que lo abarca todo en la vida humana y en la convicción de que el «marxismo-leninismo-pensamiento de Mao Tse-tung» proporciona las respuestas finales a todos los problemas humanos. Y esto, como es natural, tiene un gran número de consecuencias. Significa, por ejemplo, que las soluciones políticas marxistas son en principio siempre correctas. Una sociedad en donde el partido comunista ha llegado al poder no tiene serios defectos. Por ello, explica Mao, los escritores deben representar sobre todo la cara resplandeciente de la construcción socialista. Si se pintan personajes defectuosos o negativos, «estos serviran sólo como contraste para resaltar el resplandor de la pintura total». Igual que los dirigentes políticos desaprueban la prosa satírica de Zamiatin y Zoschenko, Mao Tse-tung determinó que el estilo de Lu Hsün del «ensayo satírico» *(tsa-wen)* no debería ser imitado *(Ibíd.,* páginas 91-92).

En las «Conversaciones de Yenan» hay implícita la idea de que todos los problemas humanos se han resuelto en principio por Marx, Engels, Lenin y Mao. Por ello la teoría de este último no concede lugar para la experimentación. Con la excepción del pequeño margen que resulta de la interpretación más o menos rígida de las directivas del partido, el escritor chino tiene muy claro cúal ha de ser su mensaje. No tiene la posibilidad de dudar entre las soluciones establecidas y sancionadas por el partido o por el presidente Mao y descrubrir soluciones alternativas mediante la creacción de mundos imaginarios que se aparten considerablemente de los moldes marxistas.

El efecto congelante de una ideología aceptada y todopoderosa se puede observar también en los textos literarios. No sólo es la solución a todos los problemas en principio conocidos, sino que la paráfrasis de dicha solución evita cualquier pequeño desvío. En la versión de 1967 de la ópera sobre el Pekin moderno *Ataque al regimiento de los Tigres Blancos* el tres por ciento del texto consiste en citas de las obras de Mao cuyo nombre se menciona 25 veces. Este texto particular es un ejemplo extremo del camino que sigue la teoría literaria maoísta. Cuando algunos textos no contienen citas directas de Mao, los escritores no dudan volver sobre la fraseología que encuentran en sus obras.

La exclusividad de la ideología maoísta y la infalibilidad de su cosmovisión impide a los escritores chinos el preguntarse por la relación entre signo y concepto o entre palabra y realidad. De hecho, toda la obra propagandista en China, de la que la literatura viene a constituir una parte, está dirigida a reforzar la creencia de que las palabras y los conceptos son una sola cosa y que a su vez las cosas existen en la realidad. Queda claro que el concepto de poesía como medio de purificar la comunicación y de salvar el lenguaje de que se contamine, es incompatible con la ideología maoísta.

La ideología maoísta tiene, pues, una incidencia directa sobre la literatura china contemporánea. Pero ni en la teoría ni en la práctica hay una equivalencia completa entre literatura y propaganda. Mao Tse- tung conoce el hecho de que «el pueblo no se satisface sólo con la vida sino que exige la literatura y el arte». Y menciona el porqué: «Porque, aunque ambos son bellos, la vida reflejada en las obras literarias y artísticas puede y debe estar en un nivel más alto, más intenso, concentrado y típico, más cercano al ideal y por tanto más universal que la vida cotidiana» (1942, pág. 82). A pesar de los intentos de evitar el eclecticismo, la literatura china reciente parece embarcada en un compromiso entre las demandas estéticas y políticas.

El objetivo final de la teoría literaria maoísta es el avance de la lucha revolucionaria. O, dicho en palabras de Mao en las «Conversaciones de Yenan», los escritores chinos tienen que darse cuenta de que la literatura revolucionaria proporciona «una ayuda importante al resto de la obra revolucionaria, porque facilita la ruina de nuestro enemigo nacional y el cumplimiento de la tarea de la liberación nacional». Esta aserción normativa determina cómo debe funcionar la literatura en la vida social. El objetivo implícito en la afirmación «la literatura tiene que servir a la lucha de clases» no parece tener un carácter propiamente literario. En la estructura de la ideología maoísta la misma norma se podría aplicar al trabajo intelectual en general, a la producción industrial o al ocio, pues todos ellos sirven a la lucha de clases. La teoría literaria maoísta es, pues, una parte de un amplio sistema ideológico. No se puede tener por excepcional que la justificación del sistema de valores literarios exceda el contexto de la literatura. En general, toda la valoración literaria está determinada por la relación entre el objeto valorado y el sujeto que valora, el cual, de manera consciente o no, toma en cuenta el contexto social.

Se podría argüir que el objetivo de la producción literaria lo formuló Mao Tse-tung en una situación de guerra y no permite alargar las conclusiones. El hecho cierto es que las tesis expresadas en las «Conversaciones de Yenan» nunca se han negado ni revisado por otras afirmaciones posteriores aunque las circunstancias en que tuvieron lugar hayan evidentemente cambiado.

Del «Sumario» parece desprenderse que ahora se centra la lucha contra el «idealismo burgués, el revisionismo moderno» y el pacifismo, pero ha quedado igual el servicio de la literatura a la lucha poética inspirada por el marxismo-leninismo, la ideología maoísta y el partido comunista.

La teoría literaria maoísta implica la adhesión al espíritu del Partido [34] el cual, como en el contexto soviético, significa que los escritores y críticos en su trabajo tienen que estar con el Partido y seguir sus directrices. Este principio es importante para entender la dinámica de la crítica literaria maoísta y puede explicar muchas de las altas y bajas en la recepción de la literatura clásica y contemporánea china, así como de la literatura extranjera. Debido a las circunstancias cambiantes y en conexión con otras razones políticas, las directrices del partido han estado sujetas a variaciones. Así, obras literarias del principio de la década de los 60 que parecían de acuerdo con la línea del partido, se pusieron fuera de la ley durante la Revolución Cultural y pasaron después a integrar el conjunto de lecturas permitidas a instancias del Partido. Puede servir de ejemplo el reciente interés por la poesía clásica debido a la publicación en diciembre de 1971 de un libro de Kuo Mo-jo sobre Li T'ai-po y Tu Fu. Los estudios sobre estos dos poetas eran normales al principio de la década de los 60, pero eran imposibles durante la Revolución Cultural. La valoración oficial de la literatura moderna describe una curva semejante.

La desaprobación posible o abierta de ciertos textos por parte del Partido se puede superar reescribiéndolos. Un ejemplo corriente de libro obligado a reescribirse es la *Canción de Ouyang Hai* de Chin Ching-mai. Las ediciones chinas de 1965 y 1966 que

[34] En chino: *tang-hsing* (Mao-Tse tung, 1942, pág. 70).

hablaban favorablemente de las ideas políticas de Liu Shao-Ch'i necesitaron modificaciones numerosas. La edición publicada en 1967 hace mención de Lin Piao, entonces vicepresidente del partido comunista y en desgracia después de septiembre de 1971. Sólo por esta última razón, tiene que revisarse si se quiere volver a publicar [35].

También en la Unión Soviética se ha obligado a algunos autores a reescribir sus obras, pero esta medida se ha aplicado más frecuentemente en la literatura china reciente. Se han reescrito repetidamente los textos de varias óperas que trataban de temas contemporáneos y se han publicado con la fecha de la edición del nuevo texto, *sin ninguna referencia a ediciones anteriores.* De esta forma la historia literaria se va reescribiendo también. Los críticos chinos no tienen necesidad de respetar el pasado y caen mucho menos en consideraciones históricas que sus colegas soviéticos. Por ello se puede deducir que en China la norma fundamental del espíritu de partido ha producido la ley de la *revisión permanente* o de *no acabamiento del texto literario* como un valor instrumental que determina en gran medida la literatura china contemporánea. Mientras los críticos hablan del espíritu de partido, resalta más el citado principio de no acabamiento de texto literario.

Hay más valores instrumentales. Puesto que la literatura tiene que servir a la lucha política, Mao se llama a sí mismo «utilitario». El concepto de literatura como arma revolucionaria exige que como tal arma, sea apropiada y poderosa. De ahí su defensa de los criterios artísticos, aunque estén subordinados a las normas políticas. La implantación de la censura y, como en la Unión Soviética, la idea de la supervisión ideológica han resuelto la cuestión de la relación entre forma y contenido a favor de la posibilidad de separación de ambos. Los marxistas soviéticos y chinos parecen estar de acuerdo en que el concepto estructuralista de forma y contenido como aspectos de un todo organizado (que implica la convicción de que ciertos cambios pequeños en el texto pueden destruir la obra de arte) podría oponer resistencia a la censura política. Dicho concepto de unidad estructural hace al texto inexpugnable a toda censura y a todo anatema de la teoría literaria marxista.

Hay otras normas en la teoría literaria maoísta; y más específicas. En cuanto a géneros hay preferencia marcada por las canciones populares (caracterizadas por una imaginación estandarizada), por el reportaje (que suprime el aspecto de ficción)

---

[35] D. W. Fokkema, «Chinese literature under the Cultural Revolution», *Literature East and West,* 13 (1969) págs. 335-359.

y por la moderna ópera china (que se basa mucho en elementos extraliterarios como la música, la danza y la acrobacia). La fuerte preferencia por estos textos se puede explicar porque en ellos se desliza fácilmente la normativa política. Por último, el avance de las conquistas revolucionarias dicta una opción en favor de la «popularización» y un desprecio de la «elevación y el perfeccionamiento del estándar artístico».

Los conceptos y valores de la teoría literaria marxista no se pueden entender plenamente si no se atiende su contexto histórico. La teoría de Mao fue una reacción contra los conceptos tradicionales de literatura (seguidores de Confucio, taoístas y budistas) así como contra la intrusión turbadora de las influencias occidentales (naturalismo, simbolismo, expresionismo, novela de monólogo interior, realismo socialista). En sus «Conversaciones de Yenan» Mao Tse-tung ofrece un panorama desolador de la gran cantidad de movimientos nuevos e ideas —a veces de manera equivocada o simplificada— a los que hicieron frente los intelectuales de la China moderna. Mao eligió el modelo soviético tal como fue interpretado por teóricos como Ch'ü Ch'iu-pai y Chou Yang. Su intención no era la de escribir una poética completa sino proporcionar una unidad de perspectiva. El hecho de que las «Conversaciones de Yenan» quedaran incompletas dejó cierto margen a la libertad creativa. Sólo gradualmente quedó claro que se escamotearon los constituyentes esenciales de la creacción literaria. Durante los primeros veinte años de la existencia de la Republica Popular la situación cultural china ha ido cada vez más al desprecio de las formas y de la función de la imaginación literaria. Las afirmaciones de Mao de diciembre de 1971 apoyan la esperanza de que esta situación cambie. Pero durante la Revolución Cultural —o para ser más exactos, en los años 1967-1971— la prensa nacional no fue capaz de recomendar ni una novela nueva o reimpresa o un volumen de poesía. De hecho, la escena literaria había sido barrida por completo. Si la observación de las «Conversaciones de Yenan» de que el pueblo necesita literatura es todavía válida, algo hay que hacer para satisfacerla.

Hay una razón profunda para recomendar la producción literaria. Como observó Lu Hsün, se necesita la literatura como propaganda. Pero la prosa que está exenta de ficción y el verso que consiste en rígidas admoniciones políticas se reconocen fácilmente como propaganda. La literatura pierde su valor excepcional como medio de propaganda siempre que pierda su específico caracter literario. Singularmente a veces, esta consideración política puede salvar al menos un residuo del potencial literario chino. La publicación de varias novelas desde 1972, la atención renovada por el problema de lo «típico» y el reconocimiento titubeante de que política y literatura no son iguales, confirman esta posibilidad[36].

LUKÁCS Y LA CRÍTICA NEOMARXISTA

Un panorama de la crítica literaria neomarxista no puede obviar a Georg Lukács, aunque en gran parte de las publicaciones no se pueda calificar de neomarxista. La etiqueta «neomarxismo» la emplean más los no marxistas que los mismos neomarxistas, lo cual dificulta el acuerdo sobre la definición del término. Para el propósito que nos ocupa lo usaremos para distinguir entre los teóricos que se basan incondicionalmente en los escritos de Marx, Engelsy Lenin —aceptando al mismo tiempo el papel dirigente del partido comunista en materias de ciencia y cultura— y otros que, influidos a veces por Marx y Engels, no interpretan sus escritos de manera dogmática o no aceptan la absoluta supremacía del partido comunista en problemas de ciencia y cultura.

En este sentido Th. W. Adorno, Walter Benjamin y Lucien Goldmann así como Jacques Leenhardt y Fredric Janeson son neomarxistas, pero Lukács no lo es. Es preciso distinguir entre los que aceptan el canon marxista como verdad definida y los que lo consideran sólo como fuente de inspiración, particularmente en el estudio de la crítica literaria marxista. Esta distinción nos evitará considerar la crítica literaria de alta categoría basada en un marxismo no ortodoxo como un tributo al propio marxismo sino más bien como una derrota para el. Puede parecer incluso que la crítica más interesante es la que proviene de escritores que se apartan del canon marxista. En cualquier discusión de la crítica marxista reciente, el camino más seguro de la ortodoxia será el establecer primeramente la postura de Lukács quien, como marxista, nunca formuló en sus escritos críticas explícitas de Marx, Engels, Lenin o del PCUS, excepto en un caso en que este PCUS le criticó antes a él (Lukács, 1963-1975, IV, pág. 459). Sin embargo, *Die Eigenart des Asthetischen* (1963) [La naturaleza de la estética] se considera aparte de su obra anterior, pues en ésta hace una exposición de una estética marxista basada también en fuentes no marxistas.

[36] Yün Lan discutió el problema de lo típico, y (sin mucha base) señaló «los fraudes de Liu Shao-Ch'i»: el haber propagado la idea errónea de que la «literatura se identifica con la política» (*Jen-min jih-pao,* 28 de abril de 1973).

Es imposible y también innecesario discutir aquí todas las obras de Lukács. Los trabajos de su periodo premarxista tales como *Die Seele und die Formen* (1911) [El alma y las formas] y *Die Theorie des Romans* (1916) [La teoría de la novela] son exponentes, como él mismo admitió en relación con esta última, del «*geisteswissenschaftliche Methode*». En 1938 descalificó su *Die Theorie des Romans* como «obra reaccionaria, llena de misticismo idealista, equivocada en todas sus interpretaciones del desarrollo histórico» [37].

Lukács, que ingresó en el partido comunista en 1918 y después de una corta visita a Moscú (1930-1931) emigró a la Unión Soviética en 1933, cooperó allí con M. A. Lifschitz en su búsqueda de una estética marxista. En ese año comienza su periodo ortodoxo que llega hasta aproximadamente 1956. (En 1944 volvió a Budapest.) Sus principales contribuciones de esta época son sus estudios sobre el realismo del siglo XIX, sus ensayos sobre la nueva literatura soviética y el realismo socialista y sus intentos de destacar los aspectos realistas de la literatura del siglo XX, por ejemplo en la obra de Thomas Mann, en detrimento de otros como el expresionismo o el surrealismo, así como en la prosa narrativa de Kafka, Joyce, Döblin y Dos Passos. La creencia de que Lukács se sometió fácilmente a la política cultural de la Unión Soviética no es desacertada; pero también es cierto que llevó el peso de su influencia a esa misma política cultural, en particular, para la continuidad de la tradición literaria. Habría que deplorar que nunca defendió la vanguardia, pero tuvo éxito en colocarse junto a los que criticaron los ideales ilusorios del *Proletkul't*. Entre otros (no siempre buena compañía) Lukács fue pragmático al definir una política cultural que evitase en la Europa del Este la ruptura con la rica tradición literaria del siglo XIX. Goethe, Balzac, Dickens, Gogol, Tolstoi y Dostoievski forman parte de las lecturas permitidas en la Unión Soviética en parte gracias a los esfuerzos de Lukács. La importancia de este hecho se puede medir si lo comparamos con China en donde no llegó a producirse. Ayudado por su fina intuición política Lukács hizo uso de cualquier oportunidad para ensanchar los márgenes de libertad. Dos años después de la publicación de *Un día en la vida de Ivan Denisovich* (1962) de Solzhenitsin, Lukács escribió una reseña muy favorable. *Die Eigenart des Aesthetischen* es un caso similar. De ahí que después que apareció en *Kommunist* el editorial «Sobre el problema de lo típico» (1955) que destacaba la diferencia entre los efectos

---

[37] Lukács, 1963-1975, IV, pág. 334.

estéticos y políticos de la literatura [38] fue posible en los países comunistas la discusión de la naturaleza particular de los textos estéticos. En *Die Eigenart des Aesthetischen* Lukács hizo el más amplio uso posible de dicha oportunidad.

En las páginas que siguen nos vamos a limitar a examinar dos temas principales; el debate sobre expresionismo y el realismo y los problemas que se refieren al compromiso político y al principio del espíritu de partido.

Se cree generalmente que el debate sobre expresionismo y realismo, que se desarrolló en la revista alemana *Das Wort*, publicada en Moscú entre 1936 y 1939, lo comenzó Lukács con su artículo «Grösse und Verfall' des Expressionismus» que se publicó en *Internationale Literatur* en 1934 [39]. Dicho artículo tenía un lema revelador tomado de Lenin «(...) lo que es no esencial, aparente y superficial muy a menudo desaparece y no echa raíces como la "esencia"» [40]. Esta frase de Lenin indujo a Lukács a formular su tesis principal: El expresionismo ha triunfado por describir la superficie de los fenómenos, en cambio el realismo se ha acercado a la esencia del desarrollo histórico. Después de la oposición de algunos escritores alemanes como Klaus Mann, Herwarth Walden y Ernst Bloch a la tesis de Lukács, este escribió su conocido trabajo «Es geht um den Realismus» en *Das Wort*. En este artículo critica principalmente a Ernst Bloch, al que por otra parte respeta como marxista. Bloch había mostrado sus dudas sobre la visión de Lukács sobre la realidad como una totalidad coherente, pues pensaba que si esta tesis fuera cierta, entonces los mecanismos expresionistas de ruptura, interpolación y montaje serían un «juego vacío». En este aspecto Bloch no se apartaba del pensamiento marxista. Aceptaba que la literatura, como parte de la superestructura debería reflejar la verdadera naturaleza de la realidad (la base económica). En cambio disentía de Lukács en la naturaleza de la realidad pues pensaba que considerarla una totalidad coherente es un residuo del idealismo clásico y señalaba que en particular en el sistema capitalista «una realidad real puede ser también una ruptura» [41]. Bloch creía que en este caso el surrealismo podía servir de ejemplo. «El surrealismo, escribía, consiste en un montaje (...). Es la descripción de la confusión y de la realidad vivenciada» (Erlebniswirklichkeit) con esferas rotas y censuras [42].

---

[38] *Vid. supra*, pág. 100.
[39] Para una opinión diferente véase H. J. Schmitt (1973).
[40] Lukacs, 1963-1975, IV pág. 109.
[41] *Ibíd.*, IV, pág. 316. Cfr. también Bloch, 1962, pág. 270.
[42] *Ibíd.*, IV, pág. 320, y Bloch, 1962, pág. 224.

Lukács introduce un nuevo elemento volviendo a formular el problema de la manera siguiente: ¿Forman una totalidad coherente el sistema capitalista y la sociedad burguesa en su unión objetiva de economía e ideología, *independientemente de la conciencia? (Ibíd.,* IV, pág. 316).

Bloch había fundamentado su defensa del expresionismo en una experiencia consciente de la realidad. Lukács se refiere a una realidad independiente de la conciencia. Como la experiencia no puede servir de argumento que apoye su postura tiene que apelar a la autoridad de Marx, que había escrito que las condiciones de producción en cualquier sociedad (incluso en la capitalista) forman un todo *(Ibíd.,* IV, pág. 316). Según Lukács, esto debería cerrar la discusión, al menos entre marxistas. De esta forma la diferencia se habría reducido a una distinta interpretación de la realidad social y económica. La maniobra polémica de Lukács deriva directamente de Marx quien, en su crítica de *Les Mystères de Paris* había empleado su propia interpretación de la realidad como medida para juzgar la calidad literaria. Lukács no discute la calidad de la obra de Joyce o Dos Passos o de la literatura expresionista, sino más bien las características de la realidad que supuestamente reflejan. Toda la discusión se complicó seriamente por tildar a la experiencia como reveladora de lo superficial y a la teoría marxista de lo esencial. «Todo marxista sabe que en la mente del pueblo se distorsiona siempre el reflejo inmediato de las categorías de la base económica del capitalismo» [43].

Lukács acusa a Bloch de prestar atención sólo a superficialidades, a fragmentos de la realidad al mismo tiempo que la base de su propio argumento holístico consiste más bien en referencias dogmáticas a Marx y Lenin y está llena —para emplear una frase de Claudio Guillén (1971, pág. 444)— de «abstraccionismo».

Según Lukács, los escritores naturalistas, simbolistas, expresionistas y surrealistas cometen la equivocación de reflejar la realidad tal como se les aparece de forma inmediata; destacan momentos aislados del sistema capitalista, su crisis y su desorden, pero no ahondan en la esencia profunda, en la coherencia entre sus experiencias y la «vida real de la sociedad» ni en las «causas ocultas» de sus experiencias *(Ibíd.,* IV, pág. 322). Para encontrar un verdadero reflejo de la realidad como un todo hay que volver a los grandes escritores realistas como Gorki y Heinrich Mann que han sido capaces de producir tipos literarios de valor duradero (Klim Samgin, el profesor Unrat), tipos con «características perennes (...) que en tanto en cuanto representan

---

[43] *Ibíd.,* IV, pág. 317.

tendencias del desarrollo objetivo de la realidad, e incluso de la humanidad, habrán de ser efectivos durante un gran periodo de tiempo»[44]. Los escritores realistas que han creado tales tipos son la verdadera vanguardia. En sus atisbos se describen las tendencias de todo el desarrollo social. Así pues, la cuestión de si los escritores han visto o no las cosas correctamente sólo se puede juzgar a partir de esta perspectiva *a posteriori*.

Por último, Lukács se refiere a la categoría del público lector como argumento en defensa del realismo. El realismo es popular *(volkstümlich)* y está de acuerdo con el criterio de «popularidad» *(volkstümlichkeit* o en ruso *narodnost'*, término que recuerda los primeros trabajos románticos de Belinski). Lukács sabía que la palabra, particularmente en Alemania, estaba cargada de connotaciones adversas que indujeron a Brecht a registrar en su diario unas cuantas observaciones sarcásticas (Brecht, 1968, XIX, págs. 323-324). Para Lukács la naturaleza popular de la literatura significa la continuación de la tradición cultural. La literatura popular es diametralmente opuesta a la literatura de vanguardia. Para él el rechazo total del pasado es igual a anarquía. Y no tuvo dificultades en encontrar una cita de Lenin para apoyar su tesis (Lukács, 1963, IV, pág. 339).

Claramente el realismo de Romain Rolland, Heinrich Mann y Thomas Mann representa mucho mejor la continuidad literaria que el de Joyce u otros representantes de la vanguardia, en particular para lectores no muy cultos. El hombre de la calle *(der Mann aus dem Volke)* tiene más fácil acceso a los autores realistas y esto, afirma Lukács, tiene importancia política. El interés político del realismo surge de la necesidad de crear un frente popular. Así pues la defensa del realismo por parte de este autor no se puede desconectar de la política soviética del apoyo del frente popular.

Lukács se expresó a favor de una literatura que procurara respuestas a las preguntas del lector, respuestas a las preguntas de la vida misma. Estas deben ser reconocibles y sencillas. De hecho aboga por una estética de la identidad —en términos de Lotman— más que por una estética de oposición. Desde una perspectiva marxista esto se entiende perfectamente pues desde Marx se conoce en principio la interpretación del mundo. En otras palabras, el marxista ortodoxo no tiene necesidad de nuevos códigos.

Esta consecuencia de la teoría literaria marxista —en nuestra opinión inevitable— ha puesto en dificultades a muchos escritores creativos. Bertolt Brecht puede servir de ejemplo.

---

[44] *Ibíd.*, IV, pág. 332.

En 1938 escribió en su diario con respecto al debate sobre el expresionismo: «El (escritor no realista se tendrá que contentar en repetir siempre lo que ya conoce; esto no indicaría una relación viva con la realidad»[45]. Brecht rehuyó la petrificación a la que podría llevar la postura de Lukács y prefirió una perspectiva menos rígida y menos ortodoxa y, por tanto, optó por la posibilidad de una evolución literaria sin obstáculos.

> ¡No proclaméis la única e infalible manera de describir una habitación, no excomulguéis el montaje, no pongáis en el índice al monólogo interior! ¡No abofeteéis a la juventud con los viejos nombres! ¡Dejad ya de permitir el desarrollo técnico de las artes sólo hasta 1900 y no de esa fecha en adelante![46]

Las diferencias entre Brecht y Lukács se remontan al menos a 1932 cuando este último en su ensayo «Reportaje oder Gestaltung?» rechazó los argumentos de Brecht a favor de un drama no aristotélico, así como su concepto de alienación *(Verfremdung).*

Lukács había sugerido en su artículo que las convicciones teatrales de Brecht eran incompatibles con las enseñanzas de Marx y Engels. Es más, estas diferencias tuvieron un efecto duradero: los dramas de Brecht nunca se pusieron en escena en la Unión Soviética durante su vida (Rühle, 1960b, pág. 48).

Brecht se consideró envuelto en el debate sobre el expresionismo cuando Lukács atacó la técnica del montaje en la obra de Dos Passos. Brecht da a entender que él no está dispuesto a abandonar esa técnica y observa que el pensamiento de Lukács está dictado por el pasado, pues ve en sus ensayos una inclinación a la capitulación, a la utopía, al idealismo, al goce artístico *(Kunstgenuss)* y al escapismo[47]. Descubre en la crítica de Lukács a Dos Passos y su preferencia por Balzac una propensión a lo idílico. Pues, como defiende Brecht, la asimilación del legado cultural no es un proceso pacífico. Ciertamente, desde una perspectiva revolucionaria se podría argumentar así. Consecuentemente Brecht se opone a una interpretación dogmática del canon marxista. Aludiendo claramente a Lukács, Brecht escribe que, en realidad, no habría que molestarse cuando los críticos condenan la vanguardia y la tildan de formalista basándose en las citas de los clásicos marxistas en los que aparece la pa-

---

[45] B. Brecht, 1968, XIX, pág. 295.
[46] *Ibíd.*, XIX, pág. 294.
[47] *Ibíd.*, XIX, pág. 298, y también Klaus Völker, 1969, pág. 138.

labra «forma». Obviamente Brecht cuestiona la autoridad de Marx y Engels en materias literarias.

Pero no fue sólo Brecht. También Anna Seghers en sus famosas cartas a Lukács (recogidas en las obras completas de éste) expresó sus reservas sobre el empleo de citas aisladas, mecanismo que compara con una escoba mágica; pone también en entredicho la metáfora del espejo usada por Lukács, defiende a Dos Passos y señala que los grandes ejemplos de Romain Rolland y Thomas Mann se desarrollaron en circunstacias del todo diferentes de las de los llamados escritores decadentes criticados por Lukács. En una discusión posterior al debate sobre el expresionismo, Jürgen Rühle observó correctamente que la obra tardía de Thomas Mann se caracteriza por «reflexiones, rasgos ensayísticos e ironía» que impiden colocarlo sin más bajo la etiqueta del realismo. Épocas contradictorias producen literatura contradictoria, escribe Rühle (1960a, pág. 245). (En términos similares, pero sin referirse a Lukács, Harry Levin [1966] incluye la obra tardía de Thomas Mann en su concepto temporal de Modernismo.)

Lukács sin embargo, se mantuvo impertérrito bajo el peso de las contrarréplicas. Sus argumentaciones ortodoxas se basan en la distinción entre apariencia y esencia, entre la realidad vivida y la realidad objetiva, entre las explicaciones superficiales y las «causas ocultas». Pero ¿cómo descubrir y discutir «las causas ocultas»? El punto crucial en la crítica marxista de la literatura es siempre la interpretación prevalente de la teoría marxista que puede diferir a causa del temperamento y erudición del intérprete y muchas veces depende de la coyuntura del momento político. La interpretación del canon marxista que predomina en un momento dado determina cómo hay que descubrir las «causas ocultas». Esto, de hecho, ha marcado la línea entre la experiencia subjetiva y la realidad objetiva.

Lukács es completamente consciente del significado de la situación política para su propia obra. Su importante ensayo *El significado actual del realismo crítico* que se publicó en Hamburgo con el título *Wider den missverstandenen Realismus* (1958) constituye claramente un producto del proceso de desestalinización. En el prólogo el autor explica que siempre se opuso al término «romanticismo revolucionario» pero sólo entonces podía criticarlo abiertamente *(Ibíd.,* IV, pág. 459). Lukács llama a su critica «verbalmente nueva» aunque de hecho su argumentación contra el «romanticismo revolucionario» es de una importancia mucho más que «verbal» en contra de la canonización del término en China durante el mismo año. Este rechazo del «romanticismo revolucionario» es el corolario de su interpretación particular del realismo socialista, que según él, debería estar muy cerca del realismo crítico.

La defensa de Thomas Mann por parte de Lukács y su rechazo de Kafka no deja de ser algo arbitrario por cuanto su postura está motivada políticamente. Dado que en 1957 la propaganda comunista incidía en el tema antibelicista, Lukács llegó a la conclusión de que los términos de la elección no se planteaban entre capitalismo y socialismo *(Ibíd.,* IV, pág. 550). La propaganda soviética a favor de la paz permitió a Lukács hacer distinciones entre los productos de la sociedad burguesa. Así sus preferencias se inclinan por Thomas Mann porque se aparta de la angustia *(Angst)* en detrimento de Kafka que parece tender a ella.

Si se considerase sólo el estilo, Kafka se podría considerar un realista, pero lleva siempre por delante la ciega y total angustia. Kafka atribuye al mundo un significado nihilista, pero la descripción realista del mundo queda en su obra alegorizada por vía trascendental. Los detalles realistas en sus obras son, pues, intercambiables, pero en la ficción de Thomas Mann no lo son; cada uno tiene su lugar fijo. Se asume por tanto que esto se basa en la creencia en un final, en un significado inmanente y en un sentido del mundo. Esta creencia en una propuesta inmanente es la que es compartida por los marxistas.

Lukács considera que las ideas políticas de Thomas Mann son ingenuas e incluso reaccionarias, pero declara que la teoría de Engels sobre la discrepancia posible entre las convicciones políticas del escritor y el significado de su obra, también es aplicable a Mann. Sus novelas son aceptables porque «instintivamente» organiza los fenómenos de la vida de una manera correcta. La narrativa de Mann forma parte del «triunfo del realismo» así como las novelas de Conrad, Hemingway y Steimbeck. La puesta al día del realismo crítico motivada por la propaganda rusa a favor de la paz ha ido en detrimento del realismo socialista.

Como hemos dicho antes, Lukács había afirmado en 1938 que los autores realistas tenían que crear tipos que muestren las tendencias del desarrollo social. Usualmente esta especie de prefiguración del futuro se reserva siempre al realismo socialista. La definición del mismo por parte de Lukács vacía al realismo socialista de su sentido particular. Las diferencias entre el realismo crítico y el realismo socialista quedaron elaboradas en la parte final de su artículo «El significado actual del realismo crítico». El realismo socialista se caracteriza por la «concreción de la perspectiva socialista»; describe a la gente que intenta construir un futuro socialista y comunista y cuya sicología y moral reflejan ese futuro. El realismo crítico por otra parte, se centra sobre la protesta contra el sistema capitalista *(Ibíd.*, IV, pág. 554).

Lukács destaca que ha habido dos factores que han deteriorado el alcance del realismo socialista: el sectarismo del *Prolet-kul't* y la propaganda en favor del romanticismo revolucionario coincidente con el culto a la personalidad de Stalin. El romanticismo revolucionario es susceptible de tantas objeciones como el naturalismo. El primero se alía en gran medida con el entusiasmo revolucionario, el segundo un poco menos. El romanticismo revolucionario desprecia las etapas necesarias del desarrollo social, confunde el futuro con el presente y termina, afirma Lukács, por esquematizar y vulgarizar la realidad socialista. La respuesta a la «esquematización sectaria del periodo de Stalin» debería ser una estrecha alianza entre el realismo crítico y socialista. *(Ibíd.*, IV, pág. 602).

Lukács es mucho más explícito al respecto en su reseña de *Un día en la vida de Ivan Denisovich.* Él observó que incluso en las naciones socialistas el término realismo socialista ha sido utilizado abusivamente. El problema central ahora es el repaso crítico del periodo estaliniano. Si el realismo socialista quiere conseguir el nivel de los años 20, tiene de nuevo que ser por la vía realista, pues muy a menudo se ha estancado en la etapa de no hacer otra cosa que comentar las resoluciones del Partido. Podría apreciarse la evaluación de Lukács de la novela de Solzhenitsin, que él sorpresivamente denomina como hito en la historia del realismo socialista. Pero su reseña no es una argumentación en favor de una libertad sin restricciones. Lukács sabe muy bien que toda la literatura soviética tiene que ofrecer «ilustraciones» del canon marxista, si quiere ser admitido por parte de los marxistas ortodoxos.

Puesto que hay que atribuir una validez absoluta a los escritos de Marx y Engels —y esta es, oficilamente, la situación en los países comunistas— cualquier innovación tiene que quedar en los límites de la verdad marxista. La literatura, pues, tendrá que ser una «ilustración» de esta verdad. Lukács, convencido de las consecuencias nefastas de la dictadura estalinista, evitó el examinar las condiciones sociales e ideológicas de dicha dictadura y —de una manera no marxista— identificó la enfermedad estalinista con la persolalidad de Stalin.

A pesar de su crítica del realismo socialista (en particular su componente romántico) Lukács fue y quedó como el mayor interprete de la ortodoxía marxista. En una reseña del *Wider den missverstandenen Realismus,* publicada por primera vez en 1956, Theodor W. Adorno ataca a Lukács con todo rigor y personalmente [48]. Condena sus repetidos intentos de adaptarse a las directrices de la burocracia soviética que había degradado la filosofía hasta ser un instrumento de poder. Adorno considera dogmático el rechazo de Lukács de toda la literatura moderna no realista, cree que su estética está pasada de moda y que su adopción de las tesis de Marx y Engels es, al menos, dudosa.

El punto fundamental de la argumentación de Adorno es su análisis del concepto de arte de Lukács, tal como quedó explicado en su libro *Über die Besonderheit als Kategorie der Aesthetik* (Sobre la particularidad como categoría de la estética) gran parte del cual se había publicado en la revista *Deutsche Zeitschrift für Philosophie* en 1956 [49]. Lukács trató, entre otras cosas, sobre la diferencia entre arte y ciencia, pero de una manera inaceptable para Adorno.

Lukács encuentra que arte y ciencia tienen mucho en común; ambos reflejan la misma realidad y, en este reflejo, ambos demandan validez universal, «totalidad». Pero difieren en que la ciencia investiga leyes generales y abstractas mientras que el arte crea «imágenes perceptivas y aspectos generales y universales (...) y demanda una empatía universal» [50]. La generalización que el arte demanda incluye una elevación *(Aufhebung)* de lo individual al nivel de lo particular (o típico) así como una concreción de lo general que lo coloca también en el nivel de lo particular.

Este concepto de arte, que más tarde quedaría elaborado en *Die Eigenart des Aesthetischen* difiere de la estética moderna en que Lukács defiende explícitamente la primacía del contenido semántico. Al mismo tiempo critica a Kant por haber intentado liberar el arte de toda conceptuación y a Hegel por su insuficiente crítica de Kant a este respecto (Lukács, 1963-1975, X, pág. 714). La conceptualización está suficientemente presente en el arte, aunque se eleve al nivel de lo particular. La primacía del «contenido» es evidente. Según Lukács, el contenido determina la forma; cualquier influencia de la forma sobre el contenido es de importancia secundaria.

---

48 «Erpresste Versöhnung; Zu Georg Lukàcs: «Wider den missverstandenen Realismus», reimpreso en Adorno, 1958-1974, II, páginas 152-188.

49 Lukàcs, 1963-1975, X, págs. 539-787. Cfr. la reveladora autocrítica de Lukàcs en las págs. 788-789.

50 *Ibíd.*, X, pág. 712.

En su objeción a estas tesis Adorno está de acuerdo con Lukács en que el arte es una forma de conocimiento, pero desaprueba la reducción de la unidad dialéctica de arte y ciencia a una simple identidad, como si las obras de arte desde su propia perspectiva pudieran anticipar lo que después será tratado por las ciencias sociales. Por el contrario, el hueco entre arte y ciencia no se puede rellenar tan fácilmente: «el arte no comporta el conocimiento de la realidad porque la represente fotográficamente o desde una perspectiva sino porque, de acuerdo con su naturaleza autónoma, expresa las cosas que quedan ocultas a las formas empíricas de conocimiento» [51]. El arte es un conocimiento *sui generis* porque afecta a datos empíricos. Conecta la realidad con la intención subjetiva, la cual adquiere una «significación objetiva» [52].

Adorno está muy próximo al concepto de Lotman de semantización de los rasgos formales. Según Adorno, la construcción es la que puede superar los aspectos accidentales de lo individual. El monólogo interior era necesario porque en un mundo atomístico el hombre está controlado por la alienación. En las grandes obras de vanguardia el monólogo interior sólo *aparentemente* es subjetivo. Del mismo modo, del drama subjetivista de Beckett aparentemente se eliminan todos los elementos históricos; pero en realidad su obra es polémica de un manera objetiva (Adorno, 1958-1974, II, pág. 166).

Aunque uno estaría tentado de colocarse junto a Adorno en esta disputa, habría que establecer algunas reservas. La referencia de Adorno a las cosas que están ocultas al conocimiento empírico de la realidad pero que son conocidas por medio de la intuición artística, está muy próxima al concepto de Bloch de realidad vivida *(Erlebniswirklichkeit)*. El concepto de conocimiento que Lukács tiene, excede el conocimiento de conocimiento empírico. Las cosas que escapan a la verificación empírica quedan cubiertas por el concepto de conocimiento de Lukács y por ello la tesis de Adorno de que el arte que se conecta consigue una especie de conocimiento *sui generis,* en nuestra opinión no afecta realmente a la postura de Lukács.

Otro punto es su interpretación del monólogo interior y del teatro de Beckett. Parece que Adorno es tan hábil como Lukács en escamotear la oposición de apariencia y esencia. En la medida en que su interpretación no se basa en una teoría de la interpretación o no se refiere a un código específico literario o cultural, es al menos tan arbitraria como la de Lukács. In-

---

[51] Cfr. Adorno, 1958-1974, II, pág. 168.
[52] *Ibíd.*

cluso se puede detectar una actitud doctrinaria en la postura de Adorno cuando pide que el arte haga cosas «objetivamente significantes» *(objektiv sinnvoll)*. ¿Puede existir algo como el significado objetivo del mundo o de la historia? Aquí Adorno está muy próximo a Lukács y otros marxistas que contestarían afirmativamente. Su actitud dogmática se desprende también del valor que atribuya a las propias citas de Marx. Ciertamente, como sugiere Adorno, se puede caracterizar la trayectoria de Lukács como una «expiación forzada», pero no deja de extrañar que él mismo suscriba, sin obligación alguna, una interpretación del mundo igualmente marxista, emplee el mismo método dialéctico que su menospreciado oponente, escamotee también los conceptos de esencia y apariencia (aunque con resultados diferentes) y, al igual que la mayoría de los críticos marxistas, descubra un sentido objetivo en un mundo que escapa a la verificación empírica.

Pero al mismo tiempo Adorno y Lukács difieren en puntos importantes. Adorno destaca la particular función epistemológica del arte y defiende el carácter autónomo de la literatura. Posiblemente ambos difieren mucho más cuando se trata del concepto del compromiso político de la literatura. En su trabajo «*Sobre la particularidad como categoría de la estética*» Lukács remarca el papel de la conceptualización en arte y ello le capacita para remodelar el concepto de espíritu de partido *(Parteilichkeit* o, en ruso, *Partijnost')*.

La conceptualización *(Gedanklichkeit)* en literatura aparece como un factor concreto de la vida, en el conjunto de situaciones concretas con gente concreta, como parte de las luchas, victorias y derrotas de los hombres. La representación de la realidad en el arte implica una visión partidista de los conflictos históricos de la época en la que el artista vive [53]. La selección del segmento de realidad representado y la actitud del artista hacia su material *(Stoff)* revelan su espíritu de partido. Ambas pertenecen al nivel del contenido y se pueden juzgar desde un punto de vista extraliterario. Según Lukács, la originalidad de las obras literarias procede «en lo que se refiere al contenido, de la posición correcta con relación a los grandes problemas de la época» [54]. La cuestión de si una posición es o no «correcta» no se puede responder sólo de acuerdo con el texto, sino que, en definitiva, se ha de juzgar a partir de un punto de vista extraliterario (es decir, a partir de la interpretación marxista que impere en ese momento). En 1932 Lukács había descrito la

[53] Lukàcs, 1963-1975, X, págs. 713-714.
[54] *Ibíd.*, X, pág. 716.

literatura como «producto y arma de la lucha de clases (IV, página 24). En 1956 la fraseología ha cambiado pero el dogma del espíritu de partido se basa todavía en la aceptación de la correcta interpretación marxista del mundo y, por ello, es básicamente un asunto extraliterario.

En un ensayo publicado primeramente con el título *Engagement oder Kunstlerische Autonomie* [Compromiso o autonomía artística] (1962) Adorno presenta un acercamiento completamente diferente a la función persuasiva de la literatura (Adorno, III, pág. 109-136). La literatura, incluidos los textos que expresan un compromiso político, no se puede reducir a una justificación de una tesis política. Adorno rechaza el viejo concepto de literatura tendenciosa; su concepto de compromiso político deja intacta en principio la ambigüedad del texto literario. Como en su crítica a Lukács, Adorno pone objeciones aquí al énfasis de Sartre en el sentido comunicativo. De nuevo parece abogar por la semantización de los rasgos formales. Las palabras no significan lo mismo en un texto literario que fuera de la literatura. La literatura hermética de vanguardia, sea cualquiera el sentido comunicativo de las palabras, resiste los intentos de manipulación política pues no es fácil de asimilar por parte de un sistema cultural. Las formas difíciles son una protesta más efectiva contra el sistema establecido que cualquier mensaje político puro. «El énfasis sobre la autonomía de la obra es en sí mismo de naturaleza política y social» escribió Adorno[55] y ello no significa un rechazo de dicha autonomía, sobre todo en las obras de vanguardia tal como han creído algunos lectores ingenuos; antes al contrario, Adorno expresa aquí su final creencia en la naturaleza subversiva del arte cerrado y vanguardista. O, como afirmó en su obra inacabada y publicada póstumamente *Aesthetische Teorie* [Teoría estética] (1970), «el aspecto asocial del arte contiene una negación expresa de una sociedad particular»[56].

La censura política, que es compatible con el concepto de espíritu de partido de Lukács, es imposible desde la perspectiva de Adorno (lo cual tiene serias implicaciones para la interpretación de la literatura). También en este aspecto, Adorno mantiene tesis completamente diferentes a las de Lukács y la burocracia soviética. De todo su bagaje marxista lo que caracteriza a la crítica de Adorno es el método dialéctico. Su dialéctica, su demanda de un sentido objetivo en el mundo que escapa a la verificación empírica y sus continuas referencias a Marx y En-

[55] Adorno, 1958-1974, III, pág. 134.
[56] Adorno, 1970, pág. 335.

gels son suficientes para considerarlo un critico neomarxista aunque es obvio que su marxismo y el de, por ejemplo Mao Tse-tung, son dos mundos aparte y con implicaciones diferentes para el estudio de la literatura.

Como hemos mostrado, Lukács no se dio por enterado de las objeciones de Adorno. Es más, repitió y amplió los argumentos de *Über die Besonderheit als Kategorie der Aesthetik.* De una manera sistemática hace explícitas las semejanzas y diferencias entre el pensamiento ordinario, el arte y la ciencia. Los tres reflejan la realidad, dando por entendido que dicha realidad existe independientemente de la conciencia humana. Al contrario que en la ciencia, en el arte el reflejo de la realidad es antropomórfico. Procede del mundo del hombre y hacia él se dirige. Otra diferencia que existe entre el reflejo artístico y científico de la realidad es el carácter evocativo del arte. Para evocar las emociones y pasiones de la vida, la obra de arte emplea ciertas técnicas como el ritmo y la simetría (Lukács, XI, págs. 283 y 298). A capsa de su naturaleza antropomórfica, la evocación artística se conecta antes que nada con la vida íntima del hombre, extiende su experiencia vital y da forma a la imagen de sí mismo y del mundo en que vive. En este contexto Lukács apela al efecto aristotélico de la cartasis así como al principio del espíritu de partido. Ahora a dicho principio se le califica por medio del concepto estético de «suspensión del interés por lo inmediato y práctico» (Lukács, XI, pág. 655).

Para fusionar lo general y lo individual en lo particular, el arte refleja la realidad por medio de tipos. De nuevo hay diferencia entre la tipificación artística y la científica. La ciencia, afirma Lukács, intenta la reducción de tipos y hace abstracción de lo individual y lo particular para llegar al máximo grado de generalización. Los tipos artísticos, en cambio, están relacionados muy íntimamente con lo individual: «El tipo se concibe de manera tal que la unidad con lo individual —pues así se presenta en la vida— no se disuelve sino que se profundiza» [57]. (Cfr. Parkinson, 1970, págs. 109-147).

Las semejanzas con la estética del idealismo alemán, incluso con su intérprete en Rusia Vissarion Belinski, resultan evidentes pero Lukács se aparta de esta tradición cuando postula que el arte y la ciencia reflejan la misma realidad objetiva. Hemos examinado ya las objeciones de Adorno a este postulado. Contra Klaus Völker (1969, pág. 147) creemos que Lukács sigue en esto fielmente a Marx. Parkinson (1969, pág. 147) ha notado correctamente que al igual que Marx, Lukács defiende de manera

---

[57] Lukács, 1963-1975, XII, pág. 241.

consistente la posición del realismo filosófico. Pero también a otros respectos Lukács defiende el análisis marxiano del mundo. Las objeciones que se le han hecho no han sido simples discusiones sobre las cualidades de las cosas o las características de la realidad; antes bien, se han referido mucho más a las explicaciones de los escritos de Marx que él ha investido de verdad infalible. Es esto —y no el realismo filosófico— lo que ha provocado las objeciones de Brecht, Anna Seghers, Adorno y muchos otros. A pesar de todo, *Die Eigenart der Aesthetischen* se caracteriza por un tono conciliatorio pues destaca claramente la continuidad en la estética europea, que comienza con Aristóteles más que con Marx o Engels.

Como en el caso de Lukács, el tema dominante en la teoría crítica de Walter Benjamin y Lucien Goldmann es la relación entre la realidad objetiva y el arte o, de forma más general, entre base y superestructura. Se debe a Benjamin el haber descrito de una manera más refinada la base material de la producción artística, en su ensayo *Das Kuntswerk im Zeitalter seiner technischen Reproduzierbarkeit* [La obra de arte en la época de su reproducción técnica] (1936). La idea básica de este trabajo es de que cada época tiene sus propios mecanismos de reproducir el arte, pero que la reproducción moderna por medios técnicos ha cambiado totalmente la imagen tradicional del arte. La reproducción técnica de la obra artística, por muy adecuada que sea, destruye de cualquier forma «el aquí y el ahora del original» (pág. 14). En este punto Benjamin introduce su concepto de «aura» o atmósfera particular que rodea la obra original que él define como «una trama peculiar de tiempo y espacio: la única aparición de una distancia, por muy pequeña que ésta sea»[58]. La técnica de reproducción aparta a la forma reproducida de la tradición a la que pertenece la obra original e ignora su carácter genuino y su aura. Así pues, la argumentación de Benjamin es estrictamente historicista. Su conclusión, sin embargo, se inserta plenamente en la tradición marxista: «Siempre que no se aplica el criterio de autenticidad a la producción del arte, se transforma la función total del arte. En lugar de su base ritual aparece otra práctica; de ahí que ésta se base en la política»[59].

La naturaleza autónoma del arte desaparece cuando se esfuma su base ritual. En lo que a la literatura se refiere, Benjamin menciona el movimiento Dada como programa que se aprovecha de la nueva función del arte. Los dadaístas intentan

---

[58] W. Benjamin, 1970, pág. 83.
[59] W. Benjamin, 1936, pág. 21.

destruir el aura de sus productos a los que tildan de *re*-producción mientras emplean los medios de producción. Evidentemente, esta actitud positiva de Benjamin hacía la vanguardia es por completo incompatible con la defensa de Lukács de las tradiciones culturales. Benjamin se coloca con Brecht y Adorno cuando expresa sus reservas contra los mecanismos convencionales de la creación artística. Confiere a la obra de los dadaístas un valor político, de la misma manera que sostiene que los «contenidos revolucionarios» cuando se expresan en formas tradicionales son fácilmente asimilados por la sociedad capitalista (cfr. Helga Gallas, 1969, pág. 149). De esta manera hay que entender la afirmación de Benjamin de que el arte tiene que ser político.

Esta teoría se convirtió casi en un dogma para los escritores en la Alemania de los años 30 o para los seguidores de la *Kulturpolitik* fascista. Pero la situación política de los años 30 no puede ser una excusa para la ingenuidad y las exageraciones que subyacen en los argumentos de Benjamin. Ciertamente comete la equivocación de asumir los nuevos desarrollos en arte y la reproducción del arte de una manera absoluta. Sabemos que los discos no han reemplazado a las actuaciones musicales en directo pero los han complementado. El cine no ha reemplazado al teatro. Ni el reportaje ha significado la muerte de la novela ni el dadaísmo ha sido el fin de otras tradiciones artísticas. Igualmente parece miope Benjamin cuando juzga a la literatura soviética como «la expresión en palabras del trabajo mismo» [60].

En nuestra opinión Benjamin ha sido sobrestimado como crítico literario y hay que reconocer que su influencia ha sido enorme. Ernst Fischer (1971) por ejemplo, copia sus ideas e imita su estilo. Adorno se apoya a veces en la autoridad de Benjamin, pero también siente la necesidad de matizar sus ideas sobre arte en la época de la técnica (Adorno, 1970, pág. 322-326). Miles de estudiantes han leído sus trabajos como parte del canon marxista. Y por cierto que a veces yerra en la jerga marxista. En otras ocasiones —y esto puede explicar su popularidad entre los estudiantes de literatura— parece olvidarse de su marxismo profesional y se vuelve condescendiente cayendo en estudios eruditos de historia cultural tales como sus ensayos sobre Baudelaire que difícilmente podrían calificarle de marxista si no fuera por su juego ambiguo con la oposición entre esencia y apariencia [61].

---

60 *Ibíd.*, pág. 34.

61 En «Über einige Motive bei Baudelaire», publicada en 1939-40, Benjamin dedicó muchas páginas al motivo de las masas urbanas en la obra de Baudelaire, aunque al mismo tiempo tuvo que admitir

Aparentemente, las referencias a Marx y a Engels no pueden ser garantía de aceptación de un argumento, incluso entre marxistas. Benjamin considera la obra de Baudelaire representativa del Segundo Imperio. *Las flores del mal* es la última obra lírica cuya influencia se sintió en todas las partes de Europa (Benjamin, 1969, pág. 161). Brecht atacó esta tesis con una serie de observaciones sarcásticas sobre Baudelaire que culminan en la afirmación de que «él (Baudelaire) de ninguna manera expresa su época ni siquiera diez años de ella» [62].

Con la obra de Lucien Goldmann otra tradición de pensamiento neomarxista hizo su aparición. Después de su gran obra *Le dieu caché* [El dios oculto] (1955) en la que analiza la relación entre la literatura francesa del siglo XVII (Pascal, Racine) y la ideología jansenista, estudió el problema de la relación entre el texto literario y la realidad económica y social —de hecho, el viejo problema de la base y la superestructura. La diferencia con las anteriores exposiciones del mismo problema es que sus investigaciones se basan en la hipótesis de una relación directa entre las estructuras económicas y los fenómenos literarios, es decir, sin la mediación de la conciencia colectiva (Goldmann, 1964, pág. 30). Aunque Goldmann no acepta sin crítica el canon marxista, fundamenta su teoría en las observaciones de Marx sobre el fetichismo de la mercancía. Goldmann argumenta que Marx había anticipado que en las economías de mercado, es decir, las sociedades con una actividad predominantemente económica, «la conciencia colectiva pierde gradualmente su realidad activa y tiende a ser un simple reflejo de la vida económica y, por último, desaparece» [63].

Así pues, la hipótesis de Goldmann introduce un nuevo elemento en la discusión de la relación entre los fenómenos literarios y la base económica. Pero hace mucho más, pues es conocedor de los últimos desarrollos de la narratología. Emplea el concepto de estructura («conjunto de relaciones entre los varios elementos del contenido») (1964, pág. 30n), y tiene en cuenta los aspectos formales de la literatura. Se diría que excluye la mediación de la conciencia colectiva sólo porque es capaz de

---

que «las masas están tan presentes en el interior de Baudelaire como la representación de las mismas en su obra» (Benjamin, 1969, pág. 128.)

[62] Brecht, 1968, XIX, pág. 408.

[63] Goldman, 1964, pág. 30. [Un discípulo de L. Goldman, Juan Ignacio Ferreras, ha puesto en circulación en el ámbito crítico español las ideas de su maestro, en particular en sus *Fundamentos de sociología de la literatura*, Madrid, Cátedra, 1979, e igualmente el profesor Angel Berenguer ha aplicado con éxito sus teorías a la dramaturgia de Arrabal. [*N. del T.*]

investir de sentido los rasgos formales de las construcciones narrativas.

Ciertamente Goldmann trabaja en la tradición marxista de la que selecciona sus fuentes de manera ecléctica y con sumo cuidado. Sigue las doctrinas de Lukács pero, a veces, sobre un tipo de material como *Die Theorie des Romans* que el mismo Lukács había ya desestimado como producto del *geisteswissenschaftliche Methode*. La hipótesis más conocida de Goldmann es que hay «una homología entre la estructura de la novela clásica y la estructura del cambio en la economía libre»[64].

Por ejemplo, el *nouveau roman* se caracteriza por la destrucción del personaje y, consecuentemente, por el aumento de la autonomía de los objetos. Esto se puede explicar por la reificación *(Verdinglichung)* que es el resultado de un crecimiento desmesurado de la economía de libre mercado, de los *trusts* y monopolios, de las inversiones capitalistas y de la intervención gubernamental. Por tanto, de alguna forma apela a una relación directa entre el sistema económico y las formas literarias (Goldmann, 1964, págs. 187-189). Como ha observado Peter Demetz (1970, pág. 30) Goldmann, de acuerdo con la temprana crítica marxista, concibe el arte como reflejo de la realidad social.

Este mismo autor impulsó a Jacques Leenhardt (1973) a analizar con este mismo método la novela *La celosía* de Alain Robbe-Grillet, pero Leenhardt había asimilado mucho mejor los trabajos de algunos estructuralistas como Roland Barthes, Jean Ricardou y Roman Jakobson. El resultado de su análisis cuidadoso de dicho texto, es decir, su intento de establecer analogías entre la estructura textual y la base socioeconómica de Francia en los años 50, lo distingue de otros estudios más generales en el campo de la sociología de la literatura (Levin L. Schücking, 1923; Leo Lowenthal, 1957, o Robert Escarpit, 1970). Pero es difícil saber si el instrumental marxista, incluido el método dialéctico, representa para Leenhardt una ventaja o un riesgo.

En muchos puntos su análisis es convincente, pero es al menos dudoso que su teoría de la analogía entre lo socioeconómico y lo literario pueda explicar la diferencia entre *La celosía* y *El año pasado en Marienbad*, como llega a afirmar (1973, pág. 30) y cabe también la duda de que dicha teoría se pueda aplicar a la narrativa de Julio Cortázar y John Barth, a todos los escritores que podían agruparse bajo la etiqueta de postmodernistas (Hassan, 1975). La obra de estos últimos es un triunfo del espíritu subjetivista —bajo el disfraz del anonimato— y sólo

---

[64] *Ibíd.*, pág. 16.

cabe hablar de reificación si se introduce una falsa conciencia colectiva.

Dentro de la tradición marxista, la cuestión de si una conciencia particular es verdadera o falsa no se puede decidir por medios empíricos. Depende principalmente de la posición de clase de la gente de que se trate así como de la interpretación teleológica de sus condiciones sociales. En este aspecto llegamos al mismo punto que al comienzo de este capítulo. Si no se suscribe la teleología marxista y su parafernalia (la interpretación correcta de la situación política por parte de un partido correcto) no se puede decidir si una conciencia particular es verdadera o falsa. Un ejemplo convincente de ello es la polémica entre Bloch y Lukács sobre si el expresionismo y el surrealismo reflejan una conciencia verdadera o falsa. No se puede afirmar con toda seguridad que esta cuestión se haya decidido en la Unión Soviética a favor de Lukács. Y ello por una razón: su postura la apoyaba el guardián de la verdad infalible: el PCUS. Nos inclinamos a calificar dichas interferencias del partido de autoritarias y presuntuosas. Una vez tomada una decisión como ésta por parte del Partido, no se permiten las críticas, al menos en los países comunistas.

Esta situación, lógicamente es incompatible con la investigación científica tradicional que sólo admite la norma de que cualquier proposición se puede analizar, discutir y, si es necesario, criticar. Es difícil criticar los argumentos presentados por los neomarxistas, los cuales ni aceptan la autoridad todo poderosa del partido comunista ni la inefabilidad de Marx y Engels. Hay obstáculos —más bien epistemológicos que políticos— que impiden una discusión abierta.

A pesar de la posición liberal y tolerante de algunos, los pensadores marxistas y neomarxistas —si se acepta el calificativo— adoptan el método dialéctico. Es por ello muy significativo que uno de los más conspicuos críticos neomarxistas, **Th. W. Adorno** defendiese abiertamente dicho método en contra de la crítica de Karl R. Popper, polémica que quedó reflejada en el libro *Der Positivismusstreit in der deutschen Soziologie* (Adorno, 1969).

Aunque esta discusión epistemológica tiene una significación más general y no se refiere sólo a la teoría literaria, se pueden traer aquí los principales temas por su aplicación a la teoría literaria marxista. Adorno argumenta de la siguiente manera:

1. El método dialéctico proporciona una visión de la totalidad de la sociedad e impide el aislamiento artificial de los he-

chos y los problemas. Además de la materia investigada aplica su atención a su contrapartida. Además del problema científico estudia también su contexto social. Además de la investigación del objeto, examina la posición del sujeto en la sociedad. Además del momento estático de la observación, destaca el contexto histórico de los fenómenos observados y su desarrollo futuro esperado. *El objeto del método dialéctico no tiene límites.* Adorno afirma claramente: «La sociedad es una» [65]. Jürgen Habermas explica que Adorno concibe la sociedad como una totalidad en el estricto sentido dialéctico de la palabra (Adorno, 1969, página 155).

2. El método dialéctico se orienta a la relación entre lo general y lo individual en su concreción histórica *(Ibíd.,* pág. 91). Esta concreción histórica es el incrustamiento de cualquier fenómeno en el contexto histórico, el cual no sólo tiene un pasado sino también un futuro. Para Adorno, *el futuro no es abierto, sino que está determinado por un objetivo postulado* que dirige al hombre, a la sociedad y a la historia. El aspecto teleológico de su filosofía se desprende de su afirmación de que las cosas tiene un destino inherente. En su opinión, la ciencia tiene que develar la verdad o falsedad de lo que el fenómeno examinado «quiere ser» [66].

Por tanto, según Adorno, la ciencia tiene que ser crítica *(kritisch)* en el sentido de que se refiere o incluso se somete a un objetivo político *(Ibíd.,* pág. 97). La misma manera de pensar refleja Benjamin cuando advierte a sus lectores (1936, pág. 11) que una observación científica particular es o no progresiva siempre que rechace (o no) la cuestión de si las observaciones son verdaderas o falsas. No es necesario mostrar que las metas políticas de Adorno son las del marxismo para ver el efecto de los prejuicios políticos sobre las investigaciones científicas.

3. El aspecto teleológico descansa en la distinción entre la verdad aparente *(scheinbar)* y la verdad esencial *(wesentlich).* La dialéctica de Adorno, de hecho, atribuye al sujeto una doble identidad por la cual este se puede escindir en uno con altas intenciones (conciencia verdadera) y en otro con bajas intenciones (conciencia falsa), como muestran las teorías de Freud a quien Adorno cita como prueba en contextos algo diferentes *(Ibíd.,* pág. 96). Sólo la apariencia de los fenómenos es accesible

---

[65] Adorno, 1969, pág. 90.
[66] *Ibíd,* pág. 97.

a las investigaciones empíricas; los resultados pueden ser incompatibles con la verdad esencial. De acuerdo con la filosofía soviética reciente[67] Adorno *postula una totalidad que escapa a la investigación empírica pero que todavía admite la verdad esencial* (1969, pág. 93).

4. Al despreciar el aislamiento de los problemas, Adorno *también rechaza la distinción entre teoría y práctica, entre lenguaje de uso y metalenguaje, entre hechos observados y valores atribuidos.* Esto implica que el sujeto tiene que ser consciente de su propia posición dentro de la sociedad. Habermas vio aquí un papel para la hermenéutica (Adorno, 1969, pág. 158). Lo mismo hizo Fredric Jameson en su confuso libro *Marxism and Form* (1971). Este último, partidario también del método dialéctico, lo ha llevado a su conclusión lógica, es decir, a su autodestrucción, pues considera el pensamiento dialéctico como tautológico, «tautológico en sentido ontológico como parte de una incipiente realización de la profunda tautología de todo pensamiento». Al final, «el verdadero acto de pensar se disuelve». Aquí la identidad no se da entre dos palabras o dos conceptos, sino más bien entre el sujeto y el objeto mismo, entre el proceso de pensar y la verdadera realidad sobre la que se ejercita y que intenta aprehender (Jameson, 1971, páginas 341-342).

De hecho, el estudiante de la crítica marxista tiene que escoger entre este misticismo sonoro o el racionalismo crítico más real basado en reglas explícitas que cualquiera puede analizar y de las cuales Popper, en su respuesta a Adorno, proporciona una breve sinopsis (Adorno, 1969, págs. 103-125).

Recordamos brevemente que:

1) Popper, en su defensa de que cualquier objeto de investigación científica tiene que ser claramente delimitado, no niega la complejidad del mundo como un todo. Al contrario, en su teoría el mundo es demasiado complejo como para abarcarlo en una sencilla pregunta.

2) Al rechazar el aspecto teleológico de la epistemología de Adorno, Popper no excluye la posibilidad de que se pueda adquirir algún conocimiento sobre el futuro. Él sólo se opone al determinismo de algo cuyo origen es oscuro si no es metafísico.

---

[67] En su crítica de Karl Popper, I. S. Kon (1966, I, pág. 287) postula «un sistema de relaciones sociales que exista independientemente de la conciencia humana».

3) Como es natural, la propuesta de Popper de que todas las proposiciones científicas deberían ser falsables le impide aceptar el postulado de Adorno de una totalidad que escape a la investigación empírica.

4) Por último, Popper admite la distinción entre teoría y práctica, entre metalenguaje y lenguaje de uso. Intenta eliminar el subjetivismo y relaciona el principio de objetividad con la tradición científica mientras Adorno incluye en su epistemología la subjetividad del científico. Por todo ello no es caer en el esquematismo el afirmar la incompatibilidad entre el método dialéctico de Adorno y el racionalismo crítico de Popper.

Para concluir, hay que destacar que el intento marxista de analizar el mundo en su totalidad y de relacionar una con otra las diferentes tradiciones de experiencia y conocimiento —más o menos como propusieron Tinianov y Jakobson (1928) dentro del estructuralismo— es una propuesta legítima y estimable. Pero en el estudio de la relación entre literatura y sociedad, entre ideología y base económica, el postulado de que *en último término* la base económica determina el desarrollo de los otros niveles es un serio obstáculo para la insvestigación independiente. La tesis de Engels[68] puede servir de criterio para distinguir entre pensadores marxistas y neomarxistas por un lado y los no marxistas por otro.

El racionalismo crítico y todas las tradiciones científicas que se apartan del modelo marxista han sido frecuentemente tachadas de conservadoras. Ciertamente no hay base para dicha acusación. Como muchos políticos saben, la acción política se debería basar en los resultados de la investigación neutral más que en los análisis «progresistas» influenciados por una tesis política particular.

Para hacer la revolución con éxito, hay que conocer primero los hechos tanto como se pueda. Una tradición científica que busque la objetividad sirve a cualquiera que pudiera analizar

[68] En una carta de 25 de enero de 1894 dirigida a W. Borgius, Engels explica la supremacía de la base económica así: «Consideramos que, en última instancia, las condiciones económicas determinan el desarrollo histórico (...), el desarrollo político, legal, filosófico, religioso, literario, artístico, etc. se basa en el desarrollo económico. Pero todos ellos, influyen unos en otros y en la base económica. No es que la condición económica sea una *causa solamente activa,* y en el resto tenga un papel pasivo, lo que hay es una interacción sobre la base de la necesidad económica que, *en última instancia* se impone a ella.» (Marx y Engels, *Werke,* XXXIX, Berlín, Dietz Verlag, 1968, pág. 206.) Véase también la carta de Engels a Joseph Bloch del 2 de septiembre de 1890.

el mundo. La tradición marxista que ha abandonado hasta la intención de emplear la objetividad en el sentido de estar abierta a la crítica, supone más bien una desventaja para el que quiera cambiar el mundo.

Esto se puede aplicar también al método dialéctico. En nuestra opinión, hay más vías directas de análisis y conocimiento que el método dialéctico. Inconscientemente Lukács revela la naturaleza no falsable del método dialéctico. En su opinión «la dialéctica niega que existan relaciones causales unidimensionales en algún sitio del mundo», incluso los fenómenos más simples se caracterizan por complejas interacciones de causas y consecuencias [69]. Por ello los dialécticos han fracasado en mostrar la superioridad de un sistema. Sus estudios adolecen de la explicitación y precisión necesarias para continuar el debate sobre literatura y sociedad que comenzaron unos hombres altamente dotados que, sin embargo, no tuvieron éxito en liberarse de la carga de la dialéctica.

---

[69] Lukàcs, 1963-1975, X, págs. 207-208.

CAPITULO V

La recepción de la literatura (Teoría y práctica de la «estética de la recepción»)

A lo largo de algunos años se han emitido reservas en diferentes ocasiones con respecto a la teoría de la recepción. René Wellek, por ejemplo, arguye que siempre se ha estudiado la supervivencia de las obras literarias y sus efectos e influencia y que la preocupación actual por la recepción es una moda pasajera (Wellek, 1973, págs. 515-517) *.

Se podría contrarrestar esta crítica con un abanico de objeciones metodológicas detalladas. Con todo, el siguiente argumento puede ser decisivo. En la explicación de ciertos hechos literarios la recepción ha desempeñado ciertamente un importante papel y el conocimiento adquirido de esta manera es también compatible con la teoría contemporánea de la recepción. Lo que fundamentalmente es diferente es el nivel de abs-

* En general, la recepción de la literatura se ha entendido como el estudio de la supervivencia de la obra literaria. En ese sentido se ha considerado como una parte de la sociología de la literatura. En Francia, en concreto, ha conocido un desarrollo notable; para ello baste recordar los nombres de Robert Escarpit, Noël Salomon y René Andioc. De la importancia que a esta corriente, nacida y desarrollada en Alemania, se ha dado recientemente, hay que señalar que la prestigiosa revista francesa *Poétique* en su número 39 (septiembre de 1979) ha dedicado un monográfico a la teoría de la recepción en Alemania. En España, aparte las dos traducciones del famoso artículo de Hans Robert Jauss citadas en la bibliografía, ha tratado el tema Leonardo Romero Tobar en «Tres notas sobre aplicación del método de recepción en historia de la literatura española», *1616. Anuario de la Sociedad española de literatura general y comparada. II* (1979), págs. 25-32. [*N. del T.*]

tracción en que se ha tratado la recepción desde 1960 en adelante. El receptor se ha convertido en una parte constitutiva de las propuestas de investigación literaria y la recepción se ha integrado en una posible definición de la «literaturidad». «El objeto [de los estudios literarios] se crea por medio de la "perspectiva", la cual es un "factor" de la estructura del objeto» (Stempel, 1972, pág. XLV).

Una visión simple del desarrollo de la investigación literaria arroja el siguiente perfil. En el positivismo se ha postulado la historicidad del objeto (los textos). Por otra parte se ha esperado que la historicidad del investigador quede completamente sumergida por su «objetividad». En las reacciones que siguieron al *geisteswissenschaftliche Methode* y al método intrínseco, el objeto se consideró primariamente como una entidad constante ahistórica a la que correspondía un investigador constante ahistórico. Desde la perspectiva de la teoría de la recepción, los hechos se reinstauran dentro de su historicidad y se reconoce la historicidad del investigador. La relación investigador/objeto corresponde a la concepción de la obra literaria como *documento, monumento* y *signo* o *estructura de llamada (Appellstruktur)* [1]. Hoy estamos descubriendo que el método orientado a la recepción estaba ya en lontananza antes de que acuñase el término de *estética de la recepción (Rezeptionsästhetik)*. El formalismo ruso desempeñó un importante papel a este respecto, aunque la orientación hacia la recepción de la literatura no ocupo una posición dominante en las publicaciones de sus miembros.

Los innumerables intentos de determinar la «literaturidad» de acuerdo con ciertas características del lenguaje habían resultado inadecuados. Los logros provenientes de la lingüística no proporcionaban una definición exhaustiva del fenómeno de la literatura puesto que no ofrecían la posibilidad de incluir en su teoría la historicidad y el juicio de valor. Y una teoría de la literatura no puede dejar de lado estos dos aspectos.

Discusión teórica

Varios trabajos recientes sobre los fundamentos de la teoría literaria incluyen la recepción en sus intentos de determinar

[1] «Signo» en este contexto se refiere al término tal como lo emplean las tradiciones rusa y checa y también la semiótica italiana. *Appellstruktur* es un término especifico de la teoría de la recepción alemana. (Iser); también se adecuaría al concepto de literatura de Barthes.

la «literaturidad». Juri Lotman, por ejemplo, afirma: «la realidad histórica y cultural que llamamos "obra literaria" no se acaba en el texto. El texto es sólo uno de los elementos de una relación. Verdaderamente, la obra literaria consiste en el texto (sistema de relaciones intratextuales) en su relación con la realidad extratextual: las normas literarias, la tradición y la imaginación» (Lotman, 1972b, pág. 180). Y Siegfried J. Schmidt mantiene: «La recepción tiene lugar como un proceso creador de sentido que lleva a cabo las instrucciones dadas en la apariencia lingüística del texto» (Schmidt, 1973, págs. 28-29).

Según esto, el objeto de la investigación literaria parece ser no el texto sino su concreción, no el artefacto sino el objeto estético (Mukarovsky). La investigación literaria con una orientación a la teoría de la recepción tiene que dedicarse también al análisis textual y a este respecto deberá echar mano de la lingüística. Pero, debido a su énfasis en el receptor (que puede coincidir con el crítico) se topará igualmente con los problemas metodológicos de la historiografía moderna, de la hermenéutica y del estructuralismo. No podrá evitar el tratar los problemas de la relatividad histórica y cultural, tomará posturas sobre las cuestiones de la comprensión y de la «fusión de horizontes» y ponderará en qué medida la investigación de las relaciones internas, tal como la practica el estructuralismo, ofrece todavía la posibilidad de salir de los límites de un sistema cerrado. ¿Hay que desterrar el estructuralismo porque, en palabras de Paul Ricoeur, «supone trabajar con un corpus ya constituido, fijado, cerrado y por eso mismo muerto? (Ricoeur, 1967, página 801). ¿O acaso el estudio de las relaciones diferenciales de los elementos de un sistema nos puede permitir colocar este sistema a su vez en relación con otros sistemas y por tanto abrirlo? La apertura más importante debería ser el tener en cuenta los estudios diacrónicos. ¿Será suficiente la categoría del sistema de relaciones —que es el principio fundamental de organización que suministra el estructuralismo— para superar por una parte el esencialismo propio de una manera de pensar, atemporal y ahistórica y por otra parte reemplazar la categoría del historicismo, *i. e.* la causalidad genética?

La teoría de la recepción tiene en cuenta el relativismo histórico y cultural puesto que es consustancial con ella un convencimiento de la mutabilidad del objeto —y por tanto de la obra literaria— a lo largo de un proceso histórico. Sin embargo, no por esta razón tiene que reincidir en el historicismo del siglo XIX. De dicho historicismo difiere por su renuncia a la investigación que no tenga en cuenta la valoración. La propia época del crítico más bien favorece una actitud que invita a que él se meta en la piel del autor del pasado. La época del crítico es un elemento esencial en la constitución del objeto estético porque ella es la que decide qué obras del pasado sobreviven como literatura y cuáles no. Esta decisión puede diferir sustancialmente de alguna que se hiciera en la época en que la obra en cuestión se compuso. La relación diferencial entre la época pasada y la del crítico revela unos cambios que proporcionan un panorama del proceso histórico. Por otra parte el elemento del relativismo histórico en la teoría de la recepción impide la apropiación indiscriminada de las obras del pasado, actividad que apoyada en el postulado de la fusión completa de horizontes, conduce en último término a considerar la intemporalidad como la característica esencial de la literatura. Según Hans Robert Jauss, la estética de la recepción se aparta de dos posiciones opuestas: en primer lugar del objetivismo histórico, representado en la investigación histórica por Ranke y en segundo del «clasicismo», es decir, de una concepción de la literatura que mantiene la presencia intemporal de las grandes obras literarias, tal como es notorio en las publicaciones de Gadamer a pesar de su tratamiento profundo de los aspectos históricos (Jauss, 1970, pág. 231).

El objetivismo histórico del siglo XIX se caracteriza por la falta de reflexión sobre la propia perspectiva condicionada históricamente:

> El camino seguido por la historia literaria y por la historia del arte en el siglo XIX se puede caracterizar por una renuncia progresiva a las vías de su propio conocimiento histórico. Bajo el historicismo, que acompañó a la visión histórica del arte antiguo y moderno como un nuevo paradigma de experiencia histórica, la historiografía del arte renunció a su legitimidad como medio de reflexión y dejó esa tarea a la estética, a la filosofía de la historia o la hermeneútica (Jauss, 1970, pág. 215).

Jauss ilustra cómo tuvo lugar este cambio con el ejemplo de la polémica de Droysen contra Ranke. La contribución de Droysen consiste en su «demanda para el hecho histórico del carácter de acontecimiento, pues este tiene en común la apertura del horizonte de sentido con el carácter de acontecimiento de la obra de arte». (Jauss, 1970, pág. 217). Un objetivismo histórico, tan riguroso como el del siglo XIX, todavía hoy encuentra sus límites y relativización en la apertura del futuro. A este respecto Jauss cita al filósofo analítico A. C. Danto: «Nuestro conocimiento del pasado está limitado significativamente por nuestra ignorancia del futuro» *(Ibíd.,* pág. 228). El historiador Karl-George Faber comparte la tesis de Danto sobre el carácter provisional del conocimiento científico. El estudio de la historia es un estudio de experiencia que «es retrospectivo y cambia con conocimientos adicionales». Por esta razón es incapaz de ofrecer afirmaciones definitivas sobre la totalidad de la historia. (Faber, 1971, pág. 22). Para Faber «el crecimiento cuantitativo, es decir, el hecho de que cada momento añade nuevos acontecimientos al pasado, significa que se da al mismo tiempo «un cambio cualitativo en la suma total del pasado». Y concluye que cada generación tiene necesariamente que reescribir la historia: «El nuevo momento del pasado que se añade cada vez incluye efectos o —si consiste en una cesura importante— la pérdida de efectos con relación a un pasado anterior. Puesto que el estudio científico del pasado tiene que incluir los efectos producidos por un acontecimiento y puesto que el historiador tiene que describir los efectos resultantes sólo desde su propio tiempo, es posible afirmar que cada generación tiene que escribir una nueva «historia» (Faber, 1971, pág. 39).

El proceso de crecimiento cuantitativo que destaca Faber es también verdadero en sus ramificaciones para la historia literaria en la que cada momento puede aportar una nueva obra. Con la inclusión del estudio del efecto de una obra resulta una nueva y diferente relación entre la historia general y la historia literaria. Esta manera de ver las cosas elimina la diferencia comúnmente asumida entre, por una parte, el cerrado acontecimiento histórico y, por otra, la obra literaria, para la cual, por contraste, es siempre posible una nueva actualización. En su estudio *Literaturgeschichte als Provokation der Literaturwissenschaft* [La historia de la literatura como desafío de la ciencia literaria] (1967) Jauss hace de esta diferencia su punto de partida. En *Geschichte der Kunst und Historie* [Historia del arte e Historia] (en Jauss 1970), sin embargo, pretende establecer una analogía extensiva entre el acontecimiento histórico y la obra de arte del pasado puesto que «todo cambio crea algo "nuevo" y algo "más" que la obra de arte puede también lograr realmente con cada manifestación nueva e individual» [2].

El concepto general de carácter definido de los acontecimientos pasados es válido tanto para el arte como para la historia. Todo lo que está escrito es definido. Este polo en la

[2] Aquí Jauss cita a Droysen (Jauss, 1970, pág. 231). Ambos trabajos en Jauss, 1970.

relación entre el hecho literario y su efecto es también el punto de partida para la investigación literaria. Los matices posibles diferenciadores entre las entidades definidas de la historia y de la literatura no son suficientes para mantener una diferencia fundamental.

La postura opuesta que considera la obra de arte a salvo de la historicidad y sin tener en cuenta el tiempo, la ataca Jauss con su concepto desmitificado de tradición: «La tradición es incapaz de perpetuarse a sí misma. Presupone una recepción (...). Incluso los modelos clásicos están presentes sólo donde son recibidos» (Jauss, 1970, pág. 234). Jauss relaciona la «pregunta intemporal» que se supone plantea un texto clásico a su lector con el interés de los respectivos lectores. «El porqué una vieja pregunta y supuestamente intemporal nos preocupa todavía o nos vuelve a preocupar, mientras que somos indiferentes a otras muchas preguntas, siempre está determinado en último término por un interés que surge de la situación actual» (Jauss, 1970, pág. 235).

Para que la discusión, aquí desarrollada, de cuestiones de hermeneútica sea relevante para la teoría de la recepción, hay que notar que estamos partiendo de un concepto de hermenéutica que deja de lado algunas premisas de la hermenéutica tradicional. En primer lugar no está restringido por el postulado de un método hermenéutico propio para las humanidades, pues si se asumiera tal método, sería irreconciliable con las ciencias naturales. Partimos más bien, de una unidad metodológica global de las ciencias empíricas, tal como la entienden algunos filósofos de la ciencia como Popper, Albert, Nagel, Hempel y otros. La unidad metodológica se extiende al proceso de describir y verificar hipótesis —proceso que por otra parte se puede aplicar en la determinación de un contexto de sentido (y este es el caso en los textos escritos)—, tal como se aplican a los fenómenos de las ciencias naturales. Se debe a Heide Göttner el haber reducido los fenómenos que parecían propios de las humanidades, bajo el común denominador de la formulación de hipótesis.

> Es fácil comprobar que varias expresiones metafóricas tales como *das Ganze* [el todo] de Schleiermacher, *das Allgemeine* [to general] de Dilthey, *der Vorentwurf* [el anteproyecto] de Gadamer y *das stimmige Gefühl* [el sentido exacto] de Staiger intentan todas expresar algo muy definido y muy sencillo, a saber, afirmaciones hipotéticas o grupos de afirmaciones hechas por el investigador literario sobre el texto que se investiga y que expresan algo

sobre su contexto de sentido como un todo. Si lo consiguen o no con corrección, se verifica en el contraste con los textos particulares (Göttner, 1973, pág. 135).

En esta cita Göttner describe la primera fase del proceso científico, proceso que asigna tres etapas sucesivas: primeramente la sicológica, la del descubrimiento de la hipótesis, después la lógica-deductiva, la de sistematizar la hipótesis y finalmente la etapa inductiva, la de verificar la hipótesis. Göttner demuestra que la investigación literaria procede a través de estas tres fases con un ejemplo de interpretación del campo de literatura medieval alemana. Esta autora admite que la manera peculiar de razonar de los investigadores literarios se lleva a cabo en un proceso complicado de verificación, pero esto no le inclina a ver en ella una inadecuación fundamental (Göttner, 1973, pág. 60). Göttner pone objeciones al llamado círculo hermeneútico que parece separar las humanidades de las ciencias naturales como un hiato y muestra cómo este concepto es inapropiado. Sólo el círculo *lógico* tiene sentido en el lenguaje científico. Göttner no acepta el proceso de aprendizaje que tiene lugar en el investigador antes y durante la formación de hipótesis, como sugiere el círculo hermenéutico. «Este camino hacia y a partir de en el proceso de investigación (...) es lo que los hermeneutas describen como un círculo.» Para ella es sumamente dudoso el que esto sea un ejemplo de círculo de tipo sicológico, pues «el investigador en el proceso de aprendizaje se mueve siempre hacia adelante y no da vueltas a ningún círculo (Göttner, 1973, pág. 154).

El concepto de objetividad, que la hermenéutica de primera hora excluyó del dominio de la investigación humanística, encuentra una nueva entrada en este campo de estudio siempre que se reconozca que el proceso de descubrir y verificar hipótesis se puede aplicar también en él. Se trata entonces de un concepto de objetividad metodológica en el sentido de verificación intersubjetiva. Este objetivismo metodológico nada tiene que ver con el objetivismo histórico criticado por la postura hermenéutica.

De la misma forma el proceso de explicación desempeña un papel importante entre los procedimientos de la actividad científica. La explicación y la prognosis o predicción no están restringidos a las ciencias naturales [3]. No se puede considerar como objetivo de investigación en las humanidades ni la «em-

[3] Sobre el problema de la explicación en las distintas disciplinas véase el capítulo «Problems in the Logic of Historical Inquiry» en Nagel, 1961.

patía» como resultado de la confrontación con el texto, ni la «imitación de la actividad mental interior» con ayuda del «método adivinatorio» (Schleiermacher) ni la «empatía con estados ajenos del entendimiento» (Dilthey) ni la «armonía intuitiva de la doble conciencia» (Genette). Por el contrario es necesario comprender la «diferencia hermenéutica entre la comprensión anterior y actual de una obra» (Jauss, 1970, pág. 183). El concepto de diferencia hermenéutica es el concepto más importante que puede transponerse de la hermenéutica tradicional a esta nueva variante. Es indispensable para la teoría de la recepción y uno de sus conceptos básicos. Para obtener la diferencia hermenéutica —a la que quizá convendría denominar con un término más neutral como *distancia histórica*—, no es necesario aplicar un método especial que sea diferente para las humanidades y varíe del de las ciencias naturales. La descripción y explicación de la distancia histórica se puede llevar a cabo con los medios de las ciencias empíricas. No se trata de una «comprensión unidimensional» sino una «comprensión abierta a la comparación y, por tanto, abierta a la crítica» (Hogrebe, 1971, pág. 285). Esto último es una de las áreas más importantes dentro de la teoría de la recepción. Una identificación del sujeto y el objeto del conocimiento podría comprometer la investigación histórica, de la misma forma que compromete toda la investigación científica. Sería vano proclamar que la separación estricta del sujeto y objeto del conocimiento raras veces se obtiene, incluso en las ciencias naturales. Pero renunciar a *esforzarse* por dicha separación, es renunciar a cualquier investigación científica.

Una hermenéutica, entendida en el sentido señalado en los últimos párrafos, no es irreconciliable con la manera de pensar del estructuralismo. Pero lo ha venido siendo desde el momento que se ha considerado que la crítica hermenéutica era claramente una actividad creativa mientras la crítica estructural sólo llevaba a cabo una «reconstrucción inteligible» (Genette, 1965, pág. 369). Pero como hemos apuntado, difícilmente se podría revelar una diferencia hermenéutica sin una «reconstrucción inteligible».

La tradición estructuralista proporciona el concepto de «relación» como concepto central a la teoría de la recepción. El estructuralismo como manera de pensar, como «punto de vista noético» (Mukarovsky) parte de la tesis de que un fenómeno no puede descubrirse aislado sino sólo con ayuda de las relaciones en las que está envuelto[4]. Incluso en su orientación histórica, la teoría de la recepción estudia las relaciones, no los orígenes, o sea, primero intenta reconocer los sistemas sincrónicos y después los compara con otros. De esta forma el trabajo puede ir de la dimensión sincrónica a la diacrónica por medio de lo que Jauss llama «corte sincrónico»; la historia de la recepción, como se ve, no es ciertamente una historia de orígenes.

El sistema relacional de los varios elementos (de tipo fonológico, léxico, sintáctico o temático) de un texto es el punto de partida (sincrónico) para la investigación en la teoría de la recepción. P. Ricoeur, que mantiene una posición de crítica con respecto al método estructuralista habla en este sentido de «una entidad autónoma que encierra dependencias internas» a la que él opone «el acto, la elección, el tema» (Ricoeur, 1967, página 807).

Jan Mukarovsky eligió el término de «artefacto» para el texto literario una vez complementado en la escritura o en la imprenta. El concepto complementario de «artefacto»[5] es para Mukarovsky el «objeto estético».

> El artefacto es el símbolo de significado materialmente producido, el objeto estético es el significado correlativo de artefacto en la conciencia colectiva de los lectores. El artefacto, sin cambios posibles en su estructura, es la fuente de significado que el lector tiene que constituir, el punto de partida para todas las concreciones de la obra por parte de sus receptores; la obra en su totalidad no se puede reducir al artefacto. Desde que se concretiza dentro de los sistemas fluctuantes de normas estéticas, la estructura del objeto estético está en continuo cambio (Günther, 1971a, pág. 188)[6].

La teoría de la recepción, aunque se interesa por el objeto estético, centra su atención en el artefacto como punto de partida para todos las concreciones. El objeto estético como punto en donde el artefacto y el lector se encuentran, es variable. Cuando los sistemas respectivos de normas del lector se

---

[4] El estructuralismo, en sus comienzos fonológicos, trabajaba con el concepto de que un fonema no tenía en sí mismo significado y que su significación se derivaba sólo de su relación con otros fonemas y en su oposición a estos.

[5] Otros teóricos emplean el término *texto* o *Texto*$_1$.

[6] Como concepto complementario al de *texto* o *Texto*$_1$, aparece también *metatexto* (Barthes y otros) *obra* (J. Lotman) *proceso textual* (Götz Wienold) y Texto$_2$ (Werner Baner).

encuentran con un texto, los métodos estructuralistas pueden describir las relaciones variantes que ponen de manifiesto algo diferente de «sucesivas inmovilidades», tal como afirma Sartre quien parte de presuposiciones diferentes de Ricoeur, aunque con intenciones críticas semejantes [7].

Hans Günther propone el concepto de «estructuralismo dinámico» para el estructuralismo que incluye en su investigación no sólo la obra individual cerrada, sino también el sistema de normas del lector. En contraste con él se encuentra el antiguo «estructuralismo de modelos» en el que el concepto de estructura se configura predominantemente a partir de la fonología (Günther, 1971a, pág. 189). El estructuralismo dinámico, representado por autores checos como Mukarovsky y Vodicka y seguido también fuera del estudio de la literatura [8], ha logrado elaborar algunos postulados básicos para la teoría de la recepción y con ello ha tendido puentes entre los estudios sincrónicos y diacrónicos. «La obra de arte se manifiesta como signo en su estructura interior, en su relación con la realidad y también en su relación con la sociedad, con su creador y sus receptores» (citado por Günther, 1971b, pág. 226). Esta afirmación de Mukarovsky se podría considerar como la formulación más breve del programa de la teoría de la recepción del que se derivan sus conceptos básicos y su campo de investigación.

Este programa es *estructuralista* en virtud de su concepto de relación que es «más un signo que una causalidad» (Mukarovsky, 1967, pág. 22). Es un programa *semiótico* en su aplicación del concepto de signo y en su reconocimiento de una pluralidad de códigos [9] lo que le permite tener en cuenta «significados en sistemas variables según formas variables de representación» (Wienold, 1972, pág. 22). El programa de Mukarovsky es *histórico* en virtud del lugar histórico del receptor. Este diverge de Roman Ingarden, quien concede un lugar importante al receptor y parte de un receptor ideal que está mínimamente incrustado en la historia. De alguna manera Mukarovsky hace histórico o potencia históricamente el método de Ingarden. (Jauss, 1970, pág. 247). Ingarden, que se pregunta por la adecuación de las concreciones, no puede reconocer que un concepto sea variable tal como lo es el objeto estético de Mukarovsky.

El ataque de Sartre —que se mostró muy violento contra

---

[7] «Jean Paul Sartre antwortet» entrevista por Bernard Pingaud en *Alternative*, 54 (1967). pág. 129.

[8] Jean Piaget considera la estructura como un «sistema de transformaciones» más que como formas estáticas. (Piaget, 1968, pág. 10).

[9] Cfr. sobre esto Lotman, 1972a.

el estructuralismo en su polémica con Lévi-Strauss— contra la idea de inmovilidades sucesivas es injustificado cuando se ve a través del concepto de estructura de Mukarovsky. Esto llega a ser evidente cuando éste último, siguiendo a Tinianov pone en relación las diversas estructuras: «En la historia y teoría de la literatura y el arte, por ejemplo, tenemos que observar no sólo las formas artísticas internas y en desarrollo como estructura, sino también la relación de esta estructura con otros fenómenos, en especial dos de naturaleza sicológica y social» (Mukarovsky, 1967, pág. 12).

Por este camino llega a una «reciprocidad estructural» por medio de la cual las relaciones de la serie individual se unen en una estructura de orden superior. La dimensión histórica, pues, resulta del «continuo reagrupamiento de las relaciones recíprocas y de la importancia relativa de los elementos individuales» (Mukarovsky, 1967, pág. 14). Mukarovsky avanza una etapa más y se pregunta por los motivos de las reagrupaciones y cambios y consecuentemente considera una fuerza externa (desarrollos sociales y similares) dentro del campo de posibilidad. Esto no quiere decir que no muestre interés por la causalidad. Sin embargo, es prerrequisito de ésta el análisis de los dominantes y transformaciones dentro de un sistema.

Jauss cita a Mukarovsky y Vodicka cuando intenta relacionar el estructuralismo y el pensamiento histórico. En su pensamiento, estructura y proceso no son conceptos que se excluyen mutuamente, sino que se complementan: «Consecuentemente el estructuralismo de Praga entiende la estructura de la obra como parte constituyente de la estructura superior de la historia literaria y a ésta como un proceso que se origina de la tensión dinámica entre obra y norma, de la tensión entre la serie histórica de obras literarias y la serie de normas cambiantes o actitudes del público» (Jauss, 1970, pág. 247).

La base estructuralista ayuda a eliminar el carácter fortuito de los estudios de recepción y puede hacer esto por la razón que Günther Schiwy expresa así: «Prescindiendo de cómo el asunto "está en la realidad" el estructuralista impone límites definidos a su objeto aunque sea de manera artificial y forzada (por no decir arbitraria). A cambio establece reglas estructurales claras y funciones susceptibles de descripción» (Schiwy, 1971, pág. 160). Cuando la teoría de la recepción tiene que aplicarse al trabajo cooperativo con otras disciplinas —pues sin esta cooperación difícilmente podría dominar su campo—, el método estructuralista con sus análisis de la relación y función de las partes de un todo puede proporcionar a dichas disciplinas estos análisis. Se podría hablar de una «unificación de actividades científicas» como afirma Götz Wienold, hablando de la semiótica (1972, pág. 14)[10]. Sin los límites que impone el método estructuralista, los estudios de recepción corren el riesgo de expansión infinita. Si así fuese, sería difícil refutar la crítica de Fügen quien mantiene que «es precisamente el procedimiento individualizador lo que hace que estudios de este tipo parezcan aventurados e impresionistas» (Fügen, 1964, pág. 28). Los estudios de la recepción se pueden acometer sobre la amplia base de que no es posible acabarlos si una investigación no limita el objetivo de otra. Podemos tomar de Vodicka la réplica a la objeción de Fügen: «El objeto de conocimiento no puede consistir en todas las concreciones posibles por parte de los lectores individuales, sino en aquellos que ponen de manifiesto el contraste entre la estructura de la obra y la estructura de las normas prevalentes» (citado por Jauss, 1970, página 248).

Las teorías de la recepción muestran distintos grados de deuda a las tres corrientes mencionadas —historia, hermenéutica y estructuralismo. Aunque dichas corrientes están interrelacionadas en la teoría de la recepción, varía el énfasis sobre cada una de ellas. Si aceptamos que la teoría de Mukarovsky parte del estructuralismo y que Jauss aparece como historiador literario, entonces podemos considerar a Wolfgang Iser como el hermenéutico de la teoría de la recepción.

Siguiendo en esto a Ingarden y a Mukarovsky, Iser considera que el rasgo distintivo de la literatura es la ausencia de una correlación exacta entre los fenómenos descritos en los textos literarios y los objetos en el mundo de la «vida real» y, como resultado de esto, la imposibilidad de verificarlos. De ahí se origina, señala Iser, una cierta cantidad de indeterminación, peculiar y de todos los textos literarios, es decir, que no permiten una referencia a ninguna situación idéntica de la vida real» (Iser, 1970, pág. 11). Esta cualidad peculiar del texto literario es la que el lector encuentra en su experiencia particular. Entonces se le abren dos posibilidades de «normalizar» la indeterminación: o bien proyecta sobre el texto sus propias concepciones previas o bien se dispone a revisar sus propias concepciones previas (*Ibíd.*, pág. 13). El texto literario es «abier-

---

[10] Un panorama del pensamiento estructuralista en las diversas disciplinas puede verse en Ducrot (1968), Lane (1970) y Nauman (1973). Para la semiótica estructuralista y la literatura comparada *vid.* Fokkema (1974).

to» * o, en palabras de Iser, «los textos de ficción no son idénticos a las situaciones reales. No tienen una contrapartida exacta en la realidad. Se les podría considerar como no situados a pesar del sustrato histórico que les acompaña. Pero es precisamente esta apertura la que los hace capaces de conformar diferentes situaciones que son completadas por el lector en sus lecturas individuales. La apertura de los textos de ficción sólo se elimina con el acto de la lectura». Sólo en el acto de leer se reemplaza la indeterminación por el significado (Iser, 1970, páginas 34-35).

Con relación al concepto de indeterminación de Iser, nos vamos a ceñir al aspecto mencionado de ausencia de copia exacta en la realidad como característica de los textos literarios. Iser emplea el término «indeterminación» también en otros sentidos, por ejemplo, para designar partes de los textos individuales que sólo se formulan parcialmente o para describir la indeterminación temática de la literatura moderna.

En general, Jauss comparte los conceptos de Iser de indeterminación, de apertura y fundamentalmente del sentido o significado inconcluso, tal como hemos visto. Pero maneja el concepto de indeterminación de forma diferente. Para él la indeterminación es la condición para las diferentes asignaciones de sentido en el curso de la historia. Esta postura está muy próxima a la propuesta por Hannelore Link, la cual concibe la apertura o indeterminación no como característica de los textos sino más bien como característica de la historia de estos. (Link, 1973, pág. 563). Jauss contempla la indeterminación no tanto en términos individuales como en términos de historia colectiva. Lo que nos lleva a esta conclusión no se relaciona con Iser sino con Roland Barthes y su concepto de *critique,* el cual describe la relación individual entre el lector y el texto. Sobre el tema de la subjetividad legítima, Iser no difiere de Barthes, mientras que Jauss se pregunta si dicha subjetividad «o serie de interpretaciones de una obra no está de alguna forma "institucionalizada" por la historia y por tanto forma un sistema en su secuencia histórica» (Jauss, 1970, pág. 239). Admite que la estructura abierta, caracterizada por la indeterminación, hace posibles nuevas y continuas interpretaciones. Pero, por otra parte, mantiene que se colocan límites a la arbitrarie-

* Aunque no inserta en esta corriente crítica y por ello no citada por los autores en la bibliografía, la obra de U. Eco *Opera aperta,* es de obligada referencia. Sobre todo por su influencia en el ambito hispánico que logró crear un clima favorable a la «hora del lector». [*N. del T.*]

dad de las interpretaciones por parte de las condiciones históricas de pregunta y respuesta.

Las condiciones históricas de las interpretaciones no caen bajo la consideración de Iser ni tampoco la concreción legitimada por el público literario. Para Iser el sujeto lector se enfrenta directamente con el texto. Por esta razón Hannelore Link no lo considera representativo de la nueva corriente, orientada a la historia, de la investigación literaria. Más bien lo cree representante de la antigua escuela de la interpretación intrínseca *(werkimmanente Interpretation).*

Al incluir al público literario como objeto de investigación Jauss se basa en la tradición checa. Para Mukarovsky el objeto estético se define por «las formas subjetivas de conciencia que los miembros de una determinada colectividad tienen en común en su respuesta al artefacto» (citado por Kacer, 1968, pág. 74), Vodicka tambien quiere estudiar «el desarrollo de la conciencia estética en tanto contiene cualidades supraindividuales e incluye en ella las actitudes de la época hacia el arte literario» (Vodicka, 1964, pág. 71). Este autor excluye de manera explícita de los estudios de recepción los elementos subjetivos de valoración que dependen de actitudes momentáneas del lector y sus preferencias personales. El punto de vista estructuralista de Mukarovsky y Vodicka exige un grado mayor de generalización histórica que el hermenéutico-fenomenológico de Iser. «El objeto de nuestro conocimiento son los rasgos que tienen el carácter de generalidades históricas», dice Vodicka. Su objetivo final es poner en relación dos estructuras de las que una sea «la norma literaria en su desarrollo histórico» y la otra «el desarrollo de la estructura literaria misma».

También los checos consideran como base de la recepción el carácter específico del texto literario. Mukarovsky en concreto postula para el texto literario una relación peculiar con el referente de la manera siguiente: «La relación comunicativa entre la obra de arte y el referente no tiene significado existencial ni siquiera en los casos en que dicha relación mantiene o afirma algo» (1970, pág. 143). No se puede pedir al tema, material de la obra de arte, una autenticidad documental. Mukarovsky acepta una escala entre realidad y ficción sobre la que se sitúa la relación con el referente. La posición particular en esta escala es un factor importante en la estructura de la obra de arte (1970, pág. 147).

Si en la obra literaria la relación con el referente desciende al mínimo, entonces, por una especie de compensación, otra relación se eleva: la relación de lo individual señala a una y otra. Mukarovsky añade a las tres funciones del lenguaje de Bühler una cuarta: la función estética, que centra su atención sobre las propiedades del signo. «Precisamente la preponderancia de esta función permite al contexto (textual) adquirir una gran relevancia en poesía» (1967, pág. 54). En poesía las restantes tres funciones quedan subordinadas a la función estética [11]. Esto es igualmente cierto si se trata de las relaciones macroestructurales de la prosa.

> No hay que perder de vista el aspecto dinámico que esto implica: «Cuando la obra se recibe en otro contexto (un estado de lengua diferente, otro gusto literario, una estructura social distinta, un conjunto nuevo de valores espirituales y prácticos), en ese momento hay cualidades que, no percibidas antes como estéticamente efectivas, llegan a serlo» (Vodicka, 1964, pág. 79).

En el pensamiento de Mukarovsky, el arte no es un dominio cerrado y la función estética estabilizadora tiene que ver con lo colectivo. El punto de vista de Ingarden que no asigna un papel importante a la situación histórico-cultural y no toma en cuenta el aspecto funcional, perdió más el favor de los representantes checos de la teoría de la recepción que el de Iser.

Al igual que Jauss (y al contrario que Iser) Karl Robert Mandelkow abre el aspecto hermenéutico al estructuralismo, aunque sin usar el término, y considera una propiedad más o menos común la tesis básica de la teoría de la recepción, es decir, la diferencia hermenéutica entre una relación anterior y una presente. Pero señala que hay implicaciones metodológicas «cuando la consideración de un fenómeno individual se convierte en la descripción histórica de contextos y procesos más amplios que incorporar la obra individual en el desarrollo supraindividual» (Mandelkow, 1970 pág. 77).

Como se ve, Mandelkow retoma el concepto de Jauss de horizonte de expectativas y propone especificar este concepto en «expectativas con respecto a la época, con respecto a la obra y con respecto al autor». Mandelkow es consciente de que la diferenciación de horizontes no tiene lugar de esta forma en el proceso práctico de la recepción, sino que más bien se produce una multiplicidad de horizontes entremezclados. Por eso pro-

---

[11] Ya en 1921 R. Jakobson caracterizó la poesía como una «manifestación con un conjunto que se dirige a la expresión» (Jakobson, 1921, pág. 31). Las tres funciones del lenguaje de Bühler son la expresiva, la conativa y la referencial *(Ausdruck, Appell* y *Darstellung).* (Bühler, 1934, pág. 28.)

pone emplear esta división como una «construcción conceptual» para describir ciertas «dominantes de recepción». Tanto la forma de llevar sus estudios como los conceptos que Mandelkow emplea denotan una deuda clara para con el método estructuralista.

El concepto de horizonte de expectativas *(Erwartungshorizont)* desempeña un papel central en la teoría de Jauss. La reconstrucción de dicho horizonte es una de las tareas de la teoría de recepción y sirve como punto de referencia para la construcción del sistema literario. Jauss toma prestado el concepto de Karl Popper y Karl Mannheim y ello explica el significado específico asociado con el término en toda su obra.

Consideramos la destrucción del horizonte de expectativas como una cualidad de la literatura. En la semiótica soviética (Lotman) encontramos en lugar de «horizonte de expectativas» el concepto de «código cultural» que es más neutral y que no se asocia inmediatamente con la idea de innovación. Lotman distingue dos formas de códigos artísticos, ambos de igual valor y llega a la contraposición de una «estética de identidad» con una «estética de oposición». Jauss, por otra parte, presenta el problema del valor afirmando que la reconstrucción del horizonte de expectativas es una vía para conocer las obras de Arte que son innovadoras y se desvían de la norma. Popper coincide también en este punto. En su trabajo «*Natural Laws and Theoretical Systems*» [Leyes naturales y sistemas teóricos] afirma que en la base de toda observación se encuentra una «expectativa» o «hipótesis» (curiosamente Popper usa aquí los dos conceptos siguientes): «En cualquier momento de nuestro desarrollo precientífico o científico poseemos algo que usualmente consideramos "horizonte de expectativas". En cualquier caso (...) el horizonte de expectativas desempeña el papel de pauta de referencia sin la cual las experiencias, observaciones, etc., no tendrían sentido» (Popper, 1949, pág. 46).

La filosofía de la ciencia de Popper emplea el concepto de falsabilidad como postulado teórico central. El alto valor que concede a la «frustración de expectativas» concuerda bien con este concepto. «Llegamos a ser conscientes de muchas expectativas sólo cuando son frustradas, por ejemplo, cuando nos encontramos con un escalón inesperado. (Sólo el no esperar el escalón nos muestra que esperábamos una superficie llana.) Estas frustraciones nos obligan a corregir nuestras expectativas. El proceso de aprender consiste en gran medida en tales correcciones, en la eliminación de expectativas» (Popper, 1949, página 45).

El sociólogo Mannheim es, como hemos dicho, otra fuente del concepto de horizonte de expectativas de Jauss. En *Man and Society in an Age of Reconstruction* [Hombre y sociedad en un época de reconstrucción] (1940) Mannheim considera las frustraciones perturbadoras de las expectativas como características de una sociedad con estructura altamente inestable y, por tanto, típica de nuestro tiempo. Además de Popper y Mannheim, los formalistas rusos (en especial sus conceptos de percepción nueva y cualidad diferencial) y la producción de la literatura moderna han tenido mucha influencia en el pensamiento de Jauss. De ahí su marcado énfasis en los desvíos del horizonte de expectativas.

El reconocimiento de un texto literario tipo es una constante de las teorías de la recepción que venimos examinando aunque consideren los criterios de definición variable y condicionados culturalmente. Por ello han podido elaborar métodos en los que han trabajado para describir las estructuras de una obra. El carácter de textos «puede primeramente describirse en términos de categorías formales, es decir, inmanentes y estéticas», tal como declara Iser en una breve intervención (en Jauss, 1968, pág. 722). Esta etapa analítica se encuentra normalmente en los más recientes estudios prácticos de recepción. Pero puesto que lo que importa es el efecto de las estructuras, hay también un punto en el que la «inmanencia estética» hay que dejarla atrás, pues la tarea del trabajo de la recepción tiene que ir más allá de describir las estructuras de obras individuales. Tiene que describir qué elementos estructurales se actualizan en un momento determinado dentro de un sistema predominante de normas literarias y tiene que describir también el lugar que una obra, en la época de su aparición, ocupa en el sistema de referencia creado por las expectativas del lector. Dicho sistema de referencia se revela a sí mismo, según Jauss, en la «preconcepción del género, en las formas y temas de obras anteriores conocidas y en la oposición del lenguaje poético y práctico (Jauss, 1970, pág. 173). La investigación basada en la recepción tiene que descubrir cómo la posición de una obra cambia con la aparición de nuevas obras, tiene además que explicar —y aquí debe apelar a otras disciplinas— por qué existen presuposiciones extraliterarias históricas y culturales que preparan el camino para una cierta comprensión de la obra y para su consideración: «Tiene que describir el efecto de las estructuras de la obra que conducen al descubrimiento de las presuposiciones de la comprensión. Como meta-interpretación que es tiene el carácter de diagnóstico de estado de la conciencia contemporánea» (Iser en Jauss, 1968, pág. 720).

La relación entre la estructura de la obra y su efecto, que hemos descrito aquí, se puede considerar típica de teóricos de la recepción tales como Jauss, Iser, Mandelkow y otros, aunque con matices diferenciados en sus puntos de vista. Dicha relación experimenta una modificación fundamental en la obra de Götz Wienold, principalmente en su *Semiotik der Literatur* (1972), pues parte de que el texto no tiene ninguna validez empírica siendo este uno de los polos en la comunicación literaria. En cualquier caso se trata de un «uso del texto» o un «proceso del texto» *(Textverarbeitung)*. El texto inicial como tal no entra en escena; es siempre un texto interpretado *(Interpretationstext)*, es decir, alguna forma del proceso textual con la que se encuentra ya el investigador. Por «proceso textual» Wienold entiende «sucesos relativamente simples tales como la recepción de un texto a través de la lectura de un receptor así como también cadenas de sucesos variados y ramificados que comprenden desde la recepción de ciertos grupos de textos en su presentación, comentario, traducción y revisión hasta el estímulo, por parte del texto en proceso, de futuros nuevos textos relativamente independientes» (Wienold, 1972, pág. 159). Wienold intenta formalizar los diferentes tipos de proceso textual y llega a un resultado claro y esquemático. Su acercamiento a la teoría de la recepción, está más orientado al proceso que el de los demás. Le interesa mucho más que la relación texto-lector la de lector-lector para establecer mejor la mediación del texto. Las consecuencias para la investigación literaria son las siguientes: «El objeto de investigación no es ahora los textos y en especial los textos en forma de libro. El objeto de investigación es la totalidad de los procesos del uso del texto» (pág. 184). La crítica literaria tiene que investigar la «clasificación de la vida literaria dentro de los procesos de uso del texto». Su meta no es trazar límites del dominio familiar de la literatura sino explorar los procesos que conducen a la codificación, evaluación, interpretación, estabilización del sentido y canonización. Wienold en este sentido ve muchas más posibilidades de investigación de los procesos de recepción del pasado que en el estudio de los procesos más tangibles del presente.

Si Jauss vislumbró la posibilidad de actualizar el arte del pasado como un aspecto inherente del objeto de investigación, Wienold considera las diferentes actualizaciones como formas del proceso textual que pueden observarse en los fragmentos que se van memorizando en la tradición, en la inclusión en antologías, en los prólogos, en los programas de lectiura, así como en otras formas de sanción literaria.

El estructuralismo semiótico francés e italiano ha supuesto un estímulo para el pensamiento de Wienold. Él mismo denomina «estrategia» a su propia concepción del signo, pues su interés estriba en «cómo, a través de los signos, los participantes en la comunicación de signos, persiguen tareas comunes y llevan a cabo acciones llenas de propósitos» (pág. 205). En cambio no se interesa por la relación del signo con el referente, relación que ha sido tradicionalmente una parte importante de la investigación semiótica. De esta concepción estratégica del signo surge una meta, a saber, «conocer las condiciones de los procesos de uso del texto como procesos de comunicación literaria, poder examinarlos y, si la ocasión se presenta, intervenir sobre ellos» (pág. 197). Wienold reconoce que la enseñanza de la literatura raramente ha seguido este camino, de ahí que considere esta teoría como una contribución a la dialéctica de la literatura.

El concepto de Wienold de proceso textual y su clasificación de los varios tipos de éste constituyen una interesante contribución a la teoría y práctica de la recepción. Como hemos mencionado, algunos pasajes de su libro dan la impresión de que Wienold considera que el texto inicial (T_0), el invariante formal, el artefacto, es una ficción y que no existe una estructura inmediata de la obra sino sólo estructuras que se sobreponen al texto de acuerdo con la «capacidad estructurante» de los diferentes receptores. Aunque Wienold no toca directamente esta cuestión, dicha interpretación nos parece justificada. El renunciar al punto inicial observable y describible lleva consigo el peligro de que la posibilidad de hacer comprobaciones contra el texto queda eliminada y de que la búsqueda de los procesos no tenga nunca fin. En nuestra opinión, Wienold justifica su renuncia al texto inicial (T_0) menos como una necesidad metodológica que como un deseo de dar cuenta de una vez por todas de la tradición literaria y de la tradición de la crítica literaria no siempre coincidente. Por ello argumenta que «hay que repetir una vez más la necesidad de una revaloración de los valores de nuestra tradición literaria».

La corriente de pensamiento introducida en Alemania por los dos principales representantes de la teoría de la recepción, Jauss e Iser, ha encontrado amplia aceptación. La base teórica se elaboró antes, pero los estudios de aplicación (que discutiremos después), también se acometieron tempranamente. En el plano teórico Hannelore Link hizo una apreciación crítica interesante de la posición de Iser. Su crítica convincente, imparcial y constructiva merece una consideración reposada y una preferencia a la crítica de Gerhard Kaiser, marcada por un prejuicio apologético.

En primer lugar Link explica la postura de Iser dentro del esquema de Jauss de cambio de paradigma * en la crítica literaria y concluye que la contribución de Iser se caracteriza por una interferencia de paradigmas. Por una parte pertenece al viejo paradigma —denominado por nosotros al principio como concepción «del monumento»— y por otra al nuevo paradigma del interés por la respuesta del lector *(Appellstruktur)*. Hannelore Link deduce la participación de Iser en el viejo paradigma de su intento de definir los textos literarios por medio de sus características específicas, en especial su *status* ontológico, en el que su concepto de indeterminación ocupa una posición clave. Metodológicamente se consigue un punto crítico cuando Iser emplea el criterio de indeterminación dentro de la estética de la recepción: cuanta más indeterminación hay en el texto, mayor es la participación del lector en la actualización del sentido (Link, 1973, pág. 539). Esto es precisamente lo que le hace aparecer como representante del nuevo paradigma científico. Pero Link encuentra otra razón para considerar a Iser como perteneciente al viejo paradigma en su práctica de la interpretación. Como interprete [12] Iser se interesa sobre todo por el potencial significativo encerrado en el texto. Como teórico asigna un papel fundamental al lector y su imaginación. En esta conexión es importante también que en Iser el lector (el lector «implicito») así como los lugares de la indeterminación, son antes que nada características del texto.

Consideramos constructiva la crítica de Hannelore, convencidos como estamos de que la base semiótica que ella propone para el nuevo paradigma es necesaria para el desarrollo de la estética de la recepción. En contraste con el marcado énfasis en el papel del lector, una teoría semiótica de la comunicación ofrece la posibilidad de incluir en las investigaciones el código del emisor y de confrontarlo con el del receptor. La resistencia al desgaste a lo largo del tiempo, característica de las obras literarias, se puede explicar de acuerdo con la teoría de la comunicación, pues ésta puede tener lugar «siempre que dos códigos no están completamente disociados» (pág. 558). Una vez que se reconstruye el código del emisor, Link considera como tarea de la historia de la recepción el estudio de las di-

* Parece obvio notar que los autores emplean el término «paradigma» en el sentido en que Kuhn lo puso en circulación dentro de la filosofía de la ciencia. [*N. del T.*]

12 Cfr. la colección de ensayos de Iser titulada *Der implizite Leser* (1972).

ferentes adaptaciones que una obra ha sufrido a lo largo de la historia. Ello implica la reconstrucción de los patrones culturales del pensamineto y de la recepción que rigen en las adaptaciones respectivas. Si se quiere pasar más allá de la descripción y ofrecer explicaciones, hay que investigar las relaciones que existen entre la naturaleza de la obra y su recepción (Link, 1973, pág. 562).

El planteamiento semiótico de Link permite examinar la naturaleza del texto y evita el peligro de que surjan discrepancias entre teoría y práctica, como sucede en el caso de Iser. El desprecio por parte de éste del aspecto histórico (en el nivel teórico, no en la práctica) es, en nuestra opinión, el causante de la inconsistencia que Link observa en su obra. Jauss y los checos, lo mismo que los semióticos rusos, tienen en cuenta el factor histórico desde el comienzo, por ello Link matiza el concepto de indeterminación de Iser: «La apertura no es una característica de los textos sino de su historia» (pág. 563).

Este concepto de la indeterminación se halla presente también en la explicación de Iser de la incomprensibilidad de ciertos textos literarios modernos. Link entiende dicha característica como una materialización de un intento de hacer dificultosa la comunicación. En términos del modelo de la comunicación ello es una estrategia del autor/emisor: «Iser, que admite como significante sólo lo que se formula explícitamente, tiene que considerar la indeterminación (que no aparece de manera explícita en el texto) como el significado, como resultado de la naturaleza formal del texto. Para nosotros, sin embargo, la indeterminación es en sí misma una estrategia consciente del autor, un significante cuyo significado tiene que estar determinado por la interpretación» (Link, 1973, pág. 577).

Link emplea el término «indeterminación aparente» para la indeterminación que Iser supone característica de los textos literarios y la considera «un universal de la teoría de la comunicación» que es también verdad para la comunicación literaria. Tras su sugerencia subyace la noción de que este tipo de indeterminación es el principio capaz de ser transformada en determinación mediante la reconstrucción del código del emisor.

La cuestión de si Iser pertenece al viejo o al nuevo paradigma habría que responderla de manera muy reservada. Las interferencias en la obra de Iser, como ha señalado Link, quizá indican que el cambio de paradigma, en el sentido de cambio revolucionario de modelos conceptuales, es realmente un fenómeno muy raro en la investigación literaria —si es que ocurre alguna vez. Por eso mismo, dentro de una continuidad asumida de la tradición escolar, un cambio de perspectiva tal como lo encontramos en el concepto de Iser de *Appellstruktur*, es ciertamente de gran significación.

Es notable que el mismo Jauss en una de sus publicaciones más recientes niegue que la metodología de la estética de la recepción proporcione un nuevo paradigma, aunque se hubiese podido pensar otra cosa después del interés profundo que su método despertó. Después de que el método de Jauss conmocionó a la crítica no sólo en cuestiones de detalle sino en su posición política (de hecho pareció tradicional a los teóricos literarios marxistas y sospechosamente progresiva a los burgueses) éste ha contrapuesto a las aspiraciones totalizadoras de ambas teorías (materialista e idealista) la «parcialidad» de la estética de la recepción: «La estética de la recepción no es una disciplina autónoma, axiomática, capaz de resolver todos los problemas; es más, es sólo una reflexión parcial sobre un método que está abierto a las adiciones y dependiente de la cooperación con otras disciplinas» (Jauss, 1973, pág. 31).

Jauss trata de algunos puntos de su teoría que él considera débiles y faltos de corrección. Uno de ellos es su concepto de tradición que él identifica simplemente con la recepción o asimilación del pasado. Pero, puesto que es necesario distinguir entre adaptación consciente y asimilación pasiva (institucionalización latente) Jauss propone introducir la selección como condición de la tradición: «La tradición presupone *selección* pues el efecto del arte pasado llega a ser reconocible en la recepción contemporánea» (Jauss, 1973, pág. 37).

Además de esto introduce un concepto suplementario: el de actualización, es decir, «la mediación consciente del significado pasado y presente». Requisito indispensable para ello es el análisis del proceso que tiene lugar entre la obra recibida y la conciencia receptora. Como ejemplo de tal proceso cita cuatro concreciones históricas de la *Ifigenia* de Goethe de la que una, la más ecléctica, ha llegado a ser la decisiva y es la que ha asimilado la conciencia moderna; de esta forma la posible concreción «emancipadora» queda fuera de consideración.

Más adelante incluso plantea críticas a su famoso «horizonte de expectativas». Dichas críticas van directamente contra la falta de diferenciación sociológica en el concepto, su carácter intraliterario y su énfasis en la destrucción de las normas. Jauss admite la posibilidad de diferenciación sociológica, pero mantiene firmemente la peculiaridad de la experiencia estética, que precisamente a través de dicha particularidad, es capaz de tener influencia en la vida social; de esta forma, se coloca en una posición muy cercana a Mukarovsky. Metodológicamente hablando, la teoría de Jauss era menos vulnerable que la de Iser, pero a causa del aspecto valorativo incluido en ella desde el comienzo (nuestro interés posible en el arte del pasado es una cuestión de valor) desembocó por fuerza en una discusión ideológica.

* * *

Después de esta exposición metodológica de constantes y variables en el estudio de la recepción, haremos ahora un breve panorama crítico de dicha corriente. Pero sólo consideraremos los estudios analíticos de la recepción que incluyan reflexiones sobre metodología en el sentido antes descrito, pues existe un gran número de análisis de la recepción que contienen en sus investigaciones un material considerable de reminiscencias e influencias, pero que no hacen referencia explícita a los problemas de la teoría de la recepción, en parte porque presupone la discusión que hemos descrito ya.

Nuestra selección se ha hecho con los siguientes objetivos: Tendrá que haber un ejemplo de estudio *histórico* de la recepción. Después un análisis *empírico* de la recepción de un texto contemporáneo para contrastarlo con un estudio, también de una obra contemporánea que postula un *lector implícito.* Finalmente analizaremos un trabajo que roza cuestiones *políticas* y *sociales.*

Estudio histórico de la recepción

En Alemania ha sido sobre todo un grupo de profesores de la Universidad de Konstanz (Escuela de Konstanz)* el que se ha distinguido en la aplicación práctica de la teoría de Jauss y ha publicado parte de sus resultados en la serie titulada *Poetik und Hermeneutik.* Como se ve, el título de la serie indica su orientación hacia las estructuras de la obra literaria y las condiciones de su comprensión. Sacaremos nuestros ejemplos del volumen de 1971 titulado *Terror und Spiel: Probleme der Mythenrezeption* [Terror y juego: problemas de la recepción de los mitos]. El tema de la reunión cuyas comunicaciones y discusiones se compilaron en este volumen es ejemplar para la *historia de la recepción.*

---

* *Vid.* los trabajos de los discípulos de Jauss, Hans Ulrich Gumbrecht, Hugo Kuhn y Rof Grimminger recogidos en el colectivo *La actual ciencia literaria alemana,* Salamanca, Anaya, 1971. [*N. del T.*]

En las palabras de introducción Fuhrmann se pregunta: «¿Cuál es la función, cuál es la realidad (...) de lo 'mítico' en esta época nada mítica?» Entonces el énfasis recaerá más sobre la función de mito que en la cuestión tradicional del origen de los mitos, la oposición mito *versus* tiempos no míticos es el denominador común del volumen y de ella se derivan otras oposiciones. El mito se considera en oposición a dogma (H. Blumenberg) pues la libertad del mito aparece como un impulso antidogmático. El mito está también en oposición a la alegoría (H. R. Jauss). Jauss habla de que la alegoría es una reducción de lo mítico. Otra oposición es la de mito y estética y en este caso se trata del uso de los mitos tradicionales únicamente para propuestas estéticas en detrimento de su intención mítica. Una posible oposición sería la que se da entre la creación de nuevos mitos y la reactualización de los viejos. Incluso los mitos clásicos guardan una relación de oposición con los cristianos y, como oposición general, la repetición se coloca en relación recíproca con la variación.

Las oposiciones binarias citadas indican que en algunas contribuciones al volumen el método estructuralista está hermanado con el problema histórico. No se hace un intento de tratar con exhaustividad hechos individuales; más bien se describen y analizan en términos de relaciones recíprocas. El cambio se ve como el resultado de relaciones cambiantes. Striedter ilustra esto en su contribución sobre el «nuevo mito» de la revolución en la poesía de Maiakovski en el que describe el proceso de recepción de esta manera:

> Los traspasos de un mitema de un sistema a otro suponen al tiempo reducción y generalización de su potencial significativo tradicional. La primera reducción tiene lugar en el mismo momento en que se separa del canon del «viejo mito» (por ejemplo, Cristo como figura separada del Dios trino). Entre las muchas posibilidades significativas que quedan, se da una concentración que se centra en los significados que son fundamentales para la transferencia a un nuevo sistema (Striedter, 1971, pág. 415).

Striedter intenta comprender el cambio diacrónico de las estructuras míticas marcando la transposición de Cristo «desde el mundo religioso-metafísico de las ideas a la revolución secular y socio-política.

Estas contribuciones sobre el mito hubieran ganado en claridad metodológica si se hubiera empleado una terminología semiótico-estructuralista, que, por cierto, Striedter usa en gran medida. A causa de este problema, el volumen en conjunto queda menos unificado que lo que podría suponerse en su breve presentación. Nuestro resumen, con el énfasis en las oposiciones binarias, puede crear la impresión de una consistencia que difícilmente encontrará el lector.

ESTUDIO EMPÍRICO DE LA RECEPCIÓN

Text und Rezeption (1972), estudio de la recepción de la poesía lírica —en particular de *Fadensonnen* * de Paul Celan— por parte de Werner Bauer y otros es un ejemplo de análisis de la recepción contemporánea más bien que histórica. Esta diferencia tiene una consecuencia importante: el estudio de la recepción se puede llevar a cabo con un método empírico (por medio de cuestionarios) y se puede contar con un público lector de la extensión que se desee. Al contrario del análisis de la recepción histórica, no hay una influencia tan directa del sistema literario. Es más, se puede utilizar como dato la influencia de la experiencia vital del lector, y, por supuesto, es en cualquier momento verificable científicamente (Bauer, 1972, página 21). Partiendo del modelo de la comunicación, los autores trabajaron con los siguientes conceptos teóricos: $Texto_1$ o texto primario, que se corresponde con el artefacto de Mukarovsky; $Texto_2$ o metatexto, que es el equivalente del objeto estético de Mukarovsky. Tanto el proceso de recepción y el $Texto_2$ que resulta de dicho proceso, están condicionados por la relación entre el $Texto_1$ y el horizonte de expectativas del lector (o grupo de lectores) en el momento de la lectura. Los componentes de este horizonte de expectativas son: 1) la experiencia lingüística; 2) experiencia particular en la lectura de textos, en especial textos literarios, y 3) experiencias individuales (emocionales, sociales y culturales).

El tipo de lector que emplea este estudio no es el lector ideal, ni el especialista en literatura sino el lector medio que satisface el mínimo requerido. Se postula la «multivalencia» *(Multivalenz)* como crítico de la especificidad de la literatura, es decir, «una multiplicidad de hilos de sentido dentro del texto, que varían, contrastan y, hasta cierto punto, se excluyen mutuamente y que están en base de igualdad en lo que a validez se refiere» (Bauer, pág. 12). De nuevo nos encontramos el criterio de la apertura fundamental de los textos literarios (como

* Este libro de poemas se publicó en Frankfurt en 1968. El análisis, pues, se realizó muy poco tiempo después. Hay que añadir que la poesía de Celan es particularmente hermética. [*N. del T.*]

ya vimos en Iser y otros) que forma la base para el concepto y el proceso de la recepción. En el análisis de *Fadensonnen* se llevaron a cabo diversas, pero no ilimitadas, actualizaciones: «Los componentes significativos reales y potenciales contenidos en el $Texto_1$ proporcionan al lector diferentes, pero no ilimitadas, posibilidades de respuesta y de actualización del texto. Todos los procesos que pone en marcha el lector tienen lugar dentro de las pautas de significado que proporciona la estructura textuales.»

De entre el corpus teórico de la recepción, estos autores seleccionan a Riffaterre y a Jauss para establecer su propia posición. Del primero escogen su ya citado estudio «Describing Poetic Structures: Two Approaches to Baudelaire's 'Les Chats'» (1966) en el que Riffaterre critica el trabajo de Jakobson y Lévi-Strauss sobre la misma composición (1962). Este grupo considera el estudio de Riffaterre como un análisis de la recepción opuesto al descriptivo de los dos estructuralistas. Mientras éstos concentran su atención en el mensaje, el autor francés lo hace sobre la respuesta por creer que falta en el análisis de aquellos la participación del lector y por tanto hay una reducción del texto. Como hemos visto en el capítulo III, la ironía de Baudelaire no se puede determinar por un cuidadoso análisis del principio de equivalencia, pues presupone una experiencia en la lectura de textos literarios. Bauer y su grupo adoptan el método de Riffaterre aunque no comparten con éste su concepto de «superlector» [13]. Más bien trabajan con un lector medio que satisfaga «los requisitos mínimos de competencia lingüística y capacidad receptiva».

En contraste con Jauss, los autores se restringen a un acercamiento simplemente sincrónico y tienen en cuenta los múltiples componentes de la expectativa, y, en particular, las expectativas personales del lector. En los estudios de Jauss de la recepción histórica por otra parte, la expectativa determinada por la literatura es un dato de primera magnitud. Dicho acercamiento histórico depende de una accidental y posible tradición

---

[13] Sobre el concepto de «superlector» de Riffaterre véase Roland Posner (1972). Posner evalúa las ventajas y desventajas de las dos posibilidades: descripción del signo portador de significado (interpretación estructuralista) y el análisis de la recepción tal como la concibe Riffaterre. Si la primera puede evitar las fuentes de los errores de la segunda (multivalencia, vaguedad, verificabilidad mínima e imprecisión teórica) el análisis de la recepción, por el contrario, ofrece la posibilidad de determinar el valor literario y las condiciones para escribir la historia literaria.

incompleta, lo cual constituye un factor adicional de imprecisión (Bauer, 1972, pág. 23).

El experimento de Bauer y su equipo se llevó a cabo de la siguiente manera. Se entregó un poema breve de Paul Celan a varios grupos de lectores y se suponía que estos iban a hacer un análisis semántico, basado por un lado en la asociación libre y por otro en las respuestas sobre notas diferenciales semánticas (Osgood) dadas en el cuestionario. Además había algunas preguntas para comprobar la experiencia literaria del lector. Los resultados fueron ciertamente sorprendentes. En el llamado dominio microsemántico se dieron asociaciones que, en cuanto constantes de recepción, se mantuvieron fijas en grupos social y educacionalmente diferentes. Sólo en el proceso siguiente de los estímulos verbales, donde cuentan razones afectivas y subjetivas (dominio macrosemántico) se mostró la multivalencia del mundo y del texto: «Durante este proceso en el que el lector pone en actividad el área de connotaciones buscando una idea central, tiene lugar la decisión macrosemántica del lector» (Bauer, 1972, pág. 219). Queda claro, pues, que las diferentes interpretaciones del texto no se pueden reducir a un esquema unificado de valor universal. Se pueden señalar tres grupos principales de interpretaciones: 1) evocación de imágenes; 2) interpretación desde una perspectiva dinámica, y 3) un acercamiento antropológico a la interpretación con componentes metafísicos. El lector, cuando elige una determinada interpretación, en general sabe que hay otras además de la suya que no son menos correctas. El concepto de horizonte de expectativas con respecto al sistema literario, importante en el análisis de la recepción histórica, se revela menos potente cuando se trata de una obra contemporánea, pues el conocimiento o no de los poemas de Celan desempeñó un papel decisorio.

La validez del análisis de recepción de «Fadensonnen» se muestra en la limitación exacta de sus objetivos y en la búsqueda coherente de los mismos; igualmente en el intento de aportar una cooperación interdisciplinar dentro del área de la recepción literaria. Posiblemente esta manera de hacer podría estimular la didáctica de la literatura. Por lo demás es ejemplar en la explicación de sus conceptos, aun sin excluir los posibles errores en la formulación del cuestionario o en el registro del potencial semántico [14].

---

[14] Desde otro ángulo comparable se ha llevado a cabo una investigación en el campo de la recepción del arte por el sicólogo D. E. Berlyne, 1971 y 1974. [Aunque la bibliografía aumenta en estos

Otro tipo de estudio de la recepción lo constituye el libro de Georg Just (1972) sobre *Die Blechtrommel* [El tambor de hojalata] de Günter Grass. Común a los estudios sobre Celan y Grass es la eliminación de la distancia histórica a causa del carácter contemporáneo del material seleccionado. En contraposición al experimento de Bauer, Just señala que el elemento de la recepción que le interesa en su estudio es la cuestión de si *El tambor de hojalata* hace surgir en el lector un «conocimiento crítico». «Crítico» aquí significa ir más alla del horizonte de expectativas del lector y rehusar el afirmar el *status quo* social y político. Otro contraste con el análisis sobre «Fadensonnen» es el interés de Just en descubrir la «intencionalidad del texto literario» más que la recepción factual que se puede determinar de forma empírica.

Los fundamentos teóricos de Just hay que encontrarlos en Iser, Jauss, Schaff, Mukarovsky y Sklovski. Aunque adopta el concepto de indeterminación de Iser, critica a este autor el localizar exclusivamente en el texto las condiciones de la recepción, puesto que «las estrategias sólo se pueden entender con relación al horizonte de expectativas del lector determinado histórica y socialmente» (Just, 1972, pág. 16). Y en este método no cuentan las experiencias individuales, sino sólo «los valores que son comunes y específicos a cierto grupo social, los cuales permiten la construcción del horizonte de expectativas del lector» (1972, págs. 19-20).

Just imputa a Iser el desprecio de la concreción histórica del proceso de recepción y el desconocimiento de que el texto no siempre produce de la misma manera la respuesta del lector. Cree este autor que es mucho más idónea la teoría de Mukarovsky que la perspectiva fenomenológica de Iser y la hermenéutica de Gadamer; pero este juicio lo lleva a contradicciones: en un principio había centrado su investigación sobre la «intencionalidad» del texto literario —no lejos de la postura de Iser— pero cuando sigue a Mukarovsky y a su concepto de «conflicto de sistemas de valor» llega a una posición que transciende la intencionalidad del texto. Ofrece lo que, en nuestra opinión, es un compromiso inadecuado, construye un público lector que es un grupo determinado de contemporáneos del autor; este público tiene que tener a su disposición actitudes que «*a priori*» son contrarias a las ofrecidas por la perspectiva

últimos años hay que destacar por su importancia Rainer Warming, ed., *Rezeptionsästhetik,* Munich, Wilhem Fink, 1979. *N. del T.*]

narrativa». (Just, 1972, pág. 48). Entonces Just construye su grupo de lectores basándose en una interpretación de *El tambor de hojalata* y llega a la conclusión de que en la estructura de la novela se encuentra un conflícto del sistema de valores de lo que se deduce «lógicamente» que hay un público con actitudes «contrarias». Asume el horizonte de expectativas del pequeño-burgués y entonces, al lector que no sea precisamente un pequeño-burgués le ofrece esta solución: lo que hace es disimular durante la lectura las actitudes pequeño-burguesas.

Falta, pues, una base empírica sobre ese grupo de lectores. En último término los personajes de la novela se convierten en lectores. En consecuencia la interpretación de Just, aun conteniendo méritos de sobra, deviene tan «formalista» como la de Iser que él mismo critica. Tampoco es consistente su critica a Jauss, dado que no existe distancia histórica en el caso de *El tambor de hojalata*. Más sentido tenía la crítica a Jauss por parte de Bauer y su grupo, pues estos dan preferencia al lector empírico en lugar de realizar una reconstrucción histórica.

De entre los estudios teóricos que forman la base del estudio de Just, destacan los de Viktor Sklovski y Adam Schaff. Como punto de partida emplea la idea de Sklovski de que la percepción «automática» significa la identificación del signo lingüístico y del referente o al menos que «se borra la consciencia de la discrepancia entre ambos». Considera el estereotipo (Schaff) como el tipo más completo y peligroso de percepción «automática» y por eso en su interpretación de *El tambor de hojalata* centra su atención en el efecto alienante de los estereotipos. Al igual que la interpretación de Iser, el estudio de Just constituye la reacción del lector experimentado y del profesor de literatura que puede utilizar su carga de conocimiento del sistema literario y los fundamentos teóricos adquiridos. Tal lector es de interés a veces en la teoría de la recepción, pero tiene poco en común con el «horizonte de expectativas pequeño-burgués» del supuesto lector del que habla Just y al que se le nota demasiado forzado en ese esquema.

El acceso político-social

El estudio de Durzak sobre otra novela de Günter Grass: *Oertlich Betäubt* [Anestesia local] difiere del de Just en que no trata de cuestiones de interpretación textual (Durzak, 1971). Este autor yuxtapone dos actitudes críticas diferentes hacia el mismo texto y revela los distintos presupuestos que subyacen a dichas opiniones. Tales presupuestos son de tipo socio-político y reflejan tradiciones culturales diferentes. Cuando contrasta las reacciones en Alemania y América ante *Anestesia local,* Durzak llega a las siguientes conclusiones: la actitud de los críticos alemanes está condicionada en gran medida por la «imagen» de Grass. Después de haber colocado al autor en un pedestal difícilmente pueden llegar a una valoración imparcial de una novela individual. Su juicio, sin embargo, está influenciado por su conocimiento de los procesos socio-políticos. Conocen perfectamente que en esa obra se describe un problema político serio como si fuera una revuelta cómica. La valoración negativa de *Anestesia local* entre los críticos alemanes cambia por completo en la recepción de los americanos que conocen la novela un año después cuando se traduce al inglés. «Mientras los alemanes a causa de su conocimiento de los acontecimientos políticos nacionales consideran la 'Balada del Tejón' una simplificación del tema político, los americanos interpretan la historia desde el principio de una manera no literal; para ellos es un retrato velado, en forma de parábola, de acontecimientos políticos internos aplicables a América» (Durzak, 1971, pág. 498). Durzak señala que tanto en la interpretación alemana como en la americana es el contenido y no la forma el que prevalece; por eso concluye que una estética de la recepción que investigue las condiciones del juicio crítico, tiene que tener en cuenta el dominio de la conciencia social y política.

Observaciones finales

Intentaremos ahora hacer un balance, tras haber presentado algunas consideraciones teóricas y unos ejemplos prácticos. Los puntos de partida teóricos de los estudios de la recepción permiten aplicaciones diferentes. Al menos idealmente cabe esperar una convergencia de la investigación sistemática e histórica. En lo que respecta a la teoría habrá que determinar necesariamente en qué medida hay que aceptar una estructura «objetiva» de los textos. Por otra parte el «interés» (subjetivo o colectivo), que es esencial en los estudios de la recepción, no pueden servir de fundamento teórico, aunque no puede ser eliminado. Desde la teoría de la recepción, no es aceptable que el análisis de la estructura de la obra sea el objetivo final de la investigación. Esto no quiere decir, que la estructura, el artefacto, no tenga que ser tratado al menos como una entidad supuesta. Las diferentes concreciones (lecturas) serán objeto de investigación literaria sólo en la medida en que estén justificadas por las propiedades de este texto. Si se acepta que el artefacto es una entidad verificable, se alcanza —sin pretender derivar de él demandas normativas— un fenómeno susceptible de análisis que se puede situar en correlaciones más extensas. Umberto Eco describe desde una perspectiva semiótica, la estructura «objetiva» en su relación con el mensaje y el código. La estructura básica esta «vacía», pero en su «vaciedad» representa la «disponibilidad de un conjunto significante que todavía no se ha clarificado mediante códigos que yo selecciono para que converjan en el mensaje». «Vaciedad» se emplea aquí metafóricamente; no quiere decir que se renuncia a un fundamento objetivo. El trabajo del profesor de humanidades, que pone en correlación código y mensaje debería consistir en la «determinación del *código cultural* en relación al cual puede investigar cómo se estructura *cada mensaje* así como las variaciones a que somete el cambio de mensaje en el tiempo y en el espacio a los sistemas de convenciones culturales» (Eco, 1972, pág. 418). La tarea especial de la crítica literaria aparece clara si cambiamos en esta última cita el término «mensaje» por el de «texto literario». Se puede estudiar, pues, qué elementos de la obra literaria aparecen como dominantes como resultado de un código que en ese momento prevalece y qué otros elementos aparecen como esbozados o incluso completamente ocultos (Ingarden).

Mencionaremos un ejemplo para aclarar esta postura. En la época en que se sintió plenamente el impacto del *Zarathustra* de Nietzsche, resultó, a causa del sistema preponderante de normas tanto estéticas como ideológicas, la siguiente jerarquía: el concepto de *der neue Mensch* (nuevo hombre)/Jugendstil (modernismo) (elemento estructural 1) aparece como dominante, la parodia bíblica (elemento estructural 2) recortada en perspectiva, y el aforismo (elemento estructural 3), oculto. Mientras tanto el sistema literario experimentó un considerable «crecimiento cuantitativo». En efecto, lo primero que siguió fue el expresionismo y después —y esto es lo relevante para nuestro ejemplo— aparecieron las obras de Thomas Mann. Se pueden considerar como los elementos más importantes de la obra de Mann las dicotomías ensayismo/aforismo e ironía/parodia. Lo que hay en dicho autor de Jugendstil y reminiscencias bíblicas hay que someterlo al principio paródico. En *Zarathustra* el Jugendstil y el principio irónico/paródico se encuentran en paralelo y en transición (lo que provocó el oscurecimiento de dichos elementos y produjo la etiqueta de «obra desequilibrada»).

En la obra de Thomas Mann, por el contrario, el Jugendstil queda integrado mediante el elemento irónico/paródico predominante. La lectura de su obra se estimula a medida que se acentúa este elemento estructural y el lector se siente obligado a reconocer un estilo irónico. Hay que añadir que Mann, a quien Nietzsche influyó grandemente, desempeña a su vez un papel importante en la interpretación de Nietzsche. Con la experiencia enriquecedora que resulta del conocimiento de la obra de Thomas Mann, el mismo objeto —*Zarathustra*— aparece bajo una perspectiva diferente. Ahora los componentes irónico/paródicos quedan claros y llegan a ser los dominantes; la parodía bíblica se torna evidente; la dicotomía *nuevo hombre*/Jugendstil se oscurece. Como se ve, estamos tratando de uno de los factores que Ingarden enumera cuando habla de la modificación de las concreciones de una obra de arte, que no es otro que un individuo con poder de influenciar que concretiza conscientemente una obra literaria y guía las concreciones (lecturas) de otros (Ingarden, 1931, pág. 371).

La presunción de que el artefacto es una entidad verificable implica, como ha observado correctamente Jauss, que la obra individual de arte, aun en el caso en que ofrezca de manera explícita una pluralidad de sentidos, sólo permite la elección de determinadas posibilidades a costa de las otras (Jauss, 1973, pág. 37). Pero ello no excluye la eventualidad de que las futuras generaciones dejen de formular preguntas a *Zarathustra* e incluso que temporalmente o durante mucho tiempo la obra caiga en el olvido. Las viejas cuestiones, y citamos a Jauss, nunca se plantean ellas mismas; son los lectores los que las llevan al texto.

Capítulo VI

Perspectivas futuras de investigación

> *Sobre la historia de la ciencia hay que tener en cuenta dos cosas: una es que sólo quien entiende la ciencia (es decir, los problemas científicos) puede entender su historia, y otra que sólo quien tiene un conocimiento real de su historia (la historia de su situación) puede entender la ciencia* (K. Popper, 1972b).

En los capítulos precedentes hemos expuesto las teorías más vivas de la literatura, incluidos sus resultados en los años recientes. Ahora vamos a avanzar una etapa más para valorar la situación presente y ver las posibilidades futuras de investigación. Al hacerlo así, aparecerán más acentuadas nuestras convicciones presonales. Quizá el lector que tenga que proyectar su propia vía de investigación esté interesado en nuestro juicio de las variadas posibilidades que ofrecen las publicaciones recientes y su compatibilidad mutua.

El mundo de la ciencia y, dentro de él, el estudio científico de la literatura se ha ampliado enormemente en las últimas décadas. Sostenemos que únicamente mediante la cooperación combinada con una inteligente división del trabajo podrá progresar el estudio de la literatura. Con todo, cualquier tipo de cooperación científica ha de tener lugar dentro de un ámbito bien definido. Como se habrá colegido por los capítulos que preceden, nuestra experiencia nos dice que los elementos importantes para determinar estos ámbitos los puede proporcionar la semiótica y la teoría de la recepción. Pero ¿en qué medida son compatibles estas dos corrientes? ¿Hay, como ha afirmado Segers (1975) un «escalón lógico» desde la estética de la recepción a la semiótica? Para responder a esta cuestión habría que desentrañar los fundamentos epistemológicos de ambas escuelas, sus concepciones del signo y de la literatura y su capacidad de conectar con otras ciencias dentro de una labor interdisciplinar.

El reconocimiento impropio de la autonomía del texto literario y sus corolarios, la demanda de la verdad superior del poeta y la asimilación enfática de esta verdad por parte del intérprete, es algo que difícilmente se encontrará en las publicaciones más recientes. La convicción tradicional de que la literatura tiene un función cognitiva y comunicativa ha pasado de nuevo a primer plano y ha liberado al texto literario de su aislamiento artificial. A la literatura se le ha asignado un lugar más relativo, pero al mismo tiempo más relevante, en tanto forma peculiar de organizar el universo semántico y, por tanto, se ha aceptado de nuevo como parte de un proceso cognitivo mucho más extenso. Por eso mismo, están justificados los intentos de acrecentar nuestros conocimientos literarios mediante la investigación científica. Pero ciertamente, esta posición entraña una extensión del área del interés de los estudios literarios. El estudioso de la literatura tiene que tener acceso a disciplinas afines en la organización sistemática del universo semántico: lingüística, historia, sociología, filosofía y antropología.

El desafio de la semiótica

La lengua tiene una importante función a la hora de adquirir y comunicar conocimientos. En lo que se refiere a la relación entre significado y significante, se ha aceptado la idea de que el significado representa una simplificación esquemática de un complejo estado de cosas. La consciencia de la imperfección del lenguaje se refleja en la crítica de poetas y filósofos tales como Bergson y Nietzsche (Kunne-Ibsch, 1972). Pero el carácter fundamentalmente esquemático ha justificado también la tentativa —con algunas esperanzas de éxito— de construir modelos explicativos que de la misma forma contienen simplificaciones esquemáticas [1].

Si prevaleciese la intención de preservar la complejidad extrema del significado, se perjudicarían en ciertos casos las posibilidades de comunicar conocimientos. Por otra parte, si se enfatiza la simplificación lingüística, como resultado de la

[1] Cfr. Eimermacher (1973) y Klaus (1969); en particular este último, *s. v. Modell.*

construcción de modelos científicos abstractos, se reducen drásticamente las posibilidades de expresar nuevas experiencias. Este último caso puede producir una objetivación aparente de la realidad que impediría percibir el papel de la creatividad humana. De cualquier forma la comparación y la comunicación de hechos sólo son posibles mediante la abstracción a partir de fenómenos individuales y a través de la convivencia y la estandarización. No hay un lazo natural entre signo y concepto. La relación predominante *simbólica* entre significado y significante aparece como resistente y flexible al mismo tiempo [2]. Por otra parte, una comunidad lingüística preserva sus signos convencionales durante un largo periodo de tiempo y por otro puede adaptar dichos signos a situaciones sociales y culturales particulares (por ejemplo, la gran cantidad de palabras para designar la nieve en esquimal).

La semiótica recientemente ha mostrado un profundo interés en la producción de signos por parte de las comunidades lingüísticas y culturales. A diferencia del concepto de signo de Saussure —que es más estático— y del concepto de semiótica de Peirce —que es taxonómico— Umberto Eco se propone expresar el carácter dinámico del signo en su *Theory of Semiotics* (1976) y explica su posición epistemológica por medio de una comparación. El objeto de la semiótica puede asemejarse, bien a la superficie del mar en donde la estela de un barco desaparece tan pronto como ha pasado, bien a un bosque en que los carriles o pisadas han hecho modificaciones más o menos perdurables.

Eco considera la tarea del semiótico como bastante semejante a la del que explora un bosque y quiere centrar su atención sobre las modificaciones del sistema de signos. Esto le lleva a reemplazar el concepto de signo por el de función sígnica. Una «unidad de expresión» puede estar relacionada con diferentes «unidades de contenido». En el caso de la palabra inglesa *plane,* Eco observa tres funciones sígnicas: «garlopa», «nivel» y «aeroplano» y concluye que «un signo no es una entidad semiótica fija sino más bien una confluencia de elementos independientes (provenientes de dos sistemas diferentes de dos planos diferentes [expresión y contenido] y un encuentro basado en la correlación codificante)» (Eco, 1976, pág. 49).

---

[2] La palabra *simbólico* se entiende aquí referida a «una relación aprendida entre signans y signatum». Esta conexión «no depende de la presencia o ausencia de alguna semejanza o relación física» (Jakobson, 1965, pág. 24).

La función sígnica es el resultado de la interacción de varios códigos: «Los códigos proporcionan las condiciones de intercambio complejo de funciones sígnicas» *(Ibíd.,* pág. 56). Según Eco, el sistema de reglas, que es lo que es el código, está compuesto por una jerarquía compleja de subcódigos de los que algunos son fuertes y estables mientras otros son débiles y pasajeros. Los emparejamientos connotativos pertenecen a este último grupo. Los colores rojo y verde de las señales de tráfico tienen un significado establecido por una convención internacional y forman parte de un código «fuerte». Por otra parte las luces rojas y verdes tienen un significado de connotación débil de «obligación» en contraposición a «elección libre». Algo parecido puede decirse del nombre Napoleón. Denota una unidad cultural bien definida que tiene su lugar en el campo semántico de los datos históricos. Pero además, a este nombre particular le han atribuido las diferentes culturas una gran variedad de connotaciones. Eco cree que «el código no es una condición natural del universo semántico global ni tampoco una estructura estable que subyace al complejo de lazos y ramas de todo proceso semiótico» (pág. 126). Por todo lo cual, según Eco, la investigación semiótica tiene que trabajar con los signos en cuanto «fuerzas sociales» (página 65).

Para explicar la expansión y renovación de los códigos, Eco recurre al concepto de Peirce de «abducción». Esta es una especie de reacción provisional a hechos y situaciones que no han sido codificados o cuyo código no es accesible al receptor. Eco observa que «un contexto no codificado constantemente, interpretado como ambiguo, da lugar, si es aceptado por la sociedad, a una convención y después a un emparejamiento codificante» (pág. 132). Esto es lo que origina el principio de flexibilidad y creatividad del lenguaje. La relación mutua entre código y mensaje, mediante la cual los códigos controlan la emisión de mensajes y los nuevos mensajes pueden reestructurar los códigos, constituye la base del doble aspecto del lenguaje: la creatividad condicionada por las reglas y la creatividad para cambiar dichas reglas. Una vez establecido el carácter arbitrario y convencional del signo lingüístico, la literatura (al menos en Europa y América) al emplear principios organizadores específicos, representa fenómenos complejos y no sólo objetivos, que permiten una respuesta flexible. Por ello los textos literarios son particularmente idóneos para ser estudiados en relación con el concepto de código de Eco y, en particular, con su noción de «emparejamiento codificante».

La flexibilidad de aplicación de esta teoría al campo de la literatura resulta clara a partir del concepto de «supercódigo», es decir, el proceso por el que se producen significados adicionales como resultado de la convergencia de varios códigos en un elemento particular. Algunos casos de estos son la convergencia e interferencia o ambas de la estilística retórica o de códigos iconológicos en el código lingüístico. Como ya se ha dicho, Lotman ha trabajado sobre la convergencia de varios códigos mezclados en los textos literarios.

La restricción metodológica que caracteriza ya la edición italiana (1968) de la *Einführung in die Semiotik* (1972) de Eco, se repite con gran énfasis en su *Theory of Semiotics:* la cuestión de la verdad se excluye del campo de interés de la teoría semiótica. Eco rechaza el concepto de Frege de significado y prefiere investigar el *contenido* de una expresión y no su referente, es decir, el objeto a que se refiere la expresión; la verdad y falsedad son, sin duda, diferenciaciones importantes, pero pertenecen al ámbito de los problemas anteriores o posteriores a la semiótica.

Por eso Eco rechaza lo que él llama «falacia referencial» y dejando de lado la extensión del significado, postula una «semántica intensional» (Eco, 1976, págs. 58-59). No le interesa, sin embargo, el análisis del orden intrínseco de los elementos semánticos (como hicieron, por ejemplo, los seguidores de New Criticism) sino que más bien coloca el mensaje de su contexto cultural, de forma que contempla el contenido semántico como *unidad cultural.* Las expresiones «estrella matutina» y «estrella vespertina», que tienen el mismo *denotatum,* implican dos convenciones culturales diferentes.

Después de haber excluido de la teoría semiótica el referente, Eco incluye los textos literarios y el discurso ideológico (que comunica «mundos imposibles») entre los objetos que la semiótica debe tratar. En el estudio de la literatura hay la ventaja de que el texto literario no está aislado de otros textos —por tanto, cuenta con entes no existentes como el unicornio o Mefistófeles. Se puede considerar la literatura como parte de la cultura y la cultura se puede definir como la manera específica en que se divide el espacio semántico. La obra de Lévi-Strauss proporciona ejemplos de tales divisiones mediante oposiciones semánticas.

Como consecuencia de la eliminación del referente como correlato factual, Eco retoma el concepto de Peirce de signo icónico [3]. Como signo motivado y no arbitrario, el signo icónico representa las condiciones de percepción de un objeto, pero no el objeto mismo: dichas condiciones están determinadas por la convención cultural. A este respecto se refiere la obra *Art and Illusion* de E. H. Gombrich (1960) que es también una fuente de inspiración de la teoría de la recepción alemana.

Eco representa, pues, una rama de la semiótica que tiene mucha influencia en el campo de los estudios literarios. Resulta de nuestro breve repaso a su obra más reciente un creciente énfasis sobre el papel activo del emisor y del receptor en tanto miembros de una comunidad cultural. Esto no quiere decir que en el inmediato pasado toda la investigación sobre la naturaleza de los signos lingüísticos se centrase en los aspectos estáticos y lógicos. Ello no sería cierto en el caso de Edmund Husserl cuyas *Logische Untersuchungen* (1900) han servido de base para muchos trabajos humanísticos. Habría que recordar que Husserl, en su búsqueda de la universalidad de los significados y de la gramática universal, tuvo que llegar a un acuerdo con las expresiones subjetivas casuales, que son las expresiones cuyo significado depende de la ocasión y de la situación así como del hablante [4].

Diferentes de las casuales, las expresiones teóricas y matemáticas son independientes del contexto situacional y podrían denominarse «objetivas». Husserl propone la cuestión de si la existencia de expresiones casuales con múltiples significados interfiere con la idealidad de los significados. Su respuesta es que en las expresiones casuales los significados no cambien (Husserl, 1901, II, i, pág. 91). Según esto, se está muy cerca del campo de interés de Eco. Tanto en su obra anterior como en su *Theory of Semiotics,* Eco propone investigar en qué medida en la fenomenología de la percepción es compatible el concepto de significado con la noción semiótica de unidad cultural. «Una relectura de la discusión de Husserl a esta luz nos inducirá a afirmar que el significado semiótico es simplemente la codificación socializada de la experiencia perceptiva» (Eco, 1976, pág. 167).

[3] Jakobson explica el concepto de icono de Peirce así: «El icono actúa principalmente por semejanza factual entre su *signans* y *signatum,* es decir, entre la pintura de un animal y el animal pintado; el primero representa al segundo 'sencillamente porque se relaciona con él'.» (Jakobson, 1965, pág. 23.)

[4] Cfr. Husserl, 1901, II, i, pág. 81.

El punto crucial en las observaciones de Eco es la unidad cultural codificada, que parece ser una abstracción de la experiencia, pero, ¿puede inducirnos la experiencia perceptiva subjetiva y su papel en la constitución del significado a trazar una metodología diferente de las ciencias deductivas y naturales? Si así fuese, estaríamos de nuevo ante la antigua separación de ciencias y humanidades que niega a estas últimas el recurrir al «método científico». ¿Sería posible para un individuo formular hipótesis verificables sobre las experiencias perceptivas de otros individuos? Si ésta última respuesta fuese afirmativa, las humanidades pueden demandar un método científico.

El problema se ha venido discutiendo dentro del ámbito de la metodología del estudio de la historia. En los capítulos precedentes el racionalismo crítico de K. Popper ha servido de punto de orientación. Nos referiremos aquí también a sus observaciones sobre el estudio de la historia. No nos debe confundir el rechazo de Popper del «historicismo» en su obra *The poverty of Historicism,* publicada originalmente en 1944-1945. Su definición del término parte del historicismo o relativismo histórico refundido por Friedrich Meinecke y otros historiadores alemanes (como vimos en el capítulo primero). La crítica de Popper del «historicismo» no implica un rechazo del relativismo. Este autor lo explica como un método de las ciencias sociales que presupone que la *predicción histórica* es su principal tarea y proclama que este objetivo es posible descubriendo los «ritmos» y «pautas», las «leyes» y «corrientes» que comporta «la evolución de la historia» (Popper, 1969a, pág. 3).

Caen bajo el veredicto de Popper la versión idealista y, aún más, la materialista en sus explicaciones del determinismo histórico. Bajo su punto de vista, las llamadas leyes universales en la historia se han quedado tan sólo en presuposiciones implícitas, vagas y a menudo de naturaleza trivial. De cualquier forma son inadecuadas como guías de nuestras observaciones científicas. El extremo opuesto, del determinismo histórico, a saber, la crónica o recuento anecdótico de hechos sin relación, tampoco puede ser una alternativa satisfactoria. La historia debe ser escrita desde una perspectiva selectiva sólo si no se tienen en cuenta las teorías en las ciencias teóricas.

Aunnque pueda haber alguna semejanza entre las dos, una diferencia básica es que las perspectivas selectivas en cuanto reglas no se pueden verificar. Se puede verificar sólo el material que un historiador, en una coyuntura particular y con un determinado interés, puede tener a su disposición. El punto de vista selectivo del historiador, que subyace a su «interpretación histórica», sólo raras veces puede ser sorprendido en las hipótesis verificables (Popper, 1969a, págs. 147-152).

En *Objective Knowledge* (1927b) Popper ve algo más que una analogía entre el estudio de la historia y las ciencias teóricas (tal como los llama él). En esta obra trata del problema de la comprensión *(understanding)* en las humanidades, en particular de las renovaciones subjetivas de experiencias pasadas tal como ha sugerido Collingwood. La «repetición simpatética de la experiencia original» es rechazada por Popper como tarea del historiador por su naturaleza sicológica e intuitiva. El proceso sicológico de revivir una experiencia no es esencial en las propuestas científicas, aunque pueda prestar ayuda como una especie de comprobación intuitiva: «Lo que creo fundamental no es el revivir la experiencia sino el análisis situacional.»

Por análisis situacional Popper entiende:

> Una especie de explicación conjetural y tentativa de alguna acción humana que apela a la situación en la que el agente se encuentra a sí mismo. Esta puede ser una explicación histórica: quizá podemos desear saber cómo y por qué se ha creado cierta estructura ideológica. Una acción creativa nunca se puede explicar totalmente. Sin embargo, podemos intentar, por vía de la conjetura, ofrecer una reconstrucción idealizada de la *situación de un problema* en el que el agente se encontró a sí mismo y hacer en alguna medida «comprensible» la acción (o «racionalmente comprensible»), es decir, *adecuada a su situación tal como él la vio* (Popper, 1972b, pág. 179).

De esta forma el principio de racionalidad se puede aplicar como en las ciencias naturales: «La acción y, por tanto, la historia se pueden explicar como un problema soluble.» Popper defiende que su «esquema de conjeturas y refutaciones» es aplicable también al campo de la historia, e incluso al del arte. Se puede conjeturar cuál era el problema del artista. Es clara aquí la referencia a la obra de Gombrich (Popper, 1972 b, páginas 168 y 180).

Dos publicaciones recientes Schupp (1975) y Skagestad (1975) tienen relación con las observaciones de Popper sobre la metodología del estudio de la historia. Mucho más que Popper, Schupp insiste en la analogía epistemológica entre teoría e interpretación histórica. Argumenta que en el campo de la interpretación histórica se pueden comparar las teorías que se basan en similares perspectivas selectivas. Pero también es posible una discusión crítica en el de *diferentes* perspectivas (orientadas a problemas diferentes) que conduzcan a teorías divergentes y, en puridad, no contrapuestas. (Esto es de hecho, lo que hemos intentado en el capítulo sobre las teorías marxistas de la literatura.) Schupp, con todo, encuentra difícil reconciliar las tesis de Popper de una simetría entre explicación y predicción así como su rechazo de la verificación de las hipótesis mediante la investigación histórica. Ambas posiciones parecen referirse a la posibilidad de experimentos en las ciencias históricas. En el estudio de la historia probablemente será aceptable un menor grado de exactitud en contra de las demandas severas de K. Popper (cfr. Helmer y Rescher, 1969).

Otra dificultad que puede presentarse al historiador es la contradicción aparente en el sistema de Popper entre su convencionalismo metodológico inherente en el análisis situacional —que permite un relativismo histórico— y su aceptación de la definición de verdad de Tarski que parece excluir todo relativismo (cfr. Skagestad, 1975). Aunque no podemos profundizar en este punto, pensamos que la contradicción podría resolverse de alguna manera de acuerdo con la tesis de Rescher acerca de una perspectiva «coherente» sobre la verdad y con su crítica de la teoría de la verdad de Tarski (Rescher, 1973).

El énfasis de la semiótica en la investigación de las codificaciones culturales, el interés de la filosofía de la ciencia por los fundamentos del estudio de la historia y, por último, pero no menos importante, el reconocimiento de la actividad «estructuralizadora» del sujeto observador en la selección de los hechos en las ciencias naturales (como ha destacado Geurts, 1975), todos estos esfuerzos por acabar el aislamiento de las diversas disciplinas prueban que los estudiosos de campos de interés muy distintos están dispuestos a oírse y aprender unos de otros. La crítica literaria no se puede aislar por más tiempo: siempre que en los últimos años alcanzó resultados importantes fueron el producto de la cooperación o confrontación con otras disciplinas. Los estudios semióticos, por ejemplo, han reconocido la relevancia de los problemas epistemológicos, aunque no todas sus ramas prestaron igual atención a la epistemología pues, de hecho, la semiótica rusa, en particular, va por detrás de la europea en este sentido [5].

La estética de la recepción con su base en la hermenéutica, ha mostrado siempre un profundo interés por los problemas

---

[5] Tal como fue sentado por Boris Ogibenin en una conferencia en la Asociación Holandesa de Literatura General y Comparada (1976).

epistemológicos. Pero es cierto que la hermenéutica misma ha cambiado en el transcurso del tiempo, y con ella su posición epistemológica. Podemos distinguir la hermenéutica temprana (Schleiermacher) que prentendía una representación verídica de los textos del pasado. Más tarde en la hermenéutica de Dilthey en sus posteriores desarrollos (Heidegger) el «horizonte subjetivo» del intérprete acaparó el interés: los textos se convirtieron en un medio de autoconocimiento. Elmar Holenstein (1975; 1976) ha trabajado en las diversas etapas de la hermenéutica. Mientras Dilthey postula una experiencia en que «acto y objeto coincidían», Heidegger proclama el principio existencialista de la «situación irremontable». Holenstein piensa que vendrá una nueva etapa de la hermenéutica como resultado de su confrontación con el estructuralismo, en especial el de Roman Jakobson y por eso destaca la interacción entre variantes e invariantes que es también esencial para Jakobson. «El conjunto con respecto al que se considera una parte es ahora un sistema o un código con una base universal y una superestructura transformable» (pág. 237). La competencia comunicativa del hombre consiste precisamente en la «convertibilidad de su código». Esto puede considerarse una crítica de la noción de Heidegger de «situación irremontable». La fusión de horizontes, tal como la defendió Dilthey, ha sido criticada por otros estudiosos y con otros argumentos. Basta mencionar a Norbert Groeben (1972) quien dentro del área de la sicología empírica ha postulado la separación entre receptor e investigador, entre comprensión y descripción de la comprensión.

El último vástago de la hermenéutica, la denominada hermenéutica transcendental de Habermas y Apel, ha sido criticada recientemente por Siegfried J. Schmidt desde la postura de la filosofía analítica y el racionalismo crítico. Es inconcebible que ésta, que atribuye un carácter transcendental y una autoridad incuestionable al lenguaje coloquial y al conjunto de la comunicación, pueda proporcionar una base teórica al estudio de la literatura[6].

---

[6] Se puede insertar aquí un breve comentario sobre los conceptos de Habermas de intersubjetividad y objetividad. Según él la intersubjetividad consiste en un consenso comunicativo en la lengua coloquial de al menos dos sujetos. La relación entre los dos sujetos es la de sujeto participante y contraparte. Habermas considera el entendimiento, principalmente, como una experiencia comunicativa que puede introducir a la objetividad; al mismo tiempo expresa sus reservas contra la, en su opinión, postura positivista de Dilthey, quien en su «empatía» y «revalidación» ha encontrado una especie de equivalente con «observación» (Habermas, 1969, páginas 226-233). No insistiremos aquí en la crítica de Habermas a

Schmidt comparte la postura de la filosofía analítica con respecto a las ciencias históricas, tal como la expresaron Helmer y Rescher (1959). Las leyes históricas parecen leyes, pero son difusas al mismo tiempo; no son rígidas y admiten excepciones. De hecho se las podría llamar «cuasi-leyes». A causa de su complejidad, a veces no se pueden hacer totalmente explícitas con palabras. A causa de su formulación parcial, no se encuentra en ningún sitio el criterio de precisión matemática. Lo que es esencial es que las excepciones que conllevan exigen «una explicación que demuestre el carácter excepcional del caso que se tiene entre manos, estableciendo al mismo tiempo la violación de una condición apropiada de la aplicabilidad de la ley» (Helmer y Rescher, 1959, pág. 148).

Jauss y la sociología del conocimiento

En historia, en el estudio de la literatura y en lingüística, la discusión del método requiere una sutileza particular a causa de la naturaleza de su material que consiste predominantemente en textos. A diferencia del estudio del arte, la música o las ciencias naturales, las disciplinas que trabajan con material lingüístico, necesitan la distinción entre objeto lingüístico y metalenguaje. Un cambio en el método afecta inmediatamente al *status* del metalenguaje, y, si no hubiera metalenguaje, se crea la necesidad de construir uno. El momento crucial llega cuando una ciencia abandona un complejo metodológico sin ser forzada a hacerlo por la presión de una teoría nueva y mejor construida. Este fue el caso precisamente de la crítica literaria cuando —por un cambio de interés, por una insatisfacción de las convenciones existentes y por la consciencia del desarrollo de disciplinas afines— abandonó el ideal de la interpretación intrínseca en su versión alemana *(werkimmanente Interpretation)* así como en su variante americana *(New Criticism).*

Esta era la situación en que Hans Robert Jauss promovió el debate contra la crítica tradicional en su conferencia «Literaturgeschichte als Provokation der Literaturwissenschaft» (1967, en Jauss, 1972). Sus argumentos en pro de una estética de la recepción constituyen un desafío estimulante, aunque no reclame para sí el estatuto de una teoría elaborada. Pero lo

---

Dilthey. Baste decir que cuando Habermas demanda del intérprete que «refleje al mismo tiempo al objeto y a sí mismo» como potencialidades de una totalidad objetiva *(Ibíd.*, pág. 228) se acerca peligrosamente a la fusión de investigdor y receptor.

que este trabajo ensayístico pierde en consistencia, lo gana en flexibilidad.

Sólo de manera gradual los problemas que requieren un desenredo teórico llegan a quedar claros. Se podría señalar un paralelo en la historia de la teoría literaria en la *Querelle des Anciens et des Modernes:* las polémicas literarias de aquellos días sólo gradualmente sacaron a la luz el problema de la conciencia histórica que a continuación se convirtió en objeto de especulación teórica. En efecto, las ideas de Jauss son algo más que una polémica literaria; desde su comienzo se caracterizaron por ser una reflexión teórica. Con todo, el aparato teórico era todavía imcompleto y necesitó más elaboración tanto por parte del mismo Jauss como por parte de otros.

Mientras tanto, esta construcción teórica ha sido aplicada al material literario. El estudioso de literatura no se inclina por lo general a esperar a que una teoría haya alcanzado un grado de consistencia o elegancia capaz de satisfacer al mejor crítico. Normalmente, el crítico literario se interesa más en la aplicabilidad de la teoría. Pero su anhelo de resultados concretos comporta el peligro de que una aplicación prematura de las propuestas teóricas conduzca a simplificaciones, eclecticismo y conclusiones erróneas. La investigación de la recepción de la literatura, que se apoyó fuertemente en las ideas de Jauss, no ha sido capaz de evitar el escollo de la aplicación prematura. No daremos aquí una enumeración de ejemplos negativos, más bien examinaremos cómo el propio Jauss ha desarrollado en los últimos años sus tesis para la consolidación de sus concepciones teóricas.

Examinaremos aquí sus publicaciones recientes «La douceur du foyer-Lyrik des Jahres 1857 als Muster der Vermittlung sozialer Normen» (Jauss, 1975a) y «Der Leser als Instanz einer neuen Geschichte der Literatur» (Jauss, 1975b). En esta última que era originalmente una conferencia en un simposio sobre literatura francesa, Jauss presenta como tema la necesidad de la reflexión metateórica y trae a colación el debate Habermas-Gadamer, la obra de Paul Ricoeur y, en sus propias palabras, «las demandas del empirismo lógico y de la llamada ciencia unificada». Aboga al mismo tiempo por el «perfeccionamiento sociológico» y por la «elaboración hermenéutica en profundidad» *(hermeneutische Vertiefung)* de su concepto original. Llevado por un prejuicio contra el empirismo lógico y fascinado por el concepto de hermenéutica, Jauss se muestra incapaz de emprender un examen imparcial de las posturas de la filosofía analítica y del racionalismo crítico, en particular allí donde este último roza las posibilidades de las ciencias históricas. Parece como si Jauss prefiriera reservar un método científico separado para investigar la «naturaleza lingüística de la experiencia del mundo que hace de la comunicación una condición del conocimiento». Por otra parte, sin embargo, intenta destruir la «falsa oposición entre empirismo y hermenéutica, pues él entiende la comprensión de los textos tanto en términos empíricos como hermenéuticos. La comprensión textual no puede basarse sólo en verificar datos de observación mediante un método de tanteo sino que tiene que comprometerse en «el juego pregunta-respuesta» entre el texto y el lector (Jauss, 1975b, pag. 333). Las «condiciones hermenéuticas» de la experiencia no se deberían excluir de la reflexión ni se deberían reemplazar por el análisis empírico de la respuesta del lector por medio de cuestionarios. Este último comentario se dirige claramente contra Hillmann (1972).

Estas observaciones de Jauss están motivadas por su intención de defenderse de una oposición proveniente de campos diferentes. Pero ello no justifica su tendencia a permitir la interferencia de los papeles del lector y del investigador. El juego de pregunta y respuesta se refiere a «*mis* preguntas sobre el sentido y la forma» y a las respuestas de otros lectores en tanto «confirman o cuestionan *mi* juicio estético (Jauss, 1975b, página 333, el subrayado es nuestro). Siempre que la reflexión sobre las condiciones de la *propia* experiencia sea el objetivo último, Jauss será incapaz de conseguir la posición metateórica que elimine la oposición entre empirismo y hermenéutica. Y su postura epistemológica será un compromiso vulnerable.

Este juicio de alguna manera negativo no se le puede aplicar a Jauss en cuanto historiador de la literatura. Su propuesta de «horizonte de análisis» *(Horizontanalyse)* es una reconstrucción del sistema literario en un momento particular que se puede someter a una comprobación intersubjetiva. Este acercamiento vuelve a su libro anterior sobre literatura medieval *(Untersuchungen zur mittelalterlichen Tierdichtung)* (1959) y de hecho tiene muchos puntos en común con el «análisis situacional» de Popper. El horizonte «intraliterario» se puede reconstruir si se presta atención a la objetividad metodológica; en este proceso de reconstrucción no se apela, en principio, a la experiencia personal.

El acceso al horizonte «extraliterario» o «vital» es más difícil pero en él, como sugiere Jauss, pueden prestar ayuda otras disciplinas. Tal como dijimos en el capítulo V, Jauss está de acuerdo en que es necesario distinguir en su concepto de horizonte de expectativas entre horizonte de expectativas literarias por un lado y sociales (generales) por otro. Diferencia, pues, un lector «implícito» y un lector «explícito» histórica, social y biográficamente determinado, y sugiere la reconstrucción, en primer lugar, del lector implícito pues los datos básicos de la misma son más accesibles. En segundo lugar, hay que clarificar las concepciones previas de varios grupos de lectores. A este respecto propone hablar de un código primario y secundario. En resumen, en la primera parte de su trabajo Jauss parece indeciso en materia epistemológica, pero en la segunda formula un convincente programa de investigación con una base sólida en la historia literaria y en la sociología.

En «La douceur du foyer» (1975a) Jauss coloca la composición «Le crépuscule du soir» de Baudelaire dentro del contexto literario de poesía sobre las horas de ocio de la vida familiar burguesa, y encuentra una semejanza entre su propio trabajo y el de Michael Riffaterre cuya posición común metodológica intenta especificar al mismo tiempo que resolver el problema de «cómo descubrir las funciones comunicativas en las fuerzas representativas de la poesía lírica» (Jauss, 1975a, página 401). En efecto, el autor es consciente del hecho de que la poesía no se refiere a las cosas directamente sino que transmite sólo nociones de las cosas.

De acuerdo con las expectativas del lector, Baudelaire evoca la atmósfera de la holganza burguesa, pero desde los primeros versos aparece el contraste con el mundo de los delincuentes, prostitutas y maleantes. No es este el momento de insistir en la comparación que hace Jauss de Baudelaire con los poetas del *douceur du foyer*. Sin embargo, desde un punto de vista metodológico es interesante destacar que Jauss no se limita a la «serie literaria» sino que incrementa los fundamentos del material literario utilizando el aparato conceptual de Peter Berger y Thomas Luckmann (1967).

El artículo de Jauss supone un intento de tender puentes entre la teoría de la recepción de la literatura y la teoría sociológica del conocimiento del mundo vital. Esta inclusión de la sociología del conocimiento en el campo de la investigación del estudioso de la literatura es ciertamente prometedora; en nuestra opinión más prometedora que la misma sociología de la literatura cuyos fundamentos y delimitaciones han quedado en gran medida sin aclarar. Incluso la conexión entre la semiótica y la teoría de la recepción puede facilitar la sociología del conocimiento. En efecto, ambas corrientes se interesan por la distribución social del conjunto de conocimientos por medio del lenguaje y por la diferenciación de las experiencias cotidianas según diferentes grados de importancia.

Como resultado de la distribución particular del conocimiento, el mundo de la vida cotidiana impresiona a la persona que vive en ese mundo y que si ahora lo ve como familiar, después lo puede ver lejano. De igual manera y desde una perspectiva semiótica, Lotman sostiene que la descripción de la realidad hay que hacerla a través de diferentes códigos: «Un detective de un departamento de investigación criminal y un joven admirador del sexo débil que pasean en la misma calle al mismo tiempo ven la realidad de una manera diferente» (Lotman, 1975, pág. 21).

En particular, la institucionalización de las acciones repetidas (Berger y Luckmann, 1967, págs. 70-85) es lo que más puede interesar al estudioso de la literatura; la actividad humana que se repite como hábito sólo requiere un mínimo de decisión para determinarla, a diferencia de las acciones nuevas y deliberadas. En el proceso de transmisión de experiencia a una generación nueva, la responsabilidad humana, que originariamente estaba presente, se oscurece. El mundo social hecho por el hombre se objetiviza entonces: «El mundo institucionalizado se considera la realidad objetiva» *(Ibíd.,* pág. 77). La lengua es uno de los medios primarios de transmitir experiencias —de ajustarlas al círculo disponible de conocimientos. Berger y Luckmann han reservado el término *reificación* para la forma extrema de la objetivación. En ese momento el mundo se aprehende como «algo no humano, no humanizable, como pura facticidad» *(Ibíd.,* pág. 106). Los autores mantienen que la reificación es una modalidad de la conciencia y arguyen que «la aprehensión de la reificación *como* modalidad de la conciencia depende al menos de una desreificación de la conciencia misma, la cual es un desarrollo comparativamente tardío (y posterior) en la historia y en cualquier biografía individual *(Ibíd.,* página 107).

Aunque Berger y Luckmann apenas tratan de los problemas de la experiencia estética, el estudioso de la literatura puede descubrir un fondo común en los descubrimientos de los conceptos de Sklovski de «automatización» y de «desreificación». El arte es una actividad constructiva que, como resultado de su carácter innovador, puede, al menos temporalmente, adquirir la tendencia a la reificación.

El arte puede también cuestionar los «universos simbólicos» establecidos que «integran las distintas parcelas de significado y encierran el orden institucional en una totalidad simbólica» *(Ibíd.,* pág. 113). En la época moderna el arte ha desarrollado la función de transmitir experiencias nuevas a través de nuevas relaciones síquicas que destruyen la relación simbólica (convencional) y por ello simultáneamente el universo simbólico. Otras formas de arte (principalmente prerrománticas) sirvieron de legitimación del universo simbólico. Fuera de la esfera de la cultura europea, la literatura china de la época maoísta produjo la legitimación del universo simbólico aceptado por la jerarquía social. Como señalamos en el capítulo IV, los dirigentes culturales chinos alimentaron la idea de que los conceptos y las palabras son una única cosa y que las cosas existen en la realidad aunque las palabras a veces sólo las expresan parcialmente.

Esta especie de arte basado en el principio de encantamiento, pertenece —en la terminología de Lotman— a la estética de la identidad. La estética de la oposición es un desarrollo más tardío en la historia literaria que coincide con la observación de Berger y Luckmann de que la desreificación relativa de la conciencia ocurre comparativamente tarde en la historia. Parece muy posible identificar las funciones cognitivas del arte que pertenece a la estética de la identidad por medio de conceptos tomados prestados de la sociología del conocimiento. Pero será todavía un desafío mayor intentar esto mismo con el arte que pertenece a la estética de la oposición. Las diferentes estructuras del emisor y del receptor, pueden convertirse en objetos de investigación. Obviamente, la lingüística de orientación semiótica y pragmática deberá desempeñar un papel fundamental en este tipo de investigación[7].

Análisis semiótico de las estructuras de la comunicación

Un trabajo interesante sobre el trabajo de vanguardia lo han llevado a cabo los semióticos O. G. Revzina e I. I. Revzin (1975) en su análisis de las obras de Ionesco *La cantante calva (La cantatrice chauve)* y *La lección (La leçon)*. Los autores examinan la función comunicativa de estos textos aunque lo hacen de acuerdo con un análisis intrínseco en profundidad. Analizan estos autores cómo en estas comedias se destruyen ciertas expectativas que son esenciales para la comunicación convencional. La función comunicativa de este experimento semiótico con respecto a la audiencia es, entre otras cosas, hacerle consciente de las convenciones que subyacen a la comunicación normal. Dentro de la estética de la oposición, las piezas de Ionesco re-

[7] Karlheinz Stierle (1975b) ha combinado la categoría semiótica con las de la sociología del conocimiento.

velan la existencia de valores sociales implicados (en los que también la sociología del conocimiento debería interesarse).

Los autores basan su análisis en el modelo de la comunicación de Jakobson y muestran los componentes de dicho modelo que se cuestionan. Con respecto a la realidad (función referencial) señalan la negación del postulado del determinismo de *La leçon*. Los autores emplean el concepto de determinismo en su forma más débil. Determinismo implica aquí que la realidad está organizada de tal forma que para algunos fenómenos hay causas; es decir, no todos los acontecimientos son igualmente probables (en el caso de un determinismo «fuerte» para cada fenómeno se puede establecer una causa) (Revzina y Revzin, 1975, pág. 256). Un ejemplo de la negación del determinismo «débil» lo proporciona el alumno que no puede resolver una operación elemental de resta pero que es muy capaz de multiplicar mentalmente dos largas cifras. Ionesco pone en cuestión la realidad organizada —en este caso la estructura del conocimiento organizada jerárquicamente: primero una simple resta, después una complicada multiplicación. Pero esto no es todo. Le niega también un postulado unido fuertemente al del determinismo: el de la memoria común. Cuando emisor y receptor comparten una cosmovisión particular, han compartido también una cantidad de información sobre el pasado. En el caso de un matrimonio esta memoria común puede suponerse que existe. Parece, sin embargo, a partir de una experiencia compartida —en este caso la subida de Manchester— que no se reconoce como tal, sino que se considera una mera coincidencia: ¡Qué extraña coincidencia! Dice la señora Martin, «yo también, señor, vine de Manchester hace cinco semanas».

El tercer postulado negado por Ionesco es el de la posibilidad de vaticinar el futuro en más o menos la misma manera. Dicho postulado se basa también en la presencia de un modelo del mundo compartido: emisor y receptor valoran el mundo con las mismas categorías. Igual que el determinismo, el pronóstico del futuro presupone la asunción de una relación específica entre causa y efecto. Dicha relación se cuestiona en *La cantatrice chauve* cuando el tic-tac del reloj es irregular e incluso marcha al revés y las horas son más de doce.

No vamos a seguir los argumentos de los Revzin en detalle y por ello nos limitaremos a enumerar los restantes postulados que Ionesco niega en sus diálogos para identificar el carácter absurdo de sus piezas:

4. El postulado de la informatividad: el emisor tiene que relatar alguna información nueva al receptor.
5. El postulado de identidad: emisor y receptor tienen en su mente la misma realidad, es decir, la identidad de un tema no cambia mientras estan hablando sobre él.
6. El postulado de la verosimilitud: entre el texto y la realidad tiene que haber una correspondencia, por ejemplo el texto tiene que contener afirmaciones verosímiles sobre la realidad.
7. El postulado de lo incompleto de la descripción: un texto tiene que describir la realidad con algún grado de reducción, basándose en la existencia de una memoria común y en la capacidad de predecir el futuro de una manera más o menos semejante.
8. El postulado de la coherencia semántica del texto: el texto (dramático) se tiene que organizar en dos fases, una después de otra y entre ellas hay que establecer una conexión de contenido (Revzina y Revzin, 1975, pág. 256).

Aunque los autores no hacen referencia a la sociología del conocimiento fundamentan claramente su análisis en las categorías de la distribución del conocimiento. Otros estudios como los de Bremond (1973) y Dolezel (1976) tratan igualmente de las estructuras básicas del universo semántico que tienen que servir de punto de referencia para cualquier interpretación de los textos literarios.

CONCLUSION

La distancia entre la estética de la recepción y la semiótica no es insalvable. Antes por el contrario los problemas de ambas escuelas son comparables y a veces semejantes. Pero para la resolución de estos problemas tienen a su disposición diferente utillaje. De acuerdo con los presupuestos lingüísticos y la teoría del signo, la semiótica esta mejor equipada para analizar un texto aislado como intersección de códigos diferentes. El sujeto empírico no interfiere con tal análisis, ya en las teorías de Eco y Lotman, ya en la aplicación de estas teorías a la semiótica rusa o italiana (Kapp, 1973).

La teoría de la recepción, por el contrario —al menos ciertas ramas de ésta—, no excluyen rigurosamente el sujeto empírico y aunque examina las relaciones extratextuales, está expuesta al peligro de una expansión extremada de su campo de investigación. En nuestra opinión la sociología del conocimiento puede proporcionar el aparato teórico para examinar el mundo semántico del receptor y para organizar la abundancia de material extratextual. Habría que rechazar, por tanto, las tendencias a fusionar el papel del investigador y el del lector.

El estudio de la literatura tiene tantos aspectos que un estudioso no puede abarcar el campo completo. Sólo una distribución coordinada del trabajo puede dar respuesta al cúmulo de problemas que nos acechan aunque es poco probable que en humanidades se llegue a materializar rápidamente esta cooperación excepto de manera accidental y en pequeña escala. Hay varias razones como la de que no se haya aceptado todavía el principio de separación de análisis por un lado y valoración por otro —de investigador y receptor. Si deseamos una cooperación más estrecha en los estudios literarios, el primer requisito es establecer los criterios de verificabilidad y llegar a un acuerdo en el uso del lenguaje. De todas formas, han existido algunos —pocos— esfuerzos coordinados; hemos tratado de algunos de ellos: el formalismo ruso, la teoría de la recepción, la semiótica. Con todo, a causa de la falta de coordinación el campo de interés de innumerables *scholars* se ha desplazado del texto aislado a los problemas del texto y a los de la situación comunicativa. Paralela a este desarrollo se ha establecido una nueva terminología metalingüística o está en proceso de formulación. Esto no debe hacernos olvidar que extensas áreas de interés potencial en estudios literarios se han dejado de lado, simplemente porque no se han planteado —y nosotros nos incluimos— cuestiones de relevancia.

A la vista de las páginas precedentes, se notará que hemos dedicado más espacio a problemas de análisis de interpretación y menos a los procedimientos de valoración *. Hemos tratado de diversas funciones del lenguaje, incluida la función poética (en terminología de Jakobson), pero muy ligeramente del efecto estético de los textos en que dicha función predomina. Este efecto estético se puede estudiar como parte de la situación comunicativa en relación directa con ciertas cualidades de los textos y en contacto con sicólogos. Esto parece lo más necesario pues la importancia social de la literatura depende mucho de la experiencia estética que acompaña a la asimilación de los ele-

---

* Sobre la cuestión central de la valoración y del paso del análisis a la valoración puede consultarse *Elementos de teoría crítica,* de W. Shumaker, Madrid, Cátedra, 1974, páginas 101-159. [*N. del T.*]

mentos cognitivos presentados en el texto. Como Aristóteles reconoció, la mayor parte del contenido cognitivo de los textos literarios no lo aceptarían nunca los receptores si no estuvieran educados artísticamente. El eslabón entre literatura y sociedad se establece principalmente a través de la función estética de la presentación del material semántico, pues esta se refiere de una manera u otra (por hipérbole o por negación) a las normas sociales o «estructuras relevantes» de la sociedad —o, para ser más precisos, de ciertos grupos sociales. Se han ofrecido antes algunas indicaciones de cómo este conjunto de problemas puede ser desentrañado. Pero sabemos también que antes que se haya establecido una metodología, es necesaria una ulterior investigación, en particular dentro de las condiciones de la función estética.

Al menos una cuestión vital queda sin contestar. A lo largo de este libro hemos estado de acuerdo en la postura de la semiótica de que el problema de la verdad pertenece al dominio de la lógica y no al de la semiótica.

El interés del semiótico no se centra en el significado extensivo ni está preparado para investigar la verdad o falsedad de las proposiciones que ha sometido a análisis. Y si un semiótico usurpando las funciones de un lógico distinguiera lo verdadero de lo falso debería examinar su juicio sobre el valor de la verdad de los textos como parte de un código cultural, es decir, en otro sistema semiótico. El peligro de una subjetividad indecisa asoma aquí. Similar tendencia subjetivista se puede encontrar en las teorías de Eco así como en la estética de la recepción, a saber, que a los signos se pueden asignar sentidos que no estaban en la intención del emisor.

Con ello se abre la puerta al crecimiento indiscriminado de significaciones. ¿Dónde, pues, debería acabar el participante de un código cultural de asignar significados? ¿Dónde el estudioso y crítico? ¿Estamos en peligro de expandir intencionalmente el mundo de la significación? ¿Encontramos nuevos problemas a la hora de recontarlas?

En efecto, la proliferación de significaciones se puede restringir con la demanda de que estén justificadas por las propiedades del texto. Más todavía, las diversas significaciones deberían sufrir la prueba de la verificación intersubjetiva. Además —y a pesar de todo— el establecimiento del problema de verdad —mediante la determinación tanto de una teoría de la verdad como de los criterios para distinguir los diversos tipos de relaciones de verdad— es de importancia fundamental sobre todo tras la demanda tradicional de la literatura de verdad poética o ficcional (cfr. la «tercera especie de verdad» de Spet, descrita en el capítulo II). Para la solución de este problema tenemos que seguir, por supuesto, el dictado de los lógicos.

Obviamente este libro no se ha escrito para responder a todas las cuestiones. Con todo, esperamos que algo haya clarificado de forma que los problemas del estudio científico de la literatura se puedan observar a una nueva luz.

Bibliografía

Esta bibliografía comprende sólo las obras citadas en el texto. Los varios títulos de un mismo autor van en orden cronológico de acuerdo con su primera fecha de publicación.

ABRAMS, M. H.
1972 «What's the Use of Theorizing about the Arts?», en Bloomfield, 1972b, págs. 3, 54.

ADORNO, Theodor W.
1958-74 *Noten zur Literatur,* 4 vols., Frankfurt Suhrkamp. [Hay una ed. esp. que recoge varios artículos, entre ellos «El ensayo como forma», *Notas de literatura,* trad. de Manuel Sacristán, Barcelona, Ariel, 1962.]
1970 *Aesthetische Theorie,* Gesammelte Schriften VII, Frankfurt, Suhrkamp.

ADORNO, Theodor W., *et al.*
1969 *Der Positivismusstreit in der deutschen Soziologie,* 3.ª ed., Darmstadt y Neuwied, Luchterhand, 1974.

ALBERT, Hans, ed.
1972 *Theorie und Realität: Ausgewählte Aufsätze zur Wissenschaftslehre der Sozialwissensschaften,* 2.ª ed., Tübingen, Mohr.

BAKKER, *R.*
1973 *Het anonieme denken: Michel Foucault en het structuralisme,* Baarn, Wereldvenster.

BARTHES, Roland
1953 *Le degré zéro de l'écriture, suivi de Éléments de sémiologie,* Bibliothèque médiations, París, Gonthier, 1970. [La primera edición esp. es *El grado cero de la escritura,* Buenos Aires, Jorge Álvarez, 1967. La ed. de Siglo XXI es del año 1973 y contiene además *Nuevos ensayos críticos.* La ed. catalana, *El grau zero de l'escriptura,* Barcelona, Edicions 62 es del mismo año.]
1963 *Sur Racine,* París, Seuil. El volumen incluye «Histoire ou littérature», págs. 145-168.

1964a *Essais critiques,* París, Seuil. Incluye «L'activité structuraliste» (1963), págs. 213-221. [Ed. esp. *Ensayos críticos,* trad. Carlos Pujol, Barcelona, Seix Barral, 1966.]
1964b *On Racine,* trad. Richard Howard, Nueva York, Hill and Wang.
1966 *Critique et verité,* París, Seuil.

BAUER, Werner, *et al.*
1972 *Text und Rezeption: Wirkungsanalyse zeitgenössischer Lyrik am Beispiel des Gedichtes «Fadensonnen» von Paul Celan,* Frankfurt, Athenäum.

BAUMANN, Hans Heinrich
1969 «Über französischen Strukturalismus: Zur Rezeption moderner Linguistik in Frankreich und Deutschland», *Sprache im technischen Zeitalter* 30, págs. 157-83.

BEARDSLEY, Monroe
1970 *The Possibility of Criticism,* Detroit, Wayne State University Press.

BELINSKI, V. G.
1953-9 *Polnoe sobranie socinenij,* 13 vols., Moscú, Izd. Ak. Nauk SSSR.

BENJAMIN, Walter
1936 «Das Kunstwerk im Zeitalter seiner technischen Reproduzierbarkeit», en Benjamin, 1970, págs. 7-65.
1969 *Charles Baudelaire: Ein Lyriker im Zeitalter des Hochkapitalismus,* Frankfurt, Suhrkamp.
1970 *Das Kunstwerk im Zeitalter seiner technischen Reproduzierbarkeit: Drei Studien zur Kunstsoziologie,* 4.ª ed., Frankfurt Suhrkamp.

BERGER, Peter L., y Thomas Luckmann
1967 *The Social Construction of Reality,* Londres, Allen Lane The Penguin Press.
[Trad. esp. *La construcción social de la realidad,* trad. Silvia Zuleta, Buenos Aires, Amorrortu, 1968.]

BERGSON, Henri
1889 *Essai sur les données immédiates de la conscience,* París, Félix Alcan.
[Vers. esp., Madrid, Francisco Beltrán, 1925.]

BERLYNE, D. E.
1971 *Aesthetics and Psychobiology,* New York: Appleton-Century-Crofts.

BERLYNE, D. E., ed.
1974 *Studies in the New Experimental Aesthetics: Steps Toward an Objective Psychology of Aesthetics Appreciation,* Washington, D. C., Hemisphere Publishing Corporation, y Nueva York, John Wiley.

BERNSTEIN, Sergei
1927 «Aesthetische Voraussetzungen einer Theorie der Deklamation», en Stempel, 1972, págs. 339-86. Traducción de «Esteticeskie predposylki teorii deklamacii».

BIERWISCH, Manfred
1965 «Poetik und Linguistik», *Sprache im technischen Zeitalter,* 15, págs. 1258-1273.

BISHOP, John L., ed.
1965 *Studies in Chinese Literature,* Cambridge, Mass., Harvard University Press.

BLOCH, Ernst
1962 *Erbschaft dieser Zeit,* Erweiterte Ausgabe, Frankfurt, Suhrkamp.

BLOOMFIELD, Morton W.
1972a «The Two Cognitive Dimensions of the Humanities», en Bloomfield, 1972b, págs. 73-90.

BLOOMFIELD, Morton W., ed.
1972b *In Search of Literary Theory,* Ithaca y Londres, Cornell University Press.

BLUMENSATH, Heinz, ed.
1972 *Strukturalismus in der Literaturwissenschaft,* Colonia Kiepenheure and Witsch.

BRECHT, Bertolt
1968 *Gesammelte Werke,* 20 vols., Frankfurt, Suhrkamp.

BREMOND, Claude
1964 «Le message narratif», *Communications,* 4, págs. 4-32. [Trad. esp. *El mensaje narrativo,* trad. Silvia Delpy, Buenos Aires, Tiempo Contemporáneo, 1970.]
1966 «La logique des possibles narratifs», *Communications,* 8, págs. 60-77.
[Vers. esp. en el vol. colectivo *Análisis estructural del relato,* Buenos Aires, Tiempo Contemporáneo, 1970.]
1973 *Logique du récit,* París, Seuil.
1974 «L'étude structurale du récit depuis V. Propp», contribución al Primer congreso de la Asociación internacional de estudios semióticos, Milán, junio, 2-6.

BRIK, Osip
1927 «Rythmus und Syntax», Striedter, 1969, págs. 163-222. Traducción de «Ritm i sintaksis».

BRONZWAER, W. J. M., D. W. Fokkema y Elrud Kunne-Ibsch
1977 *Tekstboek Algemene Literatuurwetenschap,* Baarn, Ambo.

BROOKS, Cleanth
1947 *The Well-Wrought Urn: Studies in the Structure of Poetry,* Nueva York, Harcourt, Brace and Co.

BROOKS, Cleanth y Robert Penn Werren
1938 *Understanding Poetry,* 3.ª ed., Nueva York, Holt, Rinehart and Winston, 1961.

BROWN, Lee B.
1968-9 «Definition and Art Theory», *The Journal of Aesthetics and Art Criticism,* 27, págs. 409-17.

BRÜTTING, Richard, y Bernhard Zimmermann, eds.
1975 *Theorie—Literatur—Praxis: Arbeitsbuch zur Literaturtheorie seit 1970,* Frankfurt, Athenaion.

BUBNER, Rüdiger, *et al.,* eds.
1973 *Theorie Literarischer Texte,* Neue Hefte für Philosophie, 4, Göttingen, Vandenhoeck.

BÜHLER, Karl
1934 *Sprachtheorie: Die Darstellungsfunction der Sprache,* Jena, Gustav Fischer.

[Vers. esp. *Teoría del lenguaje,* trad. de Julián Marías, Madrid, Revista de Occidente, 1950.]

CASSIRER, Ernst A.
1945 «Structuralism in Modern Linguistics», *Word,* 1, páginas 99-121.

CHERNICHEVSKI, N. G.
1950 *Ob iskusstve: stat'i, recenzii, vyskazyvanija,* Moscú, Izd. Ak. Chudozestv SSSR.

CHATMAN, Seymour
1967 «The Semantics of Style», *Social Science Information,* 6, núm. 4, págs. 77-100. Reimpreso en Koch, 1972, págs. 343-66.

CH'EN, Jerome
1970 *Mao Papers: Anthology and Bibliography,* Londres, Oxford University Press.

CHRISTIANSEN, Broder
1909 *Philosophie der Kunst,* Hanau, Clauss und Feddersen.

CULLER, Jonathan
1975 *Structural Poetics: Structuralism, Linguistics, and the Study of Literature,* Londres, Routledge and Kegan Paul, 1975.

CURTIS, James M.
1976 «Bergson and Russian Formalism», *Comparative Literature,* 28, págs. 109-22.

DEMETZ, Peter
1967 *Marx, Engels and the Poets,* trad. de Jeffrey L. Sammons, Chicago y Londres, University of Chicago Press. Traducción de *Marx, Engels und die Dichter* (1959).
1970 «Wandlungen der marxistischen Literaturkritik, Hans Mayer, Ernst Fischer, Lucien Goldmann», en Paulsen, 1969, págs. 13-33.

DIEMER, A., ed.
1971 *Der Methoden- und Theorienpluralismus in den Wissenschaften,* Meisenheim am Glan, Anton Hain.

DOBROLIUBOV, N. A.
1961 *Literaturnaja kritika,* Moscú, Gos. izd. chudozestvennoj literatury.

DOLEZEL, Lubomír
1972 «From Motifemes to Motifs», *Poetics,* 4, págs. 55-91.
1973 *Narrative Modes in Czech Literature,* Toronto, University of Toronto Press.
1976 «Narrative Semantics», *PTL,* 1, págs. 129-51.

DORSCH, T. S., ed.
1970 *Classical Literary Criticism,* Harmondsworth, Penguin.

DOUBROVSKY, Serge
1966 *Pourquoi la Nouvelle Critique? Critique et objectivité,* París, Mercure de France.

DUCROT, Oswald, *et al.*
1968 *Qu'est-ce que le structuralisme?* París, Seuil.

DUNDES, Alan
1962 «From Etic to Emic Units in the Structural Study of

Folktales», *Journal of American Folklore,* 75; págs. 95-105. Reimpreso en Koch, 1972, págs. 104-15.

DURZAK, Manfred
1971 «Plädoyer für eine Rezeptionsästhetik: Anmerkungen zur deutschen und amerikanischen Literaturkritik am Beispiel von Günter Grass *Oertlich Betäubt*», *Akzente,* 6, páginas 487-504.

ECO, Umberto
1968 *La struttura assente: Introduzione alla ricerca semiologica,* Milán, Bompiani.
[Trad. esp. *La estructura ausente,* trad. Francisco Serra, Barcelona, Lumen, 1972.]
1972 *Einführung in die Semiotik,* ed. Jürgen Trabant, Munich, Fink (trad. de Eco, 1968).
1976 *A Theory of Semiotics,* Bloomington, Indiana University Press.
[Vers. esp. *Tratado de Semiótica general,* Barcelona, Lumen, 1977.]

EHRMANN, Jacques, ed.
1970 *Structuralism,* Garden City, N. Y., Doubleday.

EIMERMACHER, Karl
1971 «Entwicklung, Charakter und Probleme des sowjetischen Strukturalismus in der Literaturwissenschaft», en Karl Eimermacher, ed., *Teksty sovetskogo literaturovedceskogo strukturalizma,* Centrifuga, Russian Reprintings and Printings, 5, Munich, Fink, págs. 9-40.
1973 «Zum Problem einer literaturwissenschaftlichen Metasprache», *Sprache im technischen Zeitalter,* 48, págs. 255-77.

EIMERMACHER, Karl, ed.
1972 *Dokumente zur sowjetischen Literaturpolitik 1917-1932,* Stuttgart, Kohlhammer.

EICHENBAUM, Boris
1918a «Wie Gogol's 'Mantel' gemacht ist», en Striedter, 1969, págs. 123-60. Trad. de «Kak sdelana 'Sinel'. Gogolja».
1918b «Die Illusion des Skaz» en Striedter, 1969, págs. 161-8. Trad. de «Illjuzija skaza».
[Recogido en Todorov, 1965b y por tanto con trad. esp.]
1926 «The Theory of the Formal Method», en Matejka y Pomorska, 1971, págs. 3-38. Trad. de «Teorija 'formal' nogo metoda».
[Vers. esp. en *Formalismo y vanguardia,* Madrid, Alberto Corazón, 1980.]
1929 «Literary Environment», en Matejka and Pomorska, 1971, págs. 56-66. Trad. de «Literaturnyj byt».

EMPSON, William
1930 *Seven Types of Ambiguity,* Harmondsworth, Penguin, 1973.

ERLICH, Victor
1955 «Social and Aesthetic Criteria in Soviet Russian Criticism», en Simmons, 1955, págs. 398-417.
1969 *Russian Formalism: History, Doctrine,* con prólogo de René Wellek, 3.ª ed., Slavistic Printings and Reprintings, 4, La Haya, Mouton. Primera edición, 1955.

[Trad. esp. *El Formalismo ruso. Historia, doctrina,* versión de Jem Cabanes, Barcelona, Seix Barral, 1974.]

ESCARPIT, Robert, *et. al.*

1970 *Le littéraire et le social: Élements pour une sociologie de la littérature,* París, Flammarion.
[Vers. esp. *Hacia una sociología del hecho literario,* tradución de Luis Antonio Gil, Madrid, Edicusa, 1974.]

FABER, Karl-Georg

1971 *Theorie der Geschichtswissenschaft,* Munich, Beck.

FISCHER, Ernst

1971 *Überlegungen zur Situation der Kunst und zwei andere Essays,* Zürich, Diogenes.

FIZER, John

1963 «Art and the Unconscious», *Survey,* 46, págs. 125-134.

FOKKEMA, D. W.

1965 *Literary Doctrine in China and Soviet Influence 1956-1960,* con introducción de S. H. Chen, La Haya, Mouton.

1971 *Cultureel relativisme en vergelijkende literatuurwetenschap,* Amsterdam, Arbeiderspers.

1972 «Cultural Relativism and Comparative Literature», *Tamkang Review 3,* núm. 2, págs. 59-72. Trad. de Fokkema, 1971.

1974 «Method and Programme of Comparative Literature», *Synthesis, Bulletin du Comité National de Littérature Comparée de la République Socialiste de Roumanie,* 1, páginas 51-63.

FOWLER, Roger

1975a «Language and the Reader: Shakespeare's Sonnet 73», en Fowler, 1975b, págs. 79-123.

FOWLER, Roger, ed.

1975b *Style and Structure in Literature: Essays in the New Stylistics,* Oxford, Blackwell.

FRIEDBERG, Maurice

1959 «Recipe for Writers: Tipichnost and Narodnost», *Soviet Survey,* 27, págs. 200-4.

FÜGEN, Hans Norbert

1964 *Die Hauptrichtungen der Literatursoziologie und ihre Methoden,* Bonn, Bouvier.

FUHRMANN, Manfred, ed.

1971 *Terror und Spiel: Probleme der Mythenrezeption,* Munich, Fink.

GALLAS, Helga

1969 «Ausarbeitung einer marxistischen Literaturtheorie im BPRS und die Rolle von Georg Lukács», *Alternative,* 67/68, páginas 148-74.

GARVIN, Paul L., ed.

1964 *A Prague School Reader on Esthetics, Literary Structure, and Style,* translated from the Czech, Washington, Georgetown University Press.

GENETTE, Gérard

1965 «Strukturalismus und Literaturkritik», en Naumann, 1973, págs. 354-77. Trad. alemana de «Structuralisme et critique littéraire».

GEURTS, J. P. M.
1975 *Feit en theorie: Inleiding tot de wetenschapsleer,* Assen y Amsterdam, Van Gorcum.

GÖTTNER, Heide
1973 *Logik der Interpretation: Analyse einer literaturwissenschaftlichen Methode unter kritischer Betrachtung der Hermeneutik,* Munich, Fink.

GOLDMANN, Lucien
1955 *Le dieu caché: Étude sur la vision tragique dans les pensées de Pascal et dans le théâtre de Racine,* París, Gallimard.
[La vers. esp. aparece con el título *El hombre y lo absoluto,* trad. de Juan Ramón Capella, Barcelona, Península, 1968.]
1964 *Pour une sociologie du roman,* París, Gallimard.
[Trad. esp. *Para una sociología de la novela,* por Jaime Ballesteros y Gregorio Ortiz, Madrid, Ciencia Nueva, 1967.]

GOMBRICH, E. H.
1960 *Art and Illusion: A Study in the Psychology of Pictorial Representation,* Londres, Phaidon.
[Hay trad. esp. en Gustavo Gili.]

GREENLEE, Douglas
1973 *Peirce's Concept of Sign,* Approaches to Semiotics, 5, La Haya, París, Mouton.

GREIMAS, A. J.
1963 «La description de la signification et la mythologie comparée», *L'Homme: Revue française d'anthropologie,* 3, número 3, págs. 51-66.
1966 a *Sémantique structurale: Recherche de méthode,* París, Larousse.
[Trad. esp. *Semántica estructural,* vers. de Alfredo de la Fuente, Madrid, Gredos, 1973, reimpresión.]
1966b «Éléments pour une theorie de l'interprétation du récit mythique», *Communications,* 8, págs. 28-59.
[Hay vers. esp. en la trad. citada del número 8 de *Communications* por Tiempo Contemporáneo.]

GROEBEN, Norbert
1972 *Literaturpsychologie: literaturwissenschaft zwischem Hermeneutik und Empirie,* Stuttgart, Kohlhammer.

GRYGAR, Mojmír
1969 «Bedeutungsgehalt und Sujetaufbau im *Pekar Jan Marhoul* von Vladislav Vaccura: zur Poetik der lyrischen Prosa», *Zeitschrift für Slawistik,* 14, págs. 199-224.
1972 «Remarques sur la dénomination poétique chez Khlebnikov», *Poetics,* 4, págs. 109-19.

GÜNTHER, Hans
1969 «Zur Strukturalismus-Diskussion in der sowjetischen Literaturwissenschaft», *Die Welt der Slaven,* 14, págs. 1-21.
1971a «Die Konzeption der literarischen Evolution im tschechischen Strukturalismus», *Alternative, 80,* (1971) págs. 183-201.

1971b «Grundbegriffe der Rezeptions- und Wirkungsanalyse im tschechischen Strukturalismus», *Poética,* 4, págs. 224-43.

GUÉPIN, J. P.
1972-73 «Propp kan niet en waarom», *Forum der letteren,* 13, páginas 129-48; 14, págs. 30-52.

GUILLÉN, Claudio
1971 *Literature as System: Essays toward the Theory of Literary History,* Princeton, Princeton University Press.

GULIAEV, N. A., A. N. Bogdanov y L. G. Judkevic
1970 *Teorija literatury v svjazi s problemami estetiki,* Moscú, Izd. «Vyssaja skola».

HABERMAS, Jürgen
1969 *Erkenntnis und Interesse,* Frankfurt, Suhrakamp.

HASSAN, Ihab.
1975 *Paracriticisms: Seven Speculations of the Times,* Urbana, Unisersity of Illinois Press.

HEGEL, G. W. F.
1956-65 *Sämtliche Werke,* ed. Hermann Glockner, 4.ª ed., 22 vols., Stuttgart-Bad Camstatt, Friedrich Frommann.

HELMER, Olaf y Nicholas Rescher
1959 «Exact vs. Inexact Sciences: A More Instructive Dichotomy?», en Krimerman, 1969, págs. 181-203.

HEMPEL, Carl G.
1966 *Philosophy of Natural Science,* Englewood Cliffs, N. J., Prentice Hall.

HILLMANN, Heinz
1972 «Rezeption—empirisch», en Müller-Seidel, 1975, páginas 433-49.

HIRSCH, Jr., E. D.
1972 «Value and Knowledge in the Humanities», en Bloomfield, 1972b, págs. 55-73.
1976 *The Aims of Interpretation,* Chicago y Londres, The University of Chicago Press.

HOGREBE, Wolfram
1971 «Theorienpluralismus in der Literaturwissenschaft», en Diemer, 1971, págs. 265-86.

HOLENSTEIN, Elmar
1975 *Roman Jakobsons phänomenologischer Strukturalismus,* Frankfurt, Suhrkamp.
1976 «The Structure of Understanding: Structuralism versus Hermeneutics», *PTL,* 1, págs. 223-38.

HUSSERL, Edmund
1900-1 *Logische Untersuchungen,* 5.ª ed., 2 vols., Tübingen, Niemeyer, 1968.
[Trad. esp. *Investigaciones lógicas,* vers. de José Gaos, 3.ª ed., Madrid, Revista de Occidente, 1976.]
1968 *Briefe an Roman Ingarden,* mit Erläuterungen und Erinnerungen an Husserl, ed. Roman Ingarden, Den Haag, Nijhoff.

INGARDEN, Roman
1931 *Das literarische Kunstwerk,* 3.ª ed., Tübingen, Niemeyer, 1965.
1968 *Vom Erkennen des literarischen Kunstwerks,* Darmstadt: Wissenschaftliche Buchgesellschaft. Trad. adaptada de *O poznawaniu dziela literackiego* (1937).
1969 *Erlebnis, Kunstwerk und Wert: Vorträge zur Aesthetik 1937-1967,* Darmstadt Wissenschaftliche Buchgesellschaft.

ISER, Wolfgang
1970 *Die Appellstruktur der Texte: Unbestimmtheit als Wirkungsbedingung literarischer Prosa,* Konstanz Universitätsverlag.
1971 «Indeterminacy and the Reader's Response in Prose Fiction», en Miller, 1971, págs. 1-45.
1972 *Der implizite Leser,* Munich, Fink.

IVANOV, Vjaceslav Vs.
1973a «The Category of Time in Twentieth-Century Art and Culture», *Semiótica,* 8, págs. 1-46.
1973b «On Binary Relations in Linguistic and Other Semiotic and Social Systems», en Radu J. Bogdan and Ilkka Niiniluoto, ed., *Logic, Language and Probability,* Dordrecht, D. Reidel, págs. 196-201.
1973c «Znacenie idej M. M. Bachtina o znake, vyskazyvanii i dialoge dlja sovremennoj semiotiki», *Trudy,* VI, 1973, páginas 5-44.

IVANOV, V. V. y V. N. Toporov
1962 «Ketskaja model' mira», en *Simpozium,* 1962, págs. 99-103.

JAKOBSON, Roman
1921 «Die neueste russische Poesie», en Stempel, 1972, páginas 19-136. Trad. de «Novejsaja russkaja poezija».
1934 «Was ist Poesie», en Stempel, 1972, págs. 393-418. Trad. de «Co je poesie».
1939 «Signe zéro», in *Mélanges de linguistique offerts à Charles Bally,* Ginebra, Georg. Reimpreso en Jakobson, 1971, II, págs. 211-20.
1960 «Linguistics and Poetics», en Sebeok, 1960, págs. 350-78. [Vers. esp. en Sebeok, *Estilo del lenguaje,* trad. Ana María Gutiérrez Cabello, Madrid, Cátedra, 1974.]
1965 «Quest for the Essence of Language», *Diogenes,* 51, páginas 21-38.
1971 *Selected Writings,* II, *Word and Language,* La Haya y París, Mouton.

JAKOBSON, Roman y Claude Lévi-Strauss
1962 «Les chats' de Charles Baudelaire», *L'Homme: Revue française d'anthropologie,* 2, págs. 5-21. Trad. inglesa en Lane, 1970, págs. 202-21.

JAMESON, Fredric
1971 *Marxism and Form: Twentieth-Century Dialectical Theories of Literature,* Princeton, N. J., Princeton University Press. [En curso de traducción en Seix Barral.]

JARRY, André
1974 «Aujourd'hui, Lotman et le "texte" artistique», *Le monde,* 8, marzo 1974.

JAUSS, Hans Robert
1970 *Literaturgeschichte als Provokation,* Frankfurt Shurkamp. [Vers. esp. en el vol. colectivo *La actual ciencia literaria alemana,* trad. de Hans Ulrich Gumbrecht y Gustavo Domínguez, Salamanca, Anaya, 1972. Con posterioridad (1979) se ha efectuado otra edición en Ed. Laia.]
1973 «Racines und Goethes Iphigenie: mit einem Nachwort über die Partialität der rezeptionsästhetischen Methode», en Bubner, 1973, págs. 1-47.
1975a «La douceur du foyer—Lyrik des Jahres 1857 als Muster der Vermittlung sozialer Normen», en Warning, 1975, páginas 401-34.
1975b «Der Leser als Instanz einer neuen Geschichte der Literatur», *Poetica,* 7, págs. 325-44.
1975c «The Idealist Embarrassment: Observations on Marxist Aesthetics», *New Literary History,* 7, págs. 191-209.

JAUSSS, Hans Robert, ed.
1968 *Die Nicht Mehr Schönen Künste: Grenzphänomene des Aesthetischen,* Munich, Fink.

JUST, Georg
1972 *Darstellung und Appell in der «Blechtrommel» von Günter Grass: Darstellungsästhetik versus Wirkungsästhetik,* Frankfurt, Athenäum.

KACER, M.
1968 «Der Prager Strukturalismus in der Aesthetik und Literaturwissenschaft», *Die Welt der Slaven,* 13, págs. 64-87.

KAGAN, Moissei
1971 *Vorlesungen zur marxistisch-leninistischen Aesthetik,* Berlín, Dietz. Trad. de *Lekcii por marksistsko-leninskoj estetike.*

KAPP, Volker, ed.
1973 *Aspekte objektiver Literaturwissenschaft: Die italienische Literaturwissenschaft zwischen Formalismus, Strukturalismus und Semiotik,* Heidelberg, Quelle und Meyer.

KATZ, Jerrold J.
1972 *Semantic Theory,* Nueva York, Harper and Row.

KAYSER, Wolfgang
1958 *Die Vortragsreise: Studien zur Literatur,* Berna, Francke.

KLAUS, Georg, ed.
1969 *Wörterbuch der Kybernetik,* 2 vols. Frankfurt Fischer.

KOCH, Walter A., ed.
1972 *Strukturelle Textanalyse, Analyse du récit, Discourse Analysis,* Hildesheim y Nueva York, Georg Olms.

KOESTLER, Arthur
1970 «Literature and the Law of Diminishing Returns», *Encounter,* 34, núm. 5, págs. 38-46.

KON, I. S.
1966 *Die Geschichtsphilosophie des 20. Jahrhunderts: Kritischer Abriss,* 2 vols., Berlín, Akademie-Verlag.

KONSTANTÍNOVIC, Zoran
1973 *Phänomenologie und Literaturwissenschaft: Skizzen zu*

einer wissenschaftstheoretischen Begründung, Munich, List.

KOSELLECK, R. y W.-D. Stempel, eds.
1973 *Geschichte: Ereignis und Erzählung,* Munich, Fink.

KRIMERMAN, Leonard, ed.
1969 *The Nature and Scope of Social Science: A Critical Anthology,* Nueva York, Meredith.

KUNNE-IBSCH, Elrud
1972 *Die Stellung Nietzsches in der Entwicklung der modernen Literaturwissenschaft,* Assen, Van Gorcum y Tübingen, Niemeyer.
1974 «Form und Bedeutung: Eine Kritik der "Form-Inhalt" Dichotomie», *Degrés,* 2, núm. 5, págs. 1-12.

KUO Mo-jo
1971 *Li Po yü Tu Fu,* Peking, Jen-min wen-hsüeh ch'u-pan-she.

LANE, Michael, ed.
1970 *Structuralism: A Reader,* Londres, Cape.

LANSON, Gustave
1910 *Essais de méthode de critique et d'historie littéraire,* ed. Henri Peyre, París, Hachette, 1965.

LEENHARDT, Jacques
1973 *Lecture politique du roman:* La Jalousie *d'Alain Robbe-Grillet,* París, Editions de Minuit.
[Vers. esp. en Siglo XXI, 1975.]

LENIN, V. I.
1967 *On Literature and Art,* Moscú, Progress.
[Vers. esp. *Sobre arte y literatura,* trad. de Fernando González Corugedo, Madrid, Júcar, 1975, y otra en Barcelona, Península, 1975.]

LÉVI-STRAUSS, Claude
1945 «L'Analyse structurale en linguistique et en anthropologie», *Word,* 1, págs. 33-54. Reimpreso en Lévi-Strauss, 1958, páginas 37-63, y 1972, págs. 31-55.
1955 *Tristes tropiques,* París, Plon.
[Existe una versión esp. por la Universidad de Buenos Aires, 1970, e igualmente, y en el mismo año, la trad. al catalán.]
1958 *Anthropologie structurale,* París, Plon.
[Vers. esp., Buenos Aires, Eudeba.]
1960 «La structure et la forme: Réflexions sur un ouvrage de Vladimir Propp», *Cahiers de l'Institut de Science Économique Appliquée,* 99, págs. 3-37.
1962 *Pensée sauvage,* París, Plon.
[Vers. esp. Francisco González, México, FCE, 1965.]
1972 *Structural Anthropology,* trad. Claire Jakobson y Brooke Grundfest Schoepf, Harmondsworth, Penguin. Trad. de Lévi-Strauss, 1958.

LEVIN, Harry
1966 *Refractions: Essays in Comparative Literature,* Nueva York, Oxford University Press.

LEVIN, Samuel R.
1962 *Linguistic Structures in Poetry,* La Haya y París, Mouton.

[Vers. esp. *Estructuras lingüísticas en la poesía,* trad. de Carmen y Julio Rodríguez Puértolas, presentación y apéndice de Fernando Lázaro Carreter, Madrid, Cátedra, 1974.]

LINK, Hannelore

1973 «Die Appellstruktur der Texte» und ein «Paradigmawechsel in der Literaturwissenschaft», *Jahrbuch der deutschen Schillergesellschaft, 17,* págs. 532-83.

LORENZ, Richard, ed.

1969 *Proletarische Kulturrevolution in Sowjetrussland 1917-1921,* Dokumente des «Proletkult», Munich, DTV.

LOTMAN, Juri M.

1964 *Lektsii po struktural'noi poetike: Vvedenie, Teoriia stikha,* introducción de Thomas G. Winner, Brown University Slavic Reprint, 5 (Providence, R. I., Brown University Press, 1968).

1970 *Struktura chudozestvennogo teksta,* Moscú, Izd. «Iskusstvo».

1972a *Die Struktur literarischer Texte,* trad. Rolf-Dietrich Keil, Munich, Fink. Trad. de Lotman, 1970.
[La trad. francesa de Gallimard es de 1973 y la esp. *La estructura del texto crítico,* Madrid, Istmo, 1977.]

1972b *Vorlesungen zu einer strukturalen Poetik: Einführung, Theorie des Verses,* ed. Karl Eimermacher y Waltraud Jachnow, Theorie und Geschichte der Literatur und der schönen Künste, 14, Munich, Fink. Trad. de Lotman, 1964.

1972c *Analiz poeticeskogo teksta: Struktura sticha,* Leningrado, Prosvescenie.

1975 *Die Analyse des poetischen Textes,* trad. Rainer Grübel, Kronberg, Ts., Scriptor. Trad. de Lotman, 1972c.

LOWENTHAL, Leo

1957 *Literature and the Image of Man: Sociological Studies of the European Drama and Novel, 1600-1900,* Boston, Beacon Press.

LUKÁCS, Georg

1958 *Wider den missverstandenen Realismus,* Hamburgo, Claassen.
[Cfr. *Materiales sobre realismo,* trad. de Manuel Sacristán, Barcelona, Grijalbo, 1976.]

1962 *Die Theorie des Romans: Ein geschichtsphilosophischer Versuch über die Formen der grossen Epik,* Neuwied, Luchterhand. Publicada la primera vez en 1916.
[Vers. esp. junto con *El alma y las formas,* por Manuel Sacristán, Barcelona, Grijalbo, 1974. Puede verse también la antología *Sociología de la literatura,* Barcelona, Península, 1973, así como *Ensayos sobre el realismo,* Buenos Aires, Ed. Siglo XX, 1965, y *Problemas del realismo,* México, FCE, 1966.]

1973-75 *Werke,* 17 vols., incompletas, Neuwied, Luchterhand.

MAGUIRE, Robert A.

1968 *Red Virgin Soil: Soviet Literature in the 1920s,* Princeton, N. J., Princeton University Press.

MANDELKOW, Karl Robert

1970 «Probleme der Wirkungsgeschichte», *Jahrbuch für internationale Germanistik,* 2, págs. 71-85.

MAO Tse-tung
1942 «Talks at the Yenan Forum on Literature and Art», *Selected Works*, III, Peking, Foreign Languages Press, 1967, págs. 69-99. Trad. de «Tsai Yen-an wen-i tso-t'an-hui shang ti chiang-hua» (edición de 1953).
[Vers. esp. *Intervenciones en el foro de Yénan sobre arte y literatura*, Barcelona, Anagrama, 1974.]
1950 *Problems of Art and Literature*, Nueva York, International Publishers. Trad. de «Tsai Yen-an wen-i tso-t'an-hui shang ti chiang-hua».

MARGOLIS, Joseph
1965 *The Language of Art and Art Criticism*, Detroit Wayne State University Press.

MARKOV, Vladimir
1968 *Russian Futurism: A History*, Berkeley y Los Angeles, University of California Press.

MARX, Karl y Friedrich Engels
1953 *Über Kunst und Literatur: Eine Sammlung aus ihren Schriften*, ed. Michail Lifschitz, con prólogo de Fritz Erpenbeck, Berlín, Henschelverlag.
1967-8 *Über Kunst und Literatur*, 2 vols., Berlín, Dietz.
[Cfr. *Sobre arte y literatura*, trad. e introducción de Valeriano Bozal, Madrid, Ciencia Nueva, 1968. Es interesante también consultar Marx y Engels, *Textos sobre la producción artística*, Madrid, Alberto Corazón, 1972.]

MATEIKA, Ladislav y Krystyna Pomorska
1971 *Readings in Russian Poetics: Formalist and Structuralist Views*, Cambridge, Mass. y Londres, M. I. T. Press.

MEINECKE, Friedrich
1936 *Die Entstehung des Historismus*, 2 vols., Munich y Berlín, R. Oldenburg.

MELETINSKI, E. M.
1969 «Zur strukturell-typologischen Erforschung des Volksmärchens», en Propp, 1972, págs. 179-215. Trad. de «Strukturnotipologiceskoe izucenie skazki».

MELETINSKI, Elizar y Dmitri Segal.
1971 «Structuralisme et sémiotique en URSS», *Diogène*, 73, páginas 94-118.

MERLEAU-PONTY, Maurice
1945 *Phénoménologie de la perception*, París, Gallimard.
[Vers. esp. *Fenomenología de la percepción*, trad. de Jem Cabanes, Barcelona, Ediciones 62, 1974.]

MILLER, J. Hillis, ed.
1971 *Aspects of Narrative*, Nueva York y Londres, Columbia University Press.

MORRIS, Charles
1964 *Signification and Significance: A Study of the Relations of Signs and Values*, Studies in Communication, Cambridge, Mass., M. I. T. Press.
[Vers. esp. *La significación y lo significativo*, trad. de Jesús Antonio Cid, Madrid, Alberto Corazón, 1974.]

MORRIS, Wesley
1972 *Toward a New Historicism,* Princeton, N. J., Princeton University Press.

MÜLLER-SEIDEL, Walter, ed.
1975 *Historizität in Sprach- und Literaturwissenschaft:* Vorträge und Berichte der Stuttgarter Germanistentagung 1972, Munich, Fink.

MUKAROVSKY, Jan
1929 «Über die gegenwärtige Poetik», en Mukarovsky, 1974: páginas 84-100.
1934 «Die Kunst als semiologisches Faktum», en Mukarovsky, 1970, págs. 138-46. Trad. de «L'art comme fait sémiologique».
1935 *Aesthetic Function, Norm and Value as Social Facts,* traducción de Mark E. Suino, Michigan Slavic Contributions (Ann Arbor, Department of Slavic Languages and Literature, University of Michigan, 1970). Trad. de «Estetická funkoe, norma a hodnota jako sociální fakty».
1938 «Die poetische Benennung und die ästhetische Funktion der Sprache», en Mukarovsky, 1967, págs. 44-55. Trad. de «Dénomination poétique et la fonction esthétique de la langue».
1940 «Der Strukturalismus in der Asthetik und in der Literaturwissenschaft», en Mukarovsky, 1967, págs. 7-55. Trad. de «Strukturalismus v estetice a ve vede o literature».
1947 «Zum Begriffssystem der tschechoslovakischen Kunsttheorie», en Mukarovsky, 1974, págs. 7-20.
1967 *Kapitel aus der Poetik,* trad. Walter Schamschula, Frankfurt, Suhrkamp.
1970 *Kapitel aus der Asthetik,* trad. Walter Schamschula, Frankfurt, Suhrkamp.
1974 *Studien zur strukturalistischen Asthetik und Poetik,* traducción de Herbert Grönebaum y Gisela Riff, con el prólogo: «Die strukturalistische Asthetik und Poetik Jan Mukarovsky», Munich, Carl Hanser.
[Dos son las traducciones españolas: la de Alberto Corazón (Madrid, 1971), por Simón Marchán, con el título *Arte y semiología,* que contiene Mukarovsky 1934 y 1940), y *Escritos de estética y semiótica del arte,* ed. crítica de Jordi Llovet, Barcelona, Gustavo Gili, 1977, que contiene Mukarovsky 1934, 1935 y 1938, entre otros.

NAGEL, Ernest
1961 *The Structure of Science: Problems in the Logic of Scientific Explanation,* Londres, Routledge and Kegan Paul.

NAUMANN, Hans, ed.
1973 *Der moderne Strukturbegriff: Materialien zu seiner Entwicklung,* Darmstadt, Wissenschaftliche Buchgesellschaft.
«On the problem of the Typical in Literature and Art».
1955 «K voprosu o tipiceskom v literature i oskusstve», *Kommunist,* 18, págs. 12-24.

OOMEN, Ursula
1973 *Linguistische Grundlagen poetischer Texte,* Tübingen, Niemeyer.

OVSIANNIKOV, M. F., ed.
1973 *Marksistsko-leninskaja estetika,* Moscú, Izd. Moskovskogo Universiteta.

PARKINSON, G. H. R., ed.
1970 *Georg Lukács: The Man, His Work and His Ideas,* Londres, Weidenfeld and Nicolson.

PAULSEN, Wolfgang, ed.
1969 *Der Dichter und seine Zeit: Politik im Spiegel der Literatur,* Drittes Amherster Kolloquium zur modernen deutschen Literatur, Heidelberg, Lothar Stiehm.

PEARCE, Roy Harvey
1969 *Historicism Once More: Problems and Occasions for the American Scholar,* Princeton, N. J., Princeton University Press.

PEIRCE, Charles Sanders
1958-60 *Collected Papers,* 8 vols., 2.ª reimpr., Cambridge, Mass., Harvard University Press. Vol. 1-6 editados por Charles Hartshorne y Paul Weis, vol. 7-8 por Arthur W. Burks. [Cfr. la selección de escritos de Peirce *La ciencia de la semiótica* realizada por Armando Sercovich, Buenos Aires, Nueva Visión, 1974, y Antonio Tordera, *Hacia una semiótica programática* (El signo en Ch. S. Peirce), Valencia, Fernando Torres, 1978.]

PIAGET, Jean
1968 *Le structuralisme,* París Presses Universitaires de France. [Vers. esp. *El estructuralismo* por Jordi García-Bosch y Damià Macía, Barcelona, Oikos-Tau, 1974).

PICARD, Raymond
1965 *Nouvelle Critique ou nouvelle imposture,* París, Jean-Jacques Pauvert.

PLEJANOV, G. W.
1955 *Kunst und Literatur.* Prólogo M. Rosental. Redacción y comentario N. F. Beltschikow, trad. Joseph Harhammer (Berlín, Dietz). Trad. de *Iskusstvo i literatura* (1948).

POMORSKA, Krystyna
1968 *Russian Formalist Theory and Its Poetic Ambiance,* La Haya, Mouton.

POPPER, Karl R.
1949 «Naturgesetze und theoretische Systeme», en Albert, 1972, páginas 43-59.
1969a *The Poverty of Historicism,* Londres, Routledge and Kegan Paul. Primera edición, 1944-45.
1969b «Die Logik der Sozialwissenschaften», en Adorno *et al.,* 1969, págs. 103-25.
1972b *The Logic of Scientific Discovery,* ed. revisada, Londres, Hutchinson. Trad. revisada de *Logik der Forschung,* Viena, 1934.
[Vers. esp. *Lógica de la investigación científica,* de Víctor S. de Zavala, Madrid, Tecnos, 1977.]
1972b *Objective Knowledge: An Evolutionary Approach,* Oxford, Clarendon Press.
[Vers. esp. *Conocimiento objetivo,* de Carlos Solís, Madrid, Tecnos, 1974.]

POSNER, Roland
1972 «Strukturalismus in der Gedichtinterpretation: Textdeskription und Rezeptionsanalyse am Beispiel von Baudelaire's 'Les chats'», en Blumensath, 1972, págs. 202-42. La primera vers. de este artículo apareció en 1969.

Problems of Soviet Literature.
1935 Reports and Speeches at the First Soviet Writers'Congress, ed. H. G. Scott (Moscú y Leningrado, Co-operative Publishing Society of Foreign Workers in the USSR). Trabajos de A. Zdanov, M. Gorki, N. Bucharin, K. Radek y A. Stecki.

PROPP, Vladimir Ja.
1928 *Morfologija skazki,* 2.ª ed., Issledovanija po fol'kloru i mifologii vostoka (Moscú, «Nauka», 1969).
1958 *Morphology of the Folktale,* ed. por Svatava Pirkova-Jakobson, trad. de Laurence Scott, *International Journal of American Linguistics,* vol. 24, núm. 4, Part III. Publication 10 of the Indiana University Research Center in Anthropology, Folklore, and Linguistics. Trad. de Propp, 1928.
1968 *Morphology of the Folktale.* Segunda edición a cargo de Louis A. Wagner y Alan Dundes, Publication of the American Folklore Society, Bibliographical and Special Series, 9; Indiana University Research Center in Anthropology, Folklore and Linguistics, 10 (Austin y Londres, University of Texas Press). Trad. de Propp, 1928.
1970a *Morphologie du conte,* trad. Claude Ligny, París, Gallimard. Trad. de Propp, 1928.
1970b *Morphologie du conte, suivi de «Les transformations des contes merveilleux» et de E. Mélétinski: «L'Étude structurale et typologique du conte»,* trad. Marguérite Derrida, Tzvetan Todorov y Claude Kahn, Collection poétique, Sciences humaines, 12, París, Seuil. Trad. de Propp, 1928.
1972 *Morphologie des Märchens,* ed. Karl Eimermacher, Munich, Carl Hanser. Trad. de Propp, 1928.
[La vers. esp. de Propp, 1928, se publicó en 1971 a partir de la francesa (1970b) en Madrid, Fundamentos, trad. Lourdes Ortíz. Contiene también *Las transformaciones de los cuentos maravillosos* y *Estudio estructural y tipológico del cuento* de Meletinsky.]

RESCHER, Nicholas
1964 *Introduction to Logic,* Nueva York, St. Martin's Press.
1969 *Introduction to Value Theory,* Englewood Cliffs, N. J., Prentice-Hall.
1973 *The Coherence Theory of Truth,* Londres, Oxford University Press.

REVZIN, I. I.
1974 «On the Continuous Nature of the Poetic Semantics», *Poetics,* 10, págs. 21-7.

REVZINA, O. G.
1972 «The Fourth Summer School on Secondary Modeling Systems (Tartu, 17-24 de agosto de 1970)», *Semiótica,* 6, páginas 222-44.

REVZINA, O. G. y I. I. Revzin
1975 «A Semiotic Experiment of Stage: The Violation of the

Postulate of Normal Communication as a Dramatic Device», *Semiotica*, 14, págs. 245-68.

RICOEUR, Paul
1967 «La structure, le mot, l'événement», *Esprit*, 35, págs. 801-822.
1969 *Le conflit des interprétations: Essais d'herméneutique*, París, Seuil.

RIESER, Max
1968-9 «Problems of Artistic Forms: The Concept of Art», *The Journal of Aesthetics and Art Criticism*, 27, págs. 261-70.

RIFFATERRE, Michael
1966 «Describing Poetic Structures: Two Approaches to Baudelaire's 'Les chats'», *Yale French Studies*, núms. 36-37, páginas 200-42.

ROZENTAL, M. M. y P. F. Judin, eds.
1963 *Filosofskij slovar'*, Moscú, Izd. politiceskoj literatury.

RUHLE, Jürgen
1960a *Literatur und Revolution*, Colonia, Kiepenheuer and Witsch.
1969b «The Soviet Theater: Part II», *Problems of Communism*, 9, núm. 1, págs. 40-50.

RUWET, Nicolas
1968 «Limites de l'analyse linguistique en poétique», *Langages*, 12, págs. 56-70.
1971 «Je te donne ces vers...», *Poétique*, 7, págs. 355-401. Reimpreso en Ruwet, 1972, págs. 228-48.
1972 *Langage, musique, poésie*, París, Seuil.

SAPIR, Edward
1949 *Selected Writings in Language, Culture, and Personality*, ed. David G. Mandelbaum Berkeley y Los Angeles, University of California Press.

SARTRE, Jean-Paul
1948 *Situations*, II, París, Gallimard.

SAUSSURE, Ferdinand de
1915 *Cours de linguistique générale*, publicado por Charles Bally, Albert Sechehaye y Albert Riedlinger, ed. Tullio de Mauro, París, Pavot, 1972.
1959 *Course in General Linguistics*, trad. Wade Baskin, Nueva York, McGraw-Hill. Trad. Saussure, 1915.
[La tardía trad. española es de 1945 con presentación y traducción de Amado Alonso, Buenos Aires, Losada.]

SCHIWY, Günther
1971 *Neue Aspekte des Strukturalismus*, Munich, Kösel.

SCHMID, Herta
1970 «Zum Begriff der Konkretisation im tschechischen Strukturalismus», *Sprache im technischen Zeitalter*, 36, páginas 290-319.

SCHMID, Wolf
1973 «Poetische Sprache in Formalistischer Sicht: Zu einer neuen Anthologie russischer Formalisten», *Zeitschrift für französische Sprache und Literatur*, 83, págs. 260-71. Reseña de Stempel, 1972.

SCHMIDT, Siegfried J.
1969 *Bedeutung und Begriff: Zur Fundierung einer sprachphilosophischen Semantik,* Braunschweig Vieweg.
1973 «On the Foundation and the Research Strategies of a Science of Literary Communication», *Poetics,* 7, págs. 7-36.
1976 «On a Theoretical Basis for a Rational Science of Literature», *PTL,* 1, págs. 239-264.

SCHMITT, Hans-Jürgen, ed.
1973 *Die Expressionismusdebatte: Materialien zu einer marxistischen Realismuskonzeption,* Frankfurt, Suhrkamp.

SCHOBER, Rita
1973 «Zum Problem der Wertung literarischer Kunstwerke», en Brütting and Zimmermann, 1975, págs. 197-251.

SCHOLES, Robert
1974 *Structuralism in Literature: An Introduction,* New Haven y Londres, Yale University Press.

SCHÜCKING, Levin L.
1923 *The Sociology of Literary Taste,* trad. E. W. Dickes, Londres, Kegan Paul, 1944. Trad. de *Soziologie der literarischen Geschmacksbildung.*

SCHUPP, Franz
1975 *Poppers Methodologie der Geschichtswissenschaft: Historische Erklärung und Interpretation,* Bonn, Bouvier.

SEBEOK, Thomas A.
1972 «Problems in the Classification of Signs», en Evelyn Scherabon Firchow *et al.,* eds. *Studies for Einar Haugen,* La Haya y París, Mouton, págs. 511-22.

SEBEOK, Thomas A., ed.
1960 *Style in Language,* Nueva York, Technology Press of the M. I. T.
[Vers. esp. *Estilo del lenguaje,* cit.]

SEGAL, D. M.
1962 «O nekotorych problemach semioticeskogo izucenija mifologii», en *Simpozium,* 1962, págs. 92-9.
1968 «Nabljudenija nad semanticeskoj structuroj poeticeskogo proizvedenija», *International Journal of Slavic Linguistics and Poetics,* 11, págs. 159-72.
1974 *Aspects of Structuralism in Soviet Philology,* Papers on Poetics and Semiotics, 2 Tel-Aviv University, Department of Poetics and Comparative Literature.
[Cfr. sobre el mismo tema «Las investigaciones soviéticas en el campo de la semiótica en los últimos años», en *Semiótica de la cultura,* ed. de Jorge Lozano, Madrid, Cátedra, 1979.]

SEGERS, Rien T.
1975 «Readers, Text and Author: Some Implications of Rezeptionsästhetik», *Yearbook of Comparative and General Literature,* 24, págs. 15-24.

SEIFFERT, Helmut
1972 *Einführung in die Wissenschaftstheorie,* Munich, C. H. Beck.

SIMMONS, Ernest J.
1961 «The Origin of Literary Control», *Survey: A Journal of*

Soviet and East-European Studies, 36, págs. 78-85, y 37, págs. 60-7.

SIMMMONS, Ernest J., ed.
1955 *Continuity and Change in Rdssian and Soviet Thought,* Cambridge, Mass., Harvard University Press.

Simpozium
1962 *Simpozium po strukturnomu izuceniju znakovych sistem: tezisy dokladov,* Moscú, Izd. Ak. Nauk SSSR.

SKAGESTAD, Peter
1975 *Making Sense of History: The Philosophy of Popper and Collingwood,* Oslo, Universitetsforlaget.

SKLOVSKI, Viktor
1914 «Die Auferweckung des Wortes», en Stempel, 1972, páginas 3-18. Trad. de «Voskresenie slova».
1916a «Die Kunst als Verfahren», en Striedter, 1969, págs. 3-36. Trad. de «Iskusstvo, kak priëm».
[Vers. esp. «El arte como procedimiento», en *Formalismo y vanguardia,* trad. de Agustín García Tirado, Madrid, Alberto Corazón, 1970. También está recogido en Todorov, *Teoría de la literatura de los formalistas rusos* (Todorov, 1965b).
1916b «Der Zusammenhang zwischen den Verfahren der Sujetfügung und den allgemeinen Stilverfahren», en Striedter, 1969, págs. 37-122. Trad. de «Svjaz' priëmov sjuzetoslozenija s obscimi priëmami stilja».
1921 «Der parodistische Roman: Sternes 'Tristram Shandy'», en Striedter, 1969, págs. 245-300. Trad. de «Parodijnij roman: 'Tristram Sendi' Sterna».
1925 *Theorie der Prosa,* ed. Gisela Drohla, Frankfurt, Fischer, 1966. Trad. de *O teorii prozy.*
[Cfr. *Sobre la prosa literaria,* trad. de Carmen Laín, Barcelona, Planeta, 1971.]

SPET, Gustav
1922-23 *Esteticeskie fragmenty,* 3 vols., San Petersburgo, Knigoizdatel'stvo «Kolos».

STAIGER, Emil
1971 *Die Kunst der Interpretation: Studien zur deutschen Literaturgeschichte,* Munich, DTV.

STEMPEL, W.-D., ed.
1972 *Texte der Russischen Formalisten,* II: *Texte zur Theorie des Verses und der poetischen Sprache,* Munich, Fink.

STIERLE, Karlheinz
1972 «Semiotik als Kulturwissenschaft: A. -J. Greimas' *Du sens, Essais sémiotiques*», en Stierle, 1975a, págs. 186-219.
1975a *Text als Handlung: Perspektiven einer systematischen Literaturwissenschaft,* Munich, Fink.
1875b «Was heisst Rezeption bei fiktionalen Texten?», *Poetica,* 7, págs. 345-387.

STRIEDTER, Juri
1871 «Poesie als 'neuer Mythos' der Revolution am Beispiel Majakovskijs», en Fuhrmann, 1971, págs. 409-35.

STRIEDTER, Juri, ed.
1969 *Texte der Russischen Formalisten,* I: *Texte zur allgemei-*

nen Literaturtheorie und zur Theorie der Prosa, Munich, Fink.

SUS, Oleg
1972 «On the Genetic Preconditions of Czech Structuralist Semiology and Semantics: An Essay on Czech and German Thought», *Poetics,* 4, págs. 28-55.

SWAYZE, Harold
1962 *Political Control of Literature in the USSR, 1946-1959,* Cambridge, Mass., Harvard University Press.

TEESING, H. P. H.
1964 «Der Standort des Interpreten», *Orbis litterarum,* 19, páginas 31-47.

TERC, Abram (seudónimo de A. D. Siniavski)
1957 «On Socialist Realism», en Abram Tertz, *The Trial Begins and On Socialist Realism,* Nueva York, Vintage Books, 1965, págs. 147-220.

TIMOFEEV, L. y N. Vengrov
1955 *Kratij slovar'literaturovede eskich terminov,* 2.ª ed., Moscú, Gos. ucebno-pedagogiceskoe izd. Min. Prosvescenija RSFSR.

TODOROV, Tzvetan
1965a «L'Héritage méthodologique du formalisme», *L'Homme: Revue française d'anthropologie,* 5, págs. 64-84.
1966 «Les catégories du récit littéraire», *Communications,* 8, págs. 125-151.
1969 *Grammaire du Décaméron,* Approaches to Semiotics, 3, La Haya, Mouton.
[Vers. esp. *Gramática del Decamerón,* Madrid, Taller de Ediciones J. B., 1973.]
1971 *Poétique de la prose,* París, Seuil.

TODOROV, Tzvetan, ed.
1965a *Théorie de la litterature: Texter des Formalistes russes;* prefacio de Roman Jakobson, París, Seuil.
[Vers. esp. de Ana María Nehol, Buenos Aires, Signos, 1970.]

TOMACHEVSKI, Boris
1925 *Teorija literatury,* reimpreso con introducción por A. Kirilloff, Letchworth, Bradda Books, 1971. La edición original fue publicada por Gos. izdatel'stvo en Leningrado.

TROTSKI, León
1924 *Literature and Revolution,* Ann Arbor, University of Michigan Pres. 2.ª reimpresión 1966. Trad. de *Literatura i revoljucija.*
[Sobre el tema *vid.* L. Trotski, *Sobre arte y cultura,* Madrid, Alianza, 1971.]

TRUBETZKOY, Nikolai
1933 «Die gegenwärtige Phonologie», en Naumann, 1973, páginas 57-81. Trad. de «La phonologie actuelle».

Trudy.
1964-73 *Trudy po znakovym sistemam,* 6 vols., Tartu, Gos. Universitet.

TINIANOV, Juri
1924a «Das literarische Faktum», en Striedter, 1969, págs. 393-432. Trad. de «Literaturnyj fakt».
1924b *Problema stichotvornogo jazyka; stat'i*, Moscú, Sovetskij pisatel', 1965. En parte trad. en Mateika y Pomorska, 1971, páginas. 126-145.
1927 «Über die literarische Evolution», en Striedter, 1969, páginas 433-62. Trad de «O literaturnoj evoljucii».
[Vers. esp. en Todorov 1965b y en el cit. *Formalismo y vanguardia.*]
1929 *Archaisty i novatory, Archaisten und Neuerer*, Munich, Fink, 1967.

TINIANOV, Juri y Roman Jakobson
1928 «Problems in the Study of Literature and Language», en Mateika y Pomorska, 1971, págs. 79-82. Trad. of «Problemy izucenija literatury i jazyka».
[Vers. esp. en Todorov, 1965b.]

USPENSKI, B. A.
1962 «O semiotike iskusstva», en *Simpozium*, 1962, págs. 125-129.
1970 *Poetika kompozicii: Struktura chudozestvennogo teksta i tipologija kompozicionnoj formy*, Moscú, Izd. «Iskusstvo».
1973 *A Poetics of Composition*, trad. Valentina Zaravin y Susan Wittig, Berkeley y Los Angeles, University of California Press. Trad. de Uspenskij, 1970.

VAN DIJK, Teun A.
1972 *Some Aspects of Text Grammars: A Study in Theoretical Linguistics and Poetics*, La Haya y París, Mouton.

VINOGRADOV, Viktor
1925 «Das Problem des *Skaz* in der Stilistik», en Striedter, 1969, págs. 169-208. Trad. de «Skaz v stilistike».

VODICKA, Felix
1964 «The History of the Echo of Literary Works», en Garvin, 1964, págs. 71-82.
[Hay vers. esp. en el volumen colectivo *Lingüística formal y crítica literaria*, trad. de Esther Benítez, Madrid, Alberto Corazón, 1970.]
1972 «The Integrity of the Literary Process: Notes on the Development of Theoretical Thought in J. Mukarovsky's Work», *Poetics*, 4, págs. 5-16.

VÖLKER, Klaus
1969 «Brecht und Lukács: Analyse einer Meinungsverschiedenheit», *Alternative*, 67/68, págs. 134-48.

VOLKELT, Johannes
1905-14 *System der Aesthetik*, 3 vols., Munich, C. H. Beck.

WARNING, Rainer, ed.
1975 *Rezeptionsästhetik: Theorie und Praxis*, Munich, Fink.

WATSON, George
1969 *The Study of Literature*, Londres, Allen Lane-The Penguin Press.

WEITZ, Morris
1956 «The Role of Theory in Aesthetics», *The Journal of Aesthetics and Art Criticism,* 15 (1956), págs. 27-35.
1972 *Hamlet and the Philosophy of Literary Criticism,* Londres, Faber and Faber.

WELLEK, René
1955-65 *A History of Modern Criticism: 1750-1950,* 4 vols. New Haven y Londres, Yale University Press.
[Vers. esp. en 4 vols., Madrid, Gredos.]
1963 *Concepts of Criticism,* ed. Stephen G. Nichols, Jr., New Haven y Londres, Yale University Press.
(Vers. esp. *Conceptos de crítica literaria* por Edgar Rodríguez, Caracas, Universidad Central de Venezuela, 1968.
1970 *Discriminations: Further Concepts of Criticism,* New Haven y Londres, Yale University Press.
1973 «Zur methodischen Aporie einer Rezeptionsgeschichte», in Koselleck and Stempel, 1973, págs. 515-17.

WELLEK, René y Austin Warren
1956 *Theory of Literature,* Nueva York, Harcourt, Brace and World. Primera edición 1949.
[La ed. esp. se publicó en 1959 con prólogo de Dámaso Alonso y trad. de José María Gimeno, Madrid, Gredos.]

WETTER, Gustav A.
1966 *Soviet Ideology Today: Dialectical and Historical Materialism,* trad. Peter Heath, Londres, Heinemann.

WHORF, Benjamin Lee
1950 «An American Indian Model of the Universe», *International Journal of American Linguistics,* 16, págs. 67-73.
1956 *Language, Thought and Reality: Selected Writings,* ed. John B. Carroll, prólogo de Stuart Chase, Cambridge, Mass., M. I. T. Press, 1971.
[Vers. esp. *Lenguaje, pensamiento y realidad,* trad. de José María Pomares, Barcelona, Barral, 1970.]

WIENOLD, Götz
1972 *Semiotik der Literatur,* Frankfurt, Athenäum.